究極の英語学習法

K/H System

入門編

国井信一／橋本敬子 著

はじめに

K/Hシステム英語勉強法を私たちが開発するきっかけとなったのは、米国ワシントンDCで1992年に開催した通訳者養成講座でした。当時から通訳の訓練法としてはよく知られていたシャドーイングやリテンションなどの勉強法を使った、通訳者を目指す人たちのための講座でした。今思えば、そうしたテクニックを紹介した以上には、特に新しい「学習法」と言えるものを提示できたわけではなく、通訳テクニックを使った「根性論」的教え方の域を出ないものであった気がします。

ただ、「耳と口」中心の実践的訓練自体は、一般の英語学習者にとっては新しいものだったのです。「ただ、英語が好きで」と参加してくださったビジネスマンの方は、こうした訓練アプローチに感激され、「勉強してきたはずの英語が現場で使いものにならずに、日々、英語で苦労をしている駐在員たちのために、ぜひ、学習法として体系化してほしい」と提案してくださったのです。それが、K/Hシステム英語勉強法の開発の視点ときっかけになりました。

■ 現場の悩みに応えて開発された、「使える」英語を身につけるための学習法

それから約10年間、これまでに全米・日本で2500人以上の駐在員や一般の方たちに、セミナーなどを通じてK/Hシステム英語勉強法を紹介してきました。「目で見ればわかるものが、なぜ聞き取れないか」「聞き取れるためには、何が必要なのか」——いろいろな方たちの苦労を聞き、分析し、試行錯誤することで、ひとつの学習システムとして体系化し、改善を重ねてきました。「知っている」だけでなく、「使える英語」を身につけるための、体系的英語学習法です。

■ 付け焼き刃でなく、「英語力」を根本的に変える学習法

差し当たって必要な場面を乗り切るための便利な英語表現を学ぶのであれば、よい教材は巷にあふれています。K/Hシステムは、一見遠回りに見えても「正しい聞き取りのフォーム」を身につけることを目的にしています。そのための視点、勉強の手順とフォーカス、実際の体得作業——これを学んでもらうためのものです。K/Hシステムで英語力の基盤をつくっておけば、多読、多聴、ボキャビルなどの学習効果が劇的に高まります。学んだ英語が「実戦力となって身についてくる」と実感されるはずです。

■ 納得して取り組める

「英語が商売」の通訳（志望者）のためのアプローチと違い、忙しい時間を縫って英語学習する一般の人たちには、単なる「根性論」の押しつけは通用しません。時間をかけるかぎり、学習システム全体の考え方、各学習ステップやテクニックの役割と効果を体系的に理解し、納得して勉強してもらえるよう、工夫を重ねてきました。

■ 効果を感じながら取り組める

英語学習は「知的作業」であると同時に、何よりも「身につける」作業です。知的に理解したあとは、スポーツのようにくり返し練習し、「こつを体得する」ものです。そのため、K/Hシステム英語勉強法は実践的練習を柱にし、知的に納得したことをその都度、自分の骨肉にする作業をしっかりと行います。したがって、自分の中に起こる変化を体で感じながら、学習を進めていくことができます。

■ ステップが細分化されていて、継続がしやすい

「聞き取る」能力を細かく分析し、ステップ・バイ・ステップでひとつひとつ力を強化しながら、総合的な聞き取り能力をつけていく方法をとっています。したがって、日々の作業は明確な目的をもって焦点が絞られており、作業量も取り組みやすい量になっています。それぞれの作業の意味と目的を体系的に納得しながら、一日一日と、成果を積み上げて取り組むことができます。

ぜひ、K/Hシステムで英語力のブレイクスルーを体験してください。これまでも、講座に参加してくださった多くの方々のフィードバックから学び、改善へのきっかけをいただきました。学習を通じて疑問、悩み、発見などがあれば、皆さんからもフィードバックをいただければ幸いです。

最後に、教材の出版ははじめての私たちにこのような機会をくださったアルク取締役の坂本さん、最後まで辛抱強く私たちをガイドしてくださった編集担当の生越さん、李家さん、私たちのよき先生であるエリザベス・スタンフォードさんに心からのお礼を申しあげます。

2001年5月

国井信一

橋本敬子

本書の構成と利用法

K/Hシステムへようこそ！

　K/Hシステムは現場で実際に「使える」実戦的な英語力の養成を目標に、同時通訳の訓練法を応用して編み出された非常に強力な英語勉強法です。とは言え、正しい方法で効率的に学習しなければせっかくの効果も半減してしまいます。実際に学習をはじめる前にこのページの説明にしっかりと目を通して、本書への理解を深めてください。それこそが高度な英語力へのブレイクスルーを実現する大切な第一歩なのです。

1．全体的構成

① PART 1 ― 導入パート	K/Hシステム英語勉強法の考え方とテクニックを紹介

▼

② PART 2 ― 学習パート（サイクル1・2）	実際の作業をとおしてK/Hシステムの基本的な勉強方法とその効果を体験＆体得

▼

③ PART 3 ― アドバイス・パート	K/Hシステムを用いた継続的学習術を伝授

2．パート別の構成と利用法

① PART 1 ― 導入パート（序章）

　K/Hシステム英語勉強法の基盤となる考え方や実際の学習の中で用いる数々のテクニックを紹介するパートです。併せてK/Hシステム英語勉強法の具体的な学習ステップについても詳しく説明していますので、必ず一番最初にていねいに目をとおすようにしてください。また実際の学習の中で疑問を感じたり、使用するテクニックについて理解できないところがあれば、必ずこのパートに戻って確認作業を行うことをお勧めします。

② PART2—学習パート(サイクル1・2)

　実際の作業をとおして、K/Hシステム独自の学習方法を体得し、その効果を実感してもらうためのパートです。このパートは1と2の2つのサイクルに分かれています。

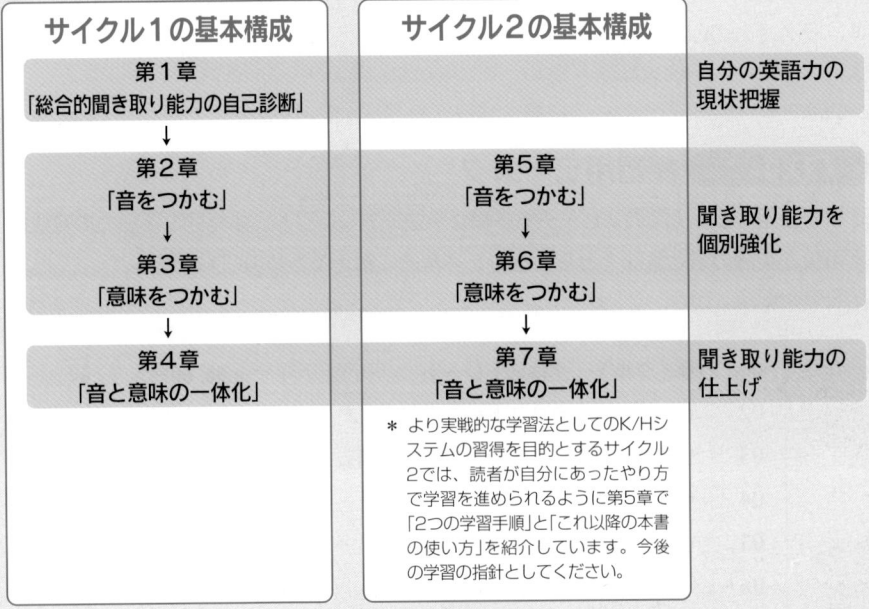

「音をつかむ」「意味をつかむ」セクションの基本構成

(1)「力試し」→(2)「仕込み」→(3)「体得」

3段階ステップで、単に「知っている」から本当に「使える」状態へとみなさんの英語力を劇的に転換するK/Hシステム英語勉強法の要となる学習手順です。

本書付属シート類(トランスクリプト他)について

　本書の学習作業には「力試し」用のトランスクリプトや「仕込み」用のワークシートなどが欠かせません。目次には、付属シート類の掲載ページも明記されていますので、実際の学習作業に活用してください。特にシャドーイング練習用のトランスクリプトは何度もくり返し使うものなので、コピーを何枚もとっておくことをお勧めします。

③ PART3—アドバイス・パート（第8章）

　本書での学習を終えた読者に、K/Hシステム英語勉強法を用いた継続的学習術の数々を紹介するパートです。教材選びから他の勉強法との組み合わせ、レベル別勉強法など今後の飛躍的な英語力アップのためのさまざまな秘訣を紹介しているのでお見逃しなく！

CD収録内容と利用法

本書にはCD1［練習用ディスク］とCD2［講義ディスク］の2枚のCDが付属しています。それぞれのCDの収録内容は以下の通りです。

CD 1- 練習用ディスク

本書で使用する8分間のスピーチを多様な手法でアレンジし、本格的な英語力の育成に不可欠な英語の音と意味をとらえる力を多角的に鍛えるためのCDです。

トラック番号			本文対応ページ
01	サイクル1	全体ストレート	p.56, 60他
02	サイクル2	全体ストレート	p.171, 173他
03	サイクル1	2パラグラフ力試し用☆	p.45
04	サイクル1	ポーズ入り	p.157, 158, 167
05	サイクル2	ポーズ入り	p.259
06	サイクル1	合いの手入り	p.258
07	サイクル2	合いの手入り	p.259
08	サイクル1	日本語	p.266
09	サイクル2	日本語	p.266
10	サイクル1	全体ストレート★	p.131
32	サイクル2	全体ストレート★	p.256

* トラック01、02の「全体ストレート」は本書の各所で聞き取り用素材としてくり返し利用します。本書の指示を参考にご利用ください。

* ☆や★マークがついたトラックに収められた英文には1文ごとに小さなピー音が入っています。聞き取りの際の目安として入れたものですが、上級者は無視してもらって結構です（そのためにごく小さな音量にしてあります）。

* ★マークのついたトラック番号10以降に収録された英文は一文ごとにトラック分けされていますので、聞き取りづらい部分をくり返し聞くときなどに非常に便利です（サイクル1とサイクル2の「全体ストレート★」のトラック番号が10→32と飛んでいるのはそのためです）。

CD 2- 講義ディスク

筆者自らによる本書中の訓練テクニックを用いた練習見本や、読むだけではわかりにくい音声面のポイントを詳しい講義形式で収録。本書での学習の際にはもちろん、通勤、通学時にも積極的に利用して、テクニックの体得と聞き取り・発音の弱点の克服に努めてください。

トラック番号		本文対応ページ
01	あいさつ	
02	シャドーイング実例	p.25, 55
03	英語のビート感覚解説	p.61
04	英語のストレス感覚1	p.61
05	英語のストレス感覚2	p.62
06	英語のあいまい母音の感覚解説	p.62
07	英語のビート感覚の具体例	p.72
08	子音からのストレス具体例	p.74
09	ストレスの入る音節の母音の具体例	p.74
10	ストレス直前の溜めの具体例	p.75
11	あいまい母音化の具体例	p.76
12	ストレス直前の音が聞こえにくくなる具体例	p.76
13	かたまりは一息の感覚の具体例	p.77
14	かたまりごとの聞き取り見本(イントロ)	p.131
15	サイクル1 かたまりごとの聞き取り見本	p.131
16	同時通訳風・意味の落とし込み練習見本	p.265

＜CDについて＞
- 弊社制作の音声CDは、CDプレーヤーでの再生を保証する規格品です。
- パソコンでご使用になる場合、CD-ROMドライブとの相性により、ディスクを再生できない場合がございます。ご了承ください。
- パソコンでタイトル・トラック情報を表示させたい場合は、iTunesをご利用ください。iTunesでは、弊社がCDのタイトル・トラック情報を登録しているGracenote社のCDDB（データベース）からインターネットを介してトラック情報を取得することができます。
- CDとして正常に音声が再生できるディスクからパソコンやmp3プレーヤー等への取り込み時にトラブルが生じた際は、まず、そのアプリケーション（ソフト）、プレーヤーの製作元へご相談ください。

CONTENTS

はじめに ……………………………… 2
本書の構成と利用法 ………………… 4
CD収録内容と利用法 ………………… 6

PART 1―導入パート

**序章　K/Hシステム英語勉強法
　　　　その考え方とテクニック** …… 11

1　K/Hシステム英語勉強法とは ……… 12
①　K/Hシステムの背景と考え方 ……… 12
②　なぜ、「知っているはず」の英語が
　　「聞き取れない」のか ……………… 15
2　K/Hシステム英語勉強法の
　　具体的ステップ …………………… 17
①　K/Hシステムの全体像 ……………… 17
②　K/Hシステムの勉強ステップ ……… 20
3　K/Hシステムの柱となる
　　テクニック ………………………… 24
①　全体像 ……………………………… 24
②　シャドーイング …………………… 25
③　リテンション ……………………… 30
④　スラッシュ・リーディング／
　　スラッシュ・リスニング ………… 32
⑤　やまと言葉落とし ………………… 33
⑥　K/Hシステム　ノートテーキング … 36
⑦　ロジックパターン ………………… 38

PART 2―学習パート

**サイクル1
英語力のインフラづくり**

**第1章　総合的聞き取り能力の
　　　　現状把握** ……………………… 41

1　総合的聞き取り能力の自己診断――
　　今のあなたの英語力の現状 ……… 42
1　K/Hシステムの練習ステップと
　　全体像 ……………………………… 42
2　本書で使う教材について ………… 44
3　英語の聞き取り能力
　　自己診断(力試し) ………………… 45
4　自分の理解との比較 ……………… 46
5　力試しの結果にもとづく
　　アドバイス ………………………… 48

**第2章　音をつかむ
　　　　聞き取り能力の個別強化** …… 53

2-1　「力試し」 …………………………… 54
★　シャドーイング・チェック用
　　トランスクリプト ………………… 58
2-2　「仕込み」 …………………………… 65
◆　音とリズムの仕込み用
　　ワークシート ……………………… 79
2-3　「体得」 …………………………… 93
★　シャドーイング練習用
　　トランスクリプト(記号入り) …… 100

第3章　意味をつかむ
　　　　聞き取り能力の個別強化……103

3-1　「力試し」……………………104
★　チェック用トランスクリプト………107
3-2　「仕込み」……………………119
★　聞き取り用トランスクリプト………133
●　聞き取り用語句解説……………136
3-3　「体得」………………………155

第4章　音と意味の一体化
　　　　聞き取り能力の仕上げ……161

**サイクル2
英語力のインフラがため**

第5章　音をつかむ
　　　　聞き取り能力の個別強化……169

5-1　「力試し」……………………170
5-2　「自分にあった効率的な
　　　　学習手順」………………185
　1　K/Hシステムの2つの学習手順……186
　2　これ以降の本書の使い方………190
5-3　「仕込み」……………………191
◆　音とリズムの仕込み用
　　ワークシート……………………199
5-4　「体得」………………………211
■　K/Hシステム「体得」練習
　　進度チェックチャート……………217
★　シャドーイング練習用
　　トランスクリプト(記号入り)………220

第6章　意味をつかむ
　　　　聞き取り能力の個別強化……225

6-1　「力試し」……………………226
6-2　「仕込み」……………………229
★　聞き取り用トランスクリプト………235
●　聞き取り用語句解説……………238
6-3　「体得」………………………257

第7章　音と意味の一体化
　　　　聞き取り能力の仕上げ……261

付録
★　シャドーイング練習用トランスクリプ
　　ト(全体ストレート)………………268
■　一般向け勉強手順チャート………274
■　上級向け勉強手順チャート………275

PART3─アドバイス・パート

第8章　これからの勉強の
　　　　アドバイス………………277

1　K/Hシステム英語勉強法での
　　継続の仕方……………………278
2　他の勉強法との組み合わせ………279
3　K/Hシステムでの勉強のための
　　教材選び………………………283
4　K/Hシステム英語勉強法
　　「中・上級コース」の視点…………287
5　レベル別勉強法…………………289
6　K/Hシステム英語勉強法入門編
　　修了式…………………………294

コラム

アドバイス

1. K/Hシステム英語勉強法と他の勉強法との関係 …………………… 15
2. 同じ教材でしつこく勉強することの意味 ……………………………… 18
3. 「仕込み」と「体得」作業の重要性──これまでの勉強スタイルの弱点 …… 22
4. 目的意識をもった、「体得」のためのシャドーイングの重要性 ………… 29
5. リテンションで注意すべき点 ………… 31
6. シャドーイングのチェックは正確に ………………………………… 57
7. シャドーイングにはじめて挑戦する人が陥りやすい「誤解」について …… 63
8. いくつかの意味の「かたまり」を一息で話すのが理想 ……………… 78
9. 文頭から意味をとるコツ──前置詞、接続詞、関係詞に注目！ …… 125
10. 全然シャドーイングができなかったという方の場合 ……… 175
11. 初歩の学習者（TOEIC600以下）へのアドバイス ……………… 189
12. 英語の文のつくりの感覚 ……… 232
13. 文の先を読む力 ………………… 260

Q&A

1. 慣れているテキストでシャドーイング、現状把握は可能？ ……… 63
2. なぜ、それほどまで「正確に」やらねばならないの？ …………… 92
3. 練習のたびに違うところを間違えてしまうのだけど ……………… 99
4. 日本語を介して英語を理解する勉強法で大丈夫？ ……………… 154
5. こんな短い教材をしつこくやっていて本当に英語力はつくの？ … 159
6. シャドーイングの際、スピーカーの息つぎ位置までまねるべき？ … 201
7. 単語ごとにブチブチ切れる感じのシャドーイングでもいいの？ … 223

コーヒーブレイク

1. ビジネス英語についての誤解 …… 44
2. 実際にシャドーイングしてみた受講者の自己分析 ……………… 64
3. 英語の音韻体系をつくる必要性 … 75
4. MapとMopの話 …………………… 78
5. 比較級や仮定法などのニュアンス豊かな英語表現を使いこなそう … 196
6. 子音の[n]の発音と日本語の[ン]の大きな違い …………………… 210
7. 自己チェックの難しさと、英語力の伸びについて ……………… 227

PART 1

序章　K/Hシステム英語勉強法
　　　その考え方とテクニック

1 K/Hシステム英語勉強法とは

2 K/Hシステム英語勉強法の
　　具体的ステップ

3 K/Hシステムの柱となるテクニック

序章　K/Hシステム英語勉強法―その考え方とテクニック

1　K/Hシステム英語勉強法とは

❶ K/Hシステムの背景と考え方

使える英語を身につけるための新しい学習システム

K/Hシステム英語勉強法は、米国の現場で英語でのコミュニケーションに苦労する駐在員の方たちの悩みとニーズに応える形で開発・発展してきた、体系的な英語学習システムです。何年もかけて学んできた英語が、現場で使いものにならない。「知っている」はずの英語が「使えない」。駐在員の方たちの、こうした現場での悩みを分析し、フィードバックをいただきながら、工夫を重ねてきました。現場で実戦力となる「英語の理解の仕方」、「英語の聞き取り方」、「ストックの入れ方」、「身につけ方」を、ステップを踏んで、納得して勉強してもらえる体系的な訓練方法としてまとめたものが、K/Hシステムです。英語力の土台をつくり直すと同時に、現在の自分の英語力やニーズにあわせ、今後の勉強にも効果的に応用できる、効率的な実戦英語力強化法と言えます。

■ K/Hシステム英語勉強法の目的

★英語理解のフォーム変換

「知っている」だけでなく、実戦でさっと聞き取れ、口をついて出てくる、「使える英語」を身につけるための「英語理解のフォーム変換」をします。すでにもっている英語のアセットは実戦力のある形に活性化し、これから身につける英語については、実戦力と応用力のある形で身につけるための効率的な方法を学びます。

★実戦的英語力の土台づくり

その方法として、たくさんの英語に漫然とふれるのでなく、まず一度、自分の英語の弱点を正確に特定し、弱点を克服し、正しい「聞き取りのフォーム」を自分のものにするまで、正しい視点でくり返し練習する作業をします。一見遠回りのように見える作業ですが、必ず一度はしっかりやっておくべき大切な訓練で、大きな英語力の飛躍につながる土台づくりになります。この土台の上にのってはじめて、多読や多聴とい

った学習法もより大きな効果をあげます。K/Hシステムを応用した、継続的な多読や多聴のやり方については、PART 3（第8章）でアドバイスします。

■ K/Hシステム英語勉強法の特徴

★独自のテクニックに加え、通訳訓練テクニックも応用
独自に開発したテクニックに加え、従来からその効果が認められている通訳訓練テクニックも応用しています。ただ、そうしたテクニックについても、私たちなりに効果や利用法を分析・整理し、一貫した学習システム全体の中で、各テクニックが最も効果的に活用されるように工夫しています。K/Hシステムのもとでの活用目的をよく理解し、新しい視点で取り組んでください。

★同じ教材でくり返し練習して仕上げる
目的は「英語理解のフォーム変換」です。したがって、ひとつの教材を使って、まず自分の弱点をしっかり特定し、そのうえで正確な意味と、実戦力になる正しい聞き取り方、つまり、「正しい英語の理解のフォーム」をしっかりと学びます。しかも、実際にそれが即座にできるようになるまで徹底的にくり返し練習することで、新しいフォームを「体得」するところまで仕上げます。

★聞き取り能力を「意味」と「音」の側面から別個に強化し、最後に一体化
漠然と「聞き取り力がない」と言っているかぎり、何からどう対策を打っていいのかが明確になりません。K/Hシステムでは、聞き取りの力を「音」と「意味」の側面に分け、それぞれの弱点を明確にして別個に強化します。そのうえで、「音と意味を一体化」する仕上げの作業を徹底的に行うことにより、真に実戦で即座に聞き取れる力をつけます。

■ K/Hシステム英語勉強法の対象となる英語学習者

K/Hシステム英語勉強法は、高校レベルの文法力、構文力と語彙力をしっかりもっている人に最も適しています。そうした英語の基本的な財産をもちながらも、それを現

> **序章** K/Hシステム英語勉強法—その考え方とテクニック

場で生かしきれない人たちに最も効果的なトレーニングシステムです。学校でやってきた文法や英文解釈は、正確に英文を理解するうえで非常に重要な基盤になります。机上でも正確に英文を理解できないまま、聞き取りのための英文理解の方法を中途半端に勉強すると、非効率か、下手をすると「いい加減な」英語理解を助長してしまう結果になり逆にマイナスです。この視点から、英語のレベル別に、この教材の利用法についてアドバイスします。

★高校レベルの英語の勉強に加え、自分でもかなり英語を勉強してきた人（TOEIC750点以上の人）

このレベルの人は基礎的な英語力もあり、本書を一冊仕上げれば、英語の聞こえ方や聞き取り方が変わったと感じられるはずです。また、すでにもっている英語のアセットも活性化されて、教材に出てきた英語以外でも「突然、聞こえてきた」「英語が出やすくなった」などの効果を感じられる人も多いでしょう。このレベルの人は、いかに自分に厳しく、ひとつひとつ作業をていねいに仕上げられるかが高度な英語力への飛躍のポイントになります。

★高校の英語をしっかりやった人（TOEIC550－750点の人）

まだ英語のアセットが十分にないので、この一冊を仕上げただけでは、この教材以外の英語の聞き取りで劇的な効果を感じるところまではいかないかもしれません。ただし、英語の聞こえ方、聞き取り方が変わったという実感と、英語力の飛躍への確かな予感は確実に感じることのできるレベルです。この一冊のあとも、いくつかの教材をK/Hシステムで仕上げて、「実戦的な英語力」の土台をしっかりとかためてください。

★英語の基礎がまだしっかりとできていない人（TOEIC550点未満の人）

この教材では、英文理解に必要な語句や文法、構文の解説が十分ではないので、「いい加減」な英文理解になってしまうことのないように注意が必要です。自分でしっかり英文を分析し、辞書的な語句の意味もきちんと理解してから課題をこなしてください。その点だけ注意していただければ、この勉強法を、今後の英語のアセットづくりに生かしていただけます。

K/Hシステム英語勉強法と他の勉強法との関係

K/Hシステムで「英語理解の正しいフォーム」がある程度身についてきたら、K/Hシステムの考え方を応用した多読や多聴などによって、たくさんの英語にふれて「使える英語」のアセットを増やすことが重要になります。実戦的な英語力の土台づくりと土台強化のための「K/Hシステムによるていねいな勉強」にかけるべき時間と頻度は、各自の英語力によって異なります。この点と、多読や多聴の効果的利用法などについては、「これからの勉強のアドバイス」として、PART3（第8章）で詳しくアドバイスします。

❷ なぜ、「知っているはず」の英語が「聞き取れない」のか

さて、従来の学校教育だけで英語を学んできた人は、英語を「知識」として身につけた人がほとんどでしょう。そのために多くの人が、かなりの時間をかけて学んできたはずの英語が、コミュニケーションの現場で思うように生きてこない現実に悩んでいます。実際、こうした人たちには、「知識としての英語」の勉強法ゆえの、いくつかの共通した悩みが見られます。

悩み1 文字で見ればわかる単語や表現なのに、実際のリスニングでそうした語句が聞き取れない	▶	原因：英語の正しい音やリズム（ビート）の体系が習得されておらず、知っている語句でさえ、予期している音と違うために聞き取れない
悩み2 単語自体は聞き取れても、意味がさっと頭にひっかかってこない	▶	原因：単語単位で意味をとらえているために、処理スピードがついていかない。また、辞書的な硬い訳語で語句を覚えているため、頭に残るイメージとして意味が入ってこない

序章 K/Hシステム英語勉強法──その考え方とテクニック

悩み3 聞き取れたわずかな単語を頼りに意味を推察するような聞き方をしているので、本当に正しい理解をしているのか不安になる	▶	原因：サバイバル英語は身についているものの、それに慣れてしまい、すべての単語をきちんと聞き取る努力をしなくなってしまった。「英語の構文」を正確につかもうとしなくなっている
悩み4 ちょっと文が長くなると、すぐわけがわからなくなる	▶	原因：レ点を使って漢文を読むような、後ろから戻って理解する英文解釈の方法に慣れてしまっているため、あと戻りのきかない「音」での聞き取りでは歯が立たない
悩み5 だいたいわかるのだが、細かい部分のニュアンスがとれない	▶	原因：英語の話の組み立て（ロジック構造やそのパターン）を理解していないため、全体の話の流れが見えにくく、「木を見て森を見ず」の聞き方に陥ってしまっている

このリストからもわかるように、「聞き取りができない」といった場合の原因にはいろいろな要因があります。ただ英語を聞いているだけでは、なかなか英語力のブレイクスルーが起こらないのは、まさに、聞き取りを難しくしているこうした根本的な問題が解決されないままに漫然と英語にふれているからです。K/Hシステムでは、一度、こうした問題をきちんと理解し、それぞれを克服して実戦力のある英語理解の「正しいフォーム」を身につけてしまうことが、一見遠回りのように見えても、結局は英語力の大きな飛躍には不可欠なステップだと考えています。

日本の英語学習者に共通する5つの悩みを克服するために、K/Hシステムでは、以下をポイントとして正しい英語理解の方法を身につけます。

悩み1 日本式の音とリズムで英語を覚えてしまっている	▶	英語の正しい音とリズムの体得
悩み2 単語単位で、しかも辞書的な硬い言葉で語句を覚えている	▶	英語をより大きな「かたまり」でとらえ、イメージや、自分に最も身近な言葉でとらえられるようにする
悩み3 構文を追った、正確な聞き取りをしていない	▶	構文を正確に追い、典型的な文のパターンにたくさん慣れる
悩み4 英文解釈的に、文末から戻る英語の理解の仕方をしている	▶	構文を正確に追いつつ、できるかぎり文頭から意味をつかめるようにする
悩み5 言葉だけを追ってしまい、話の流れを追っていない	▶	英語の話の流れの典型的なロジックパターンを理解し、論旨を追いながら聞けるようになる

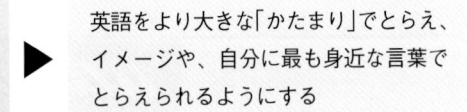

2　K/Hシステム英語勉強法の具体的ステップ

❶ K/Hシステムの全体像

これまでの英語学習法のこうした根本的な問題点を克服するため、K/Hシステム英語勉強法では、ただ漫然と英語にふれるのではなく、ひとつの教材を使って、各学習者の弱点をきちんと特定、克服し、くり返し練習することで正しい聞き取りのフォームを体得することを目指します。

序章 K/Hシステム英語勉強法―その考え方とテクニック

> K/Hシステムの基本的視点
> ひとつの教材を徹底的に勉強して仕上げる。英文と内容をしっかり理解したうえで、正しい視点でくり返し英語力強化の練習をすることで、弱点を確実に克服し、正しい英語理解のフォームを体得する。

advice 02

同じ教材でしつこく勉強することの意味

同じ教材でしつこく勉強するK/Hシステムの学習アプローチについて、はじめのうち疑問や不安を感じる人が多いようです。永遠にこのアプローチの勉強をするのではありません。ただ、最低一度、あるいは定期的に、こうしたていねいな弱点克服と正しい英語理解のフォーム強化の勉強をすることは、非常に重要だということです。

この学習法のポイントは、はじめて聞くものを一回で聞き取れるかどうかの「実力試し」をすることではありません。この学習法でしようとしているのは、「実戦で聞き取れる」ための「英語の正しい処理方法」をくり返し練習して、自分のものにしてしまうことです。ですから、「わかってしまっている教材」「覚えてしまっている教材」でやって構わないのです。「わかっている」「覚えている」というのは、まだまだ頭での「知的」な理解なのであって、「わかっている」ということと、それが「常にできる」こととの間には大きな隔たりがあります。だからこそ、「正しいフォーム」をしっかりと理解した「覚えている、わかっている教材」でくり返し練習して、いつでも使える「自分のもの」にする最後の一歩までしっかりと仕上げることが重要なのです。この点については、本文中でも詳しく解説します。

また、勉強ステップは、5つの悩みの克服を視点に、聞き取り能力を「音」と「意味」の側面に分けて別個に強化し、そのあとで統合するアプローチが特徴となっています。

K/Hシステム英語勉強法の基本的アプローチ

1 総合的聞き取り能力の現状把握
はじめて聞く英語で、どの程度正確に英語を聞き取っているのかを確認

2 音をつかむ力
個々の単語をきちんと音として聞き取れるようになるための訓練
　　フォーカス→　英語の正しい音とリズムの体得
　　　　　　　　英語の「かたまり」感覚の体得

3 意味をつかむ力
聞こえた語句の意味が、即座につかめるようになるための訓練
　　フォーカス→　「かたまり」で英語をとらえる
　　　　　　　　イメージや身近な言葉で英語をとらえる
　　　　　　　　できるだけ文頭から意味をつかむ

4 音と意味の一体化
音と意味のリンクを強化し、英語を英語で理解する感覚に近づける訓練
　　フォーカス→　スピーカーのスピードで、意味がさっと頭に残る

5 高度な英語力を目指した補強訓練
すでによく勉強した教材で、個々の能力強化
　　フォーカス→　冠詞や単数複数の感覚の強化
　　　　　　　　時制の感覚の強化
　　　　　　　　構文意識の強化
　　　　　　　　ロジックパターンの感覚の強化
　　　　　　　　アウトプット力の強化

序章　K/Hシステム英語勉強法―その考え方とテクニック

❷ K/Hシステムの勉強ステップ

K/Hシステム英語勉強法の各ステップは、その目的から以下のように大きく3つのタイプに分けることができます。それぞれの作業の目的をしっかりと納得して、取り組んでください。学習手順の全体の流れは次頁の表に示します。詳しい作業方法については、本文でステップ・バイ・ステップで説明します。

力試し　英語力の現状把握のための「力試し」ステップ

どの程度、音や意味がとれるのかを確認する作業です。自分の現在の英語力のレベルや欠点を把握します。このステップでは、いかに自分に厳しく確認作業を行うかが、英語力向上へのポイントになります。

仕込み　英語を正確に理解し、聞き取れるようになるための左脳的「仕込み」作業

自分の弱点をよく分析し、その対策を講じ、実戦での聞き取りのための工夫をする作業です。聞き取りの正しいフォームを理解するための、比較的「知的な」作業と言えるステップです。次の「体得」ステップのための大切な土台となります。

◆「音」については、英語の正しい発音やリズムの特徴を理解し、自分でもできるように工夫するステップです。

◆「意味」については、文法や構文をきちんと分析し、英文の正確な意味を理解し、そのうえで、聞き取りの実戦でさっと意味が入ってくるように、自分の身近な言葉での理解や文頭からの理解を工夫するステップです。

体得　正しいフォームを身につけるための「体得」ステップ

「仕込んだ」英語を、身につくまで徹底的にくり返し練習して体に覚えさせる作業です。この作業をしっかりやり込むことで、「頭では知っているのだが、2～3秒考えないと使えない」状態から、本当に自分の一部として、さっと聞き取れ、さっと口をついて出てくる「使える英語」にまでもっていくことができます。このステップでは、自分が身につけようとしている課題に、しっかりと意識をフォーカスさせて作業ができるかが重要になります。

K/Hシステム英語勉強法　具体的ステップ一覧表

フォーカス分野	作業のタイプと目的	実際の作業
1　総合的聞き取り能力の現状把握	力試し ●「聞き取りの総合力」の現状把握	現状把握の聞き取り 一文ごとに自分の言葉で意味を言い、録音。訳と照らし合わせて確認
2　音をつかむ	力試し ●「音をつかむ力」の現状把握	欠点発見のシャドーイング 録音しておいて、トランスクリプトと照らし合わせて確認
	仕込み ●英語の音とビート ●英語の「かたまり」感覚	英文解釈的に正確に英文理解 音やリズムの確認 口慣らし練習 リテンション
	体得 ●スピーカーと同じリズムと発音でついていける	＜100％シャドーイング＞ 100パーセントミスなく、正確にシャドーイングができるまで練習
3　意味をつかむ	力試し ●「意味をつかむ力」の現状把握	欠点発見の聞き取り 一文ごとに自分の言葉で意味を言い、録音。訳と照らし合わせて確認
	仕込み ●意味の「かたまり」 ●イメージへの落とし込み ●文頭からの理解	スラッシュ・リーディング スラッシュ・リスニング 即座の聞き取りのための工夫 イメージにならない部分や、文頭から意味がつかめない部分は、語句解説を参考に工夫
	体得 ●スピーカーのスピードでさっと意味が残ってくる	聞き取り練習 はじめは区切りごとにポーズを入れ、徐々にポーズを短くし、最後にはスピーカーのスピードで「意味の落とし込み」ができるまで練習

序章　K/Hシステム英語勉強法—その考え方とテクニック

フォーカス分野	作業のタイプと目的	実際の作業
4　音と意味の一体化	体得 ●音と意味が一体となり、英語を英語で理解している感覚に近づく	意味を考えながらのシャドーイング
5　高度な英語力を目指した補強訓練	体得 ●焦点を変えた英語力強化 ●自分で話しているようなアウトプット	目的別シャドーイング 冠詞や単数複数の感覚の強化 時制の感覚の強化 構文意識の強化 ロジックパターンの感覚の強化 その他 **ノートを見ながらの英語戻し** 話の論旨をメモしたノートを見ながら、自分で話している意識で英語を再現

　この本では、『入門編』ということで、4の「音と意味の一体化」までを中心に勉強します。5の「高度な英語力を目指した補強訓練」については、続刊にて詳しく扱う予定です。

「仕込み」と「体得」作業の重要性──これまでの勉強スタイルの弱点

　自分の今までの勉強法で伸び悩みを感じていたら、「仕込み」と「体得」の作業をしっかりしていたかを見直してください。どちらが欠けても、実戦力のある英語力を身につけるには不十分です。英語の勉強はスポーツに似て、「正しい動きを確認(仕込み)」したうえで、それが常に反射的にできるようになるまで「身につける(体得)」作業が不可欠です。

■　「力試し」中心の勉強法

　「力試し」のステップだけで力がつくと考えてはいませんでしたか。毎回はじめて聞くCNNなどでシャドーイングしたり、ネイティブととにかく話すといった勉強法で、「英語にたくさんふれていれば、それだけで英語がわかるようになる」という聞きっぱなしの勉強法とも言えます。「実戦的英語力をつけるのだから、実戦の

環境で英語を聞き、話す努力をすればいい」。一見もっともらしい考え方ですよね。ただ、こうした勉強法は、まさに「力試し」のステップだけをくり返していることになります。テニスを習うのに、毎回違う相手と「試合（打ち合い）」ばかりしているのに似ています。これだけでも、確かにコートの向こうに玉を返せるレベル程度にならなれるでしょう。でも、同時に、素振りや基本的な打ち返し練習などをして正しい動きを理解し、さらに、それが常に反射的にできるようになるまでくり返し練習をするのでなければ、本当の力がつかないであろうことは納得がいきますね。

■ 「仕込み」で終わってしまう勉強法

もう少し地道に勉強する英語学習者であれば、「仕込み」の勉強をしっかりします。ただ、知識を蓄積し続ければ英語が話せるようになると信じているようで、英文を読んで、意味を調べ、内容がわかったら、すぐに別の教材に移ってしまいます。この「仕込み」のステップだけをやっていても、投資しただけで投資回収作業がないのと同じで、「使える英語力」への飛躍はありません。「仕込み」はあくまでも、次の「体得」作業のための下準備であることをお忘れなく。

■ 「仕込み」の視点が間違っている勉強法

先述の5つの悩みのリストにもあったように、現実の聞き取りでは、「文頭から順送りに」「大きな『かたまり』ごとに」「自分のイメージや身近な言葉で」「即座に」聞き取れなければなりません。一語一語を日本語に置き換え、しかも英文解釈的に文末からレ点で戻ってくるような英語の理解の仕方では太刀打ちができません。確かに英文を正確に理解することは不可欠です。その意味で学校の英文解釈で培われた文法、構文、語彙力は重要で、すべての土台になります。しかし、聞き取りのためには、さらに一歩進んで、英文解釈的な手法から脱皮しなければなりません。

■ 「体得」作業の重要性

英語で伸び悩んでいる人には、この「体得」作業をしていない人が圧倒的に多いようです。英語の勉強をほかの学科と同じ、単なる知的記憶作業と誤解しているからなのです。英語を学ぶことは、実は、運動部系の作業であって、スポーツのトレーニングと同類の作業なのです。「力試し」は試合のようなもの。「仕込み」は、正しい基本動作や型の目的ややり方を頭で学ぶ作業です。「体得」は、仕込み作業で学んだことをベースに、目的意識と工夫をもって、基本動作や型をくり返し練習する作業で、その目的は、正しい動作を無意識に反射的に使えるレベルまでもっていくことです。ここまでくり返し練習してはじめて、応用力のある、本当に実戦で役立つレベルの英語力にまで高められるのです。

序章　K/Hシステム英語勉強法―その考え方とテクニック

3　K/Hシステムの柱となるテクニック

① 全体像

これまで、K/Hシステムの大きな流れを説明してきました。ここからは、K/Hシステムの各ステップで使われる訓練テクニックを概説します。中には、皆さんにもおなじみで、やったことがあるテクニックもあると思いますが、K/Hシステムのもとでの独自のやり方と目的をもって使われるので、それをよく理解して作業を行ってください。また、同じテクニックが、各ステップで異なる目的で使われることもあります。ですから、「こんなのやったことあるよ」といういい加減な理解で飛び込まずに、各ステップでの目的と視点をきちんと理解して作業を行ってください。

■ K/Hシステムの柱となるテクニック

★シャドーイング
K/Hシステムの中でも最も中心的な役割を果たします。正しいやり方と視点で取り組むと、実に多くの効果をもつテクニックで、K/Hシステムの訓練体系の各段階でさまざまな目的のためにくり返し使われます。

★リテンション
一文を聞き終えてから、その文を同じように再現する練習です。文法・構文・語彙力が問われます。負荷の高い作業ですが、英語力の強化や確認には、実に効果の高いテクニックです。

★スラッシュ・リーディング／スラッシュ・リスニング
文を構成する「意味のかたまり」を見抜く感覚をつけます。テキストを見ながらであれば、意味の区切りを見つけるのは比較的簡単ですが、音だけを聞きながら同じことができるかがカギになります。

★やまと言葉落とし

K/Hシステムの重要な概念です。辞書的な語句理解や英文解釈的な文章理解を一歩超え、自分の最も使い慣れた言葉で理解するクセをつけます。音だけを頼りに、即座に、しかもメッセージが長く頭に残る実戦的な聞き取りをするためには不可欠です。

★ノートテーキング

『入門編』である本書では取り上げませんが、イメージでの理解、英語再現力、ロジックの構造など、さまざまな英語力の強化に使える勉強テクニックです。上級者向けのテクニックとして続刊では中心的に紹介する予定です。

★ロジック

これも本書の続刊で扱う予定の重要な概念です。英語特有の論旨の組み立てを理解し、より正確で、ニュアンスまでとらえた高度な聞き取りをするうえで基盤となります。

> テクニックの具体的な内容は、学習パート（サイクル1・2）での実際の作業をとおしての方が理解しやすいと思います。ここでは、まずは簡単に解説に目をとおし、あとは、実際の作業をする中で折にふれて参照し、テクニックのポイントを再確認するのに使ってください。
> このまま、学習パートへ進んで実際の作業に取りかかりたい方は、それでも結構です。

② シャドーイング

■ シャドーイングのやり方

シャドーイングのやり方自体は極めて簡単です。テープの英語を聞きながら、ほぼ同時にその英語を自分で言いながら、「影」のようについていく作業です。一文が終わってから、テープを止めて英文を再現するリテンションとは異なります。

☛ **CD 2-02** ［シャドーイング実例］

> 序章　K/Hシステム英語勉強法—その考え方とテクニック

■ シャドーイングで誤解されていること

K/Hシステムでは、シャドーイングには実に多くの効用があるととらえています。そのため、シャドーイングはK/Hシステムの各ステップで異なる目的でくり返し利用される、中心的なテクニックになっています。最近では一般的な英語学習テクニックのひとつとして、シャドーイングもかなりおなじみになってきました。ただ、私たちは一般的なシャドーイングの利用の仕方には問題があると考えています。

一般的に、「シャドーイングは英語力向上に役立つ」とただ漠然と説明されている場合が多く、多くの人は、はじめて聞く英語をせいぜい数回シャドーイングしては次の教材に移ることをくり返しているようです。大半の英語学習者の場合（TOEIC550−900点）、このやり方ではシャドーイングの効果はほとんど期待できません。聞き取れて、使い慣れている英語の部分はシャドーイングできて、できないところはできないというだけで、「力試し」にはなりますが、英語力の向上にはつながりません。

K/Hシステムでは、シャドーイングを英語力の向上の手段として、最も効果的に生かすには、以下のポイントが非常に大事だと考えています。

✔シャドーイングは、意味がわかっている同じ教材を、くり返し練習する
✔シャドーイングは、毎回、明確な目的をもって行う

シャドーイングはダンベルのようなもの。使い方と意識のもっていき方で、本当にいろいろな側面から英語力を強化することができます。それでは、より具体的に見ていきましょう。

✔シャドーイングは、意味がわかっている同じ教材を、くり返し練習する

効用　教材の中に潜む「宝物」をしっかり身につけ、英語の総合力をアップ

ほんの1ページの英語教材にも、本当にたくさんの「宝物」が埋もれているものです。例えば、英語の正しい発音、ビート（拍）、「かたまり」表現（よく使う決まった表現）、構文パターン、英語的な話の組み立てなどです。こうした「宝物」にひとつひとつ焦点を当ててシャドーイングをくり返し、自分の弱点を矯正することで、こうした

大切な要素に対する感覚を強化することができ、英語力の飛躍に不可欠な視点と感覚がつくられます。そこまでしっかりやりこむからこそ、英語力の基盤自体が強化され、ひとつの教材にとどまらず、その他の英語にふれたときにも応用力として生きてくるような、効率のよい勉強が可能になるのです。

✓シャドーイングは、毎回、明確な目的をもって行う

ただ漫然とシャドーイングするのではなく、しっかりと、強化したい英語力の課題に意識を集中させてシャドーイングします。この視点をもってシャドーイングするかどうかで、シャドーイングの効果に大きな開きができます。ひとつひとつ弱点を克服し、英語力をしっかりと強化するツールとして、シャドーイングの効果を最大限に引き出すためには、「明確な目的をもってシャドーイングする」という視点が非常に重要です。

(1) 実力試しのシャドーイング

効用 自分の現状と弱点の客観的な把握

はじめて聞く英語をシャドーイングして現状把握をします。ただシャドーイングするだけではなく、本当に現状を把握するためには、実際にシャドーイングを録音し、自分の英語を聞き、トランスクリプトと照らし合わせて自分が言い落としたところにマーカーを入れ、きっちりと自分の問題点を特定することが大切です。ただシャドーイングをするだけの場合と比較にならないほどの発見があります。ここで問題点をしっかり把握することが、弱点克服の土台となります。

(2) 100パーセントの正確さを目指したシャドーイング

効用 英語の正しい音とリズムの感覚の体得

K/Hシステムでは、ひとつの教材を100パーセント完璧にシャドーイングできることを目指して徹底的にシャドーイングする課題を設けています。この作業にはいろいろな効用があります。発音が「かっこよく」なってくるというのもそのひとつでしょう。しかし、最大の目的と効用は、以下の2点です。

(1) 英語の正しい音とリズムの受け皿をつくる
(2) 英語の「かたまり」の感覚の強化

序章　K/Hシステム英語勉強法—その考え方とテクニック

100パーセントの正確さを目指したシャドーイングを、K/Hシステムでは略して＜100％シャドーイング＞と呼びますが、これをやってみると、スピーカーと同じリズム（同じ拍数）で、一息でさっと言われるところは自分も一息で言えるようにならなければ100パーセントついていけないことがわかります。ただ漠然とシャドーイングをくり返すのでなく、100パーセントを目指すことで、冠詞や前置詞などの音の弱い部分も含め、英語の音やリズム、「かたまり」の感覚をいやがおうにも身につけることができる、ここがポイントなのです。こうして英語の正しい音とリズムと英語の「かたまり」の感覚をつけることで、自分の中に英語の正しい受け皿ができ、生の英語の「音をつかむ力」が大きく向上します。

（3）音と意味の一体化のためのシャドーイング

効用　英語を英語で理解する感覚に近づける

すでに＜100％シャドーイング＞ができるようになった教材を使い、音と意味のリンクを強化するために、意味を強く意識しながらのシャドーイングをします。これにより、脳の中で、音・発話・意味のリンクを強化するのです。この作業は、シャドーイングをやり込んでいない教材でやると、シャドーイング自体の負荷が高すぎて意味に集中することができず、効率的でありません。しっかりと＜100％シャドーイング＞を仕上げたものでやります。

自分に最も身近な言葉で英語を理解し、音と意味の一体化のためのシャドーイングをくり返すことで、イメージに近い理解が強化され、ついには日本語を介している意識なく、「英語を英語で理解する」感覚に近づきます。

（4）100パーセントできるようになった教材で、目的別シャドーイング

効用　より高度な英語力を目指した、目的別弱点強化

すでに＜100％シャドーイング＞ができるようになり、音も意味も徹底的に自分のものにした教材を使って、より高度な英語力をつけるために、さらにシャドーイングをします。ここでは、克服したい弱点や強化したい英語力の具体的な分野に、しっかりと意識を集中させてシャドーイングすることが特に重要です。

目的別シャドーイングの例

- 発音の強化
- 文法意識の強化
- 冠詞や単数複数の感覚の強化
- 時制の感覚の強化
- 構文意識の強化
- 文頭からの理解の強化
- 理解のスピードの向上
- ロジックパターンの感覚の強化
- アウトプット力の強化、その他

強化したい部分を強く意識しながらシャドーイングし、できないところは工夫をして対策を打ちます。完全に理解している教材でくり返し練習することで、基礎力、応用力が強化され、英語の総合力を高めることができます。

advice 04

目的意識をもった、「体得」のためのシャドーイングの重要性

残念なことに、多くの英語学習者は、(3) と (4) のシャドーイングをする前に別の教材に移ってしまうようです。(3)「音と意味の一体化のためのシャドーイング」と、(4)「目的別シャドーイング」をしっかりすることが、それまでの投資を真に回収することになる大切な「体得の仕上げ」作業です。携帯CDプレーヤーなどをもっていれば、わずかなあき時間を使ってどこででもできる作業ですので、必ずここまでやり込みましょう。

序章 K/Hシステム英語勉強法—その考え方とテクニック

❸ リテンション

■ リテンションのやり方

リテンションは、オリジナルスピーカーのスピーチを一定の長さまで聞いて、すぐその後、そこまでに聞いた英語を完全に再現する練習方法です。シャドーイングと異なり、聞いた英語をいったん記憶にとどめなければならない分、負荷の高い練習方法と言えます。一度にリテンションする長さを長くしていくことで、より高度な英語能力の確認と強化を行うことができます。

■ リテンションの効用

リテンションは負荷の高い作業ですが、非常に大切な3つの効用があります。

✔自分の英語力と問題点の確認

音のヒントなしに英語を再現するわけですから、自分のいろいろな英語力のレベルが実感されます。自分のものになっている表現が多いほど、文法・構文力がしっかりしているほど、英語的なロジックの流れについての理解と読みがあるほど、リテンションは楽になります。

リテンションに必要とされる力
「かたまり」単位　……フレーズ単位で表現が自分のものになっている
「節」単位　………………さらに、単文レベルであれば文をきちんとつくる力がある
「一文」単位　……………さらに、文法・構文力と、ある程度のスピードで文をつくる力がある
「パラグラフ」単位　…上記すべての力に加え、論旨の流れを把握する力がある

✔英語の単語・フレーズ・構文のアクティブ化

シャドーイングが表現・構文などを潜在意識に定着させるのに対して、リテンションは、まず意識に定着させるものと言えます。そのため、シャドーイングを仕上げるときに、なじみがないか、何度やってもうまくいかない部分などを、リテンションで仕上げてからシャドーイングに戻ると非常に効果的です。

✔スピーキングの練習ツール

リテンションで基礎がためをし、さらにシャドーイングを徹底的にくり返し、使われている英語が本当に自分の一部のようになるまでやり込んだ教材については、さらにリテンションを利用して「スピーキングの練習」をすると非常に効果的です。

一文単位であれば、英語自体だけでなく、メッセージもしっかりと自分の中で消化し、自分がそのメッセージを伝えているつもりでリテンションします。最終的には、パラグラフ単位でリテンション練習できれば、ロジックの感覚の強化にもなり、理想的です。その際には、話の流れを簡単に書き取ったノートをつくり、音を聞きながら、そのノートを見て論旨の流れをしっかり脳裏に焼き付け、最後に、ノートをヒントにしながら自分で話しているつもりで英語を再現します。

リテンションで注意すべき点

スピーカーの音とリズムに乗りながらやるシャドーイングと異なり、リテンションの場合、すっかり日本語的な音とリズムになってしまう傾向があります。文の正確な再現と共に、英語のリズムまで正確に再現しようという意識を必ずもってリテンションしましょう。聞き取りで確実に生きてくる英語のストックとして身につけるためであると同時に、リズムごと覚える方が表現も身につきやすく、一石二鳥です。

④ スラッシュ・リーディング／スラッシュ・リスニング

■ スラッシュ・リーディング／スラッシュ・リスニングとは

スラッシュ・リーディングは、意味の「かたまり」ごとに文に斜線を入れ、文を区切りながら読んでいく方法です。アメリカでは、大量の文書を読む弁護士などが使う方法です。英文解釈的に、文の最後まで見てから構造を考え、そのあとで意味を考える読み方と異なり、文頭から、意味のうえでまとまったところ（意味のユニット）で、斜線（スラッシュ）を入れて読んでいきます。スラッシュを入れたところまでで一応の意味をつかみ、文頭から順ぐりに意味をとっていきます。

☞ 具体例 p.127「ステップ1 まず、文の大きな切れ目を見抜く」

英文をこのような方法で理解するのは、英語が母語の人の「英語理解のプロセス」を体験する第一歩と言えます。文を見ながらやるスラッシュ・リーディングは、構文力がある程度あれば、それほど難しくはないと思います。同じことを、音を聞きながらできるかが「聞き取り力」の大きなカギになります（スラッシュ・リスニング）。音を聞きながら、意味の「かたまり」（文の区切り）を見抜き、「かたまり」ごとに意味をつかみながら、同時に構文を見抜くことで「かたまり」の間の関係を正しくつなげながら、文頭から正確に意味を聞き取っていければ、ネイティブの英語の聞き方になります。

スラッシュ・リーディング
- STEP 1：テキストを読みながら、できるだけ速く意味のユニットごとにスラッシュを入れる
- STEP 2：同じ部分をCDで聞きながら、テキスト上で意味ユニットごとに区切る

スラッシュ・リスニング
- STEP 3：同じ部分をCDで聞きながら、頭の中で意味ユニットごとに区切る
- STEP 4：同じ部分をCDで聞きながら、意味ユニットごとに意味を理解しようとつとめる
- STEP 5：同じ部分をCDで聞きながら、構文を意識して、各意味ユニットの意味を正しくつなぎながら理解する

❺ やまと言葉落とし

■ K/Hシステムで言う「やまと言葉」とは

K/Hシステムでは、「やまと言葉」という概念を、自分に最も身近な言葉、つまり、自分の中で「最もイメージに近い言葉」という意味で使っています。普段、友達と話すときの言葉や、子どものときから使っている方言などを思い起こしてください。こうした、自分の感性に最も近い日本語で英語を理解することをK/Hシステムでは、「やまと言葉落とし」と呼んでいます。

日本語をまったく介さず、英語のメッセージをさっとイメージで理解できれば、これがいわゆる「英語を英語で理解できる」理想の状態です。そうした理解ができる文や表現については、それでよいのです。問題は、最初からそうした理解ができない英文や表現をどうするかです。「やまと言葉」を上記のように理解した場合、K/Hシステムでは、「やまと言葉」での英語理解は、「英語を英語で理解できる」状態になるための、最も近道で、かつ、最後の中継地点になると考えています。

英語理解の段階チャート

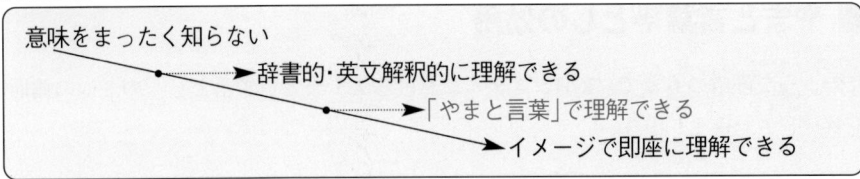

英文解釈や辞書的な理解から一歩進んで、自分にとってイメージに最も近い「やまと言葉」に英語をリンクさせておくことで、より「英語を英語で理解する」レベルに近い「英語の理解」にもっていくことができます。ここまで近づいておけば、シャドーイングや聞き取り練習を重ねることで、より早く、より容易に、日本語をまったく介さない「英語を英語で理解する」聞き取りにもっていくことが可能となります。

自分が上記のどのレベルで英語を理解できるかは、英語の語句や表現によって異なるわけです。目標は、できるだけ多くの語句・表現を上図の右下の方向に近づけていくことです。

やまと言葉落としの例

> As you know, ... 「皆さま、ご存じのように」 → 「ネ、〜」「〜だよネ」
> the commitment of the employee 「従業員の約束、責任、献身？」
> → 「従業員の絶対的やる気」「従業員の『絶対やるぞ〜』という気持ち」
> the genius of the American democracy 「アメリカ民主主義の天才、才能？」
> → 「アメリカ民主主義のスゴイところ」
> Despite their recent loss of confidence, Japanese believe that they are still Number 1 in the world.
> 「最近の自信喪失にもかかわらず、日本人は今でも自分たちが世界で一番だと信じている」
> → 「そりゃね、最近は自信なくしてるけど、でもやっぱり、日本人は今でも自分の国が世界で一番だと思っているよ」
> The success of this company depends on our employees.
> 「この会社の成功はわれわれの従業員に依存している」
> → 「わが社の成功のカギを握っているのは社員たちだよ」
> 　「ウチの成功は社員たちにかかってるんだよ」

■ やまと言葉落としの効用

このような理解のもとで、K/Hシステムにおける「やまと言葉落とし」の3つの側面を整理しておきましょう。

✔ 現場での聞き取りのコツとしての「やまと言葉落とし」
　　より素早く、メッセージが頭に残る聞き取りの方法

伝統的な英文解釈的、辞書的な英語理解の仕方にとらわれている人たちにとっては、この「やまと言葉落とし」は、英語の聞き方の発想転換につながる重要な視点になります。文を単語レベルでなく、より大きな「かたまり」でとらえ、「要は、〜って言ってんだな」と、自分の言葉にかみ砕いた「やまと言葉」で理解しようとしてみることです。日頃から、この視点で英語のストックを身につけるように練習すると同時に、聞き取りの現場でもこの視点を忘れずに。

✔ 英語力向上のための練習ツールとしての「やまと言葉落とし」
「英語を英語で理解する」ための練習ステップ

例えば"Good morning."などのように、いちいち「よい朝」などと辞書的におきかえることなく、さらには「おはよう」という「やまと言葉」的な理解すらほとんど意識することなく、さっとメッセージが理解できる英語表現がありますね。まだそれができず、辞書的・英文解釈的理解しかできないものについては、さっとメッセージがとれる聞き取りができるようになるために、日頃から意識して、「やまと言葉」で理解できるように練習をしておきます。

1. まず、正確に意味を理解したうえで、テキストや語句解説を参考に、自分なりに工夫して「やまと言葉」に落としこむ。
2. 次に、その「やまと言葉」を意識しながら、何度もシャドーイングなどをくり返す。

何度もくり返して練習することで"Good morning."などのように「やまと言葉」も介さずに即座にメッセージがとれるレベルまで、比較的容易にもっていくことができます。英語を英語で理解する感覚に近づくということです。

✔ 理解確認のツールとしての「やまと言葉落とし」
自分の理解のレベルと正確さを確認する手法

くり返しになりますが、はじめから英語を英語でわかってしまっているものについては、いちいち日本語にする必要はないのです。ただ、「イメージで理解できている」という場合に、ひとつ気をつけなければならない落とし穴があります。あいまいで「なんとなく、わかっている」レベルの理解と、「イメージでわかる」理解のレベルとを混同してはいけないという点です。その意味では、「わかっているつもり」の英語でも、時折、自分の理解をきちんとやまと言葉で口に出してみて、的確にイメージを説明できるかを確認してみることによって、自分の英語の理解のレベルと正確さを厳しく自己確認することは、非常に有益です。

❻ K/Hシステム　ノートテーキング

■ K/Hシステムのノートテーキングの特徴とは

> ノートテーキングは、ある程度、基本的な英語聞き取りの「フォーム変換」のできた人に有効なため、この『入門編』では、あまり詳しくはふれません。続刊では詳しく取り上げる予定ですので、本書でしっかりと基礎づくりをしてぜひ挑戦してみてください。

ノートテーキングとは、スピーカーの話を聞きながらその内容をメモする方法で、元来は逐次通訳者が記号などを使って要領よくメモをとるテクニックとして知られてきました。K/Hシステムでは、こうしたメモの手法としての枠を越えて、一般英語学習者の聞き取り能力強化のための非常に効果的な訓練手法としてノートテーキングをとらえ、工夫を重ねてきました。K/Hシステムのノートテーキングは以下を特徴とします。

- ✔ 速記などと異なり、理解した意味やイメージを書き取る
- ✔ 記号などを使い、なるべくイメージ化につながるノートにする
- ✔ 話の論旨が視覚的にわかる、立体的なノートにする

短いパラグラフを使って、ノートテーキングの例を具体的に見ていきましょう。やまと言葉を中心にしたものと、簡単な記号を使ったものを両方見ていただきます。どちらも、意味の「かたまり」ごとに、簡単なイメージや概念で書き取られ、話の論旨の流れが立体的に書き取られている共通点に注目してください。

K/Hシステム　ノート例

It is important to point out that the idea of productivity is only about two hundred years old. Productivity was the great discovery of the end of the eighteenth century. And productivity is the basis for the real increase in wealth, and standard of living. Before the idea of productivity, wealth was gained largely by war and plunder. Most of the economists thought of wealth as a matter of exploitation. Productivity meant the end, actually, of exploitation because it is the basis of the increase of real wealth, rather than just transfer of wealth from one group to another by war or plunder.

やまと言葉中心のノートテーキング	記号も応用したノートテーキング
（手書きのノート図）	（手書きのノート図）

■ K/Hシステムのノートテーキングの効用

★聞き取り力強化のためのトレーニングツールとして
（1）個々の単語にとらわれず、話者の本当のメッセージを追うようになる。
（2）イメージ化の工夫のクセがつく。
（3）文頭から、意味の「かたまり」ごとに意味をつかむ習慣が強化される。
（4）論理的・分析的な聞き方ができるようになる。

★スピーキング力強化のためのトレーニングツールとして
（1）話の流れだけをヒントにした、スピーキングの効果的な練習ができる。
（2）論旨の流れや論理の転回点で使われる表現などまで意識した、レベルの高いスピーキング力の強化ができる。

7 ロジックパターン

■ K/Hシステムで言うロジックパターンとは

> ロジックパターンは、ある程度、英語聞き取りの「フォーム変換」のできた人に有効なため、本書では、あまり詳しくはふれません。この本で基礎づくりをして、続刊でぜひ挑戦してください。また、ロジックパターンは、ビジネスコミュニケーションや、英語のていねい表現など、さまざまな領域にも関係してくる奥行きの深い分野です。K/Hシステムのセミナーや、今後の出版物などでていねいに扱います。

アメリカ人と日本人では、一般的に、話の組み立て方、展開の仕方に大きな違いがあります。アメリカ人が日常的に無意識に使う「話の組み立て方」の特徴を理解しているかどうかで、聞き取りに大きな差が出ます。一文一文を正確に追っていながら、パラグラフ全体の話の構造を追えないためにニュアンスがつかめなかったり、思いもかけぬ誤解をしたりということが往々にして起こります。

構文レベルでも言えることですが、英語は「結論から説明へ、総括的な陳述からより具体的な情報へ」と情報が加わっていくのが典型的です。大きな話の流れにもそれが当てはまります。それに加えて、一般的に、話のロジックの展開に、いくつかの典型的なパターンが見受けられます。もちろん、現実には多くのバリエーションで話されますが、基本的なパターンを頭においておくと、ずっと話が追いやすくなります。また、スピーキングの際にも、こうしたパターンに沿って話を組み立てれば、アメリカ人にとってははるかに理解しやすく、正確、かつ明快に自分の意見を理解してもらうことが可能です。

ロジックパターン 1	
メジャーポイント 　　　┬サポート 　　　├サポート 　　　└サポート 　So, メジャーポイント 　（別の言い方で言い直す）	最も一般的なパターンです。自分の意見を最も明快に伝えようとする際に使われます。サポートは、理由、データ、エピソード、仮定的帰結、その他です。要は「相手を納得させるためのサポート情報」です。だいたい3つが、座りがよいと言われています。

ロジックパターン　2

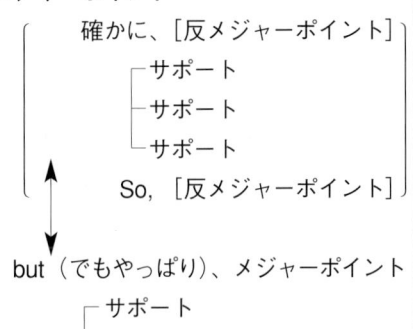

```
メジャーポイント
    ┌ 確かに、[反メジャーポイント]
    │    ┌ サポート
    │    ├ サポート
    │    └ サポート
    │  So, [反メジャーポイント]
    ↓
  but（でもやっぱり）、メジャーポイント
       ┌ サポート
       ├ サポート
       └ サポート
     So, メジャーポイント
```

パターン1の発展版と言えます。自分の意見（メジャーポイント）を言ったあと、聞いている人の頭に浮かぶであろう反論を先取りし、「確かに〜ということも言えます」と話を展開し、その後「それでもやっぱり、私は（メジャーポイント）と思います」と戻って説得する話し方です。相手の反論を先取りして理解を示すことで、反対意見もよくわかったうえで意見を言っていることが伝わり、奥行きのある議論になります。また反論を先取りした部分でも、しっかりとサポートを並べることがよくあります。これにより、非常にていねいな視点で意見を言っている印象になるからです。

「確かに」の部分で使われる表現には、
　　　Of course, ...
　　　It's true that ...
　　　Obviously, ...
　　　You may argue that ...
などがありますが、何の指標となる表現もなく、突然、反対意見の先取りに入っていくことも多いため、細心の注意が必要です。

反論を先取りしたあと、「そういう意見も考慮したうえで、やはり私はこう思う」と、再度自分の意見に戻ります。このときに、but や however が使われます。あとはパターン1を踏襲して、自分の意見を展開します。

序章　K/Hシステム英語勉強法―その考え方とテクニック

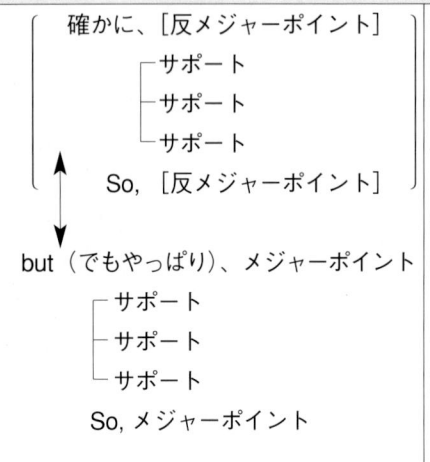

ロジックパターン　3	
確かに、[反メジャーポイント] 　　─ サポート 　　─ サポート 　　─ サポート 　So,　[反メジャーポイント] but（でもやっぱり）、メジャーポイント 　　─ サポート 　　─ サポート 　　─ サポート 　So, メジャーポイント	非常に重要なパターンで、相手の気持ちに配慮して、あまりストレートに結論をぶつけるのを避けるときのパターンです。相手の問題点を指摘する場合などが、その一例です。パターンとしては簡単で、パターン２の最初の結論を取った形です。さらにやわらかくする場合には、but のところのメジャーポイントも飛ばし、最後まではっきりと結論を言いません。この話し方は、日本人の一般的な話し方に近くなります。 この場合、メジャーポイントが相手の耳に痛い内容なので、このようなパターンをとるわけですから、「反メジャーポイント」の部分は、相手をほめたり、相手の立場や意見に理解を示す内容の部分になります。そこにしっかりとサポートを入れることが、相手への誠意になります。 このような「相手に配慮した話し方」をする場合は、話し方のパターンだけでなく、使う「表現」にも非常に神経を使ってアメリカ人は話します。英語のていねい表現を理解しておくことは、非常に重要です。ここではふれませんが、その点を十分頭に入れておきましょう。

サイクル 1
K/Hシステム英語勉強法
英語力のインフラづくり

PART 2

第1章　総合的聞き取り能力の現状把握

第2章　音をつかむ
―聞き取り能力の個別強化―

2-1「力試し」
2-2「仕込み」
2-3「体得」

第3章　意味をつかむ
―聞き取り能力の個別強化―

3-1「力試し」
3-2「仕込み」
3-3「体得」

第4章　音と意味の一体化
―聞き取り能力の仕上げ―

第1章 総合的聞き取り能力の現状把握

❶ 総合的聞き取り能力の自己診断
今のあなたの英語力の現状

1　K/Hシステムの練習ステップと全体像

K/Hシステムは、ひとつの教材を徹底的に仕上げる中で、現場で本当に使い物になる英語の聞き取りの「正しいフォーム」を理解し、それを身につける作業を徹底的に行うことで、「実戦力のある英語力の基盤をつくる」ことを目的とします。

導入パート（序章）の「K/Hシステム英語勉強法──その考え方とテクニック」でも説明しましたが、K/Hシステムでは、まず力試しを行うことで自分の英語力の現状と問題点を把握し、そのうえで実際の勉強に取り組みます。また、実際の習得作業では、一言で「聞き取り能力」といっても、音をつかめることと、意味を理解できることはまったく別の力であることから、まずは、（1）音をつかむ力と（2）意味をつかむ力に分けて取り組みます。この2つの力を、まず別個に強化し、そのあとで「意味と音とを一体化」する作業で仕上げるアプローチを取ります。これにより、より効率的な聞き取り能力の強化と、問題点の克服が可能になります。学習システムの大きな流れを簡単な表にすると、以下のようになります。

☛ p.19［K/Hシステム英語勉強法の基本的アプローチ］

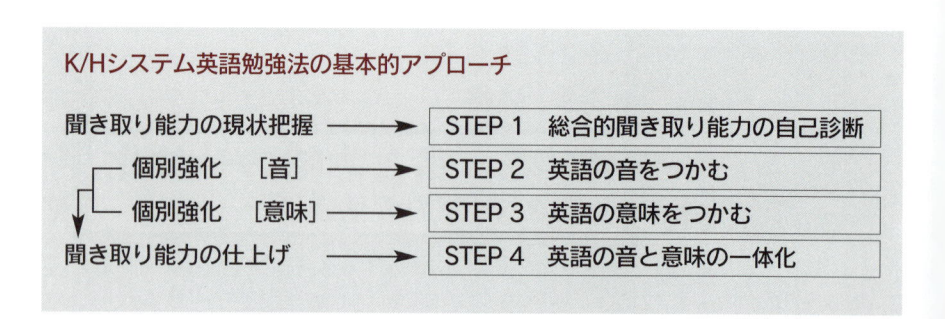

K/Hシステム英語勉強法の基本的アプローチ

聞き取り能力の現状把握	→	STEP 1　総合的聞き取り能力の自己診断
個別強化　［音］	→	STEP 2　英語の音をつかむ
個別強化　［意味］	→	STEP 3　英語の意味をつかむ
聞き取り能力の仕上げ	→	STEP 4　英語の音と意味の一体化

また、K/Hシステムの学習作業は、大きく分けて3つのタイプに分けられます。(1)「力試し」的作業、(2) より知的な机上作業の性格をもつ「仕込み」作業と、そこで「仕込んだ」内容を反復作業で体に覚えさせる (3)「体得」作業です。勉強法の各段階でそれぞれの作業の目的をしっかりと認識して取り組むことと、「体得作業」までしっかりとやり込むことで「頭でわかった」ものを実際に即座に「できる」レベルまで確実にもっていくことが非常に大切です。

作業の具体的な手順としては、聞き取りの総合的な現状把握（STEP 1）をしたあと、「音」と「意味」の個別強化（STEP 2とSTEP 3）に入り、(1)「力試し」、(2)「仕込み」、(3)「体得」の3つのステップを踏むことで、「音」と「意味」の力を、それぞれ別個にていねいに強化します。次に「音と意味の一体化」の作業（STEP 4）で、総合的な聞き取り能力を強化して仕上げます。作業の全体の流れを、作業の目的も含めてより詳しく整理すると、以下のようになります。

☛ p.21 ［K/Hシステム英語勉強法　具体的ステップ一覧表］

K/Hシステム英語勉強法　具体的ステップ

STEP 1 総合的聞き取り能力の現状把握	力試し	総合的な聞き取り能力の自己診断
STEP 2 個別強化「音をつかむ力」	力試し	問題点の特定
	仕込み	正しい視点の理解のための勉強
	体得	音をつかむ力の体得
STEP 3 個別強化「意味をつかむ力」	力試し	問題点の特定
	仕込み	正しい視点の理解のための勉強
	体得	意味をつかむ力の体得
STEP 4 音と意味の一体化	体得	総合的な聞き取り能力の体得

このK/Hシステムのアプローチの全体像を理解したうえで、個々の作業に入りましょう。まずは、総合的な聞き取り能力の自己診断です。「力試し」に挑戦したあとで、「K/Hシステム　英語力自己診断表」のアドバイスを読み、次章からの本格的なK/Hシステムによる英語力強化学習に取り組むうえでの参考にしてください。

2　本書で使う教材について

話の内容　　：聞き取りに挑戦していただく短いスピーチは、「アメリカ人と日本人の会社に対する意識の違い、およびそのために在米日系現地法人が直面する問題」について、ミシガン州の日系企業で働くアメリカ人ジェネラルマネジャーが話したものです。
スピード　　：普通よりやや遅いスピードです。
訛り　　　　：スタンダードな英語の発音とアクセントです。
表現の難易度：アメリカでは普通に使われる自然な表現ばかりです。スラングはありません。時々、構文が複雑になることがありますが、これも英語としてはよくある自然なパターンです。
単語の難易度：高校1～2年程度のレベルです（専門用語以外は、ビジネス現場でも、これで足りてしまうのです）。難しい単語は、solicitation（勧誘、「来ないか」と誘うこと）ぐらいでしょう。
内容の難易度：英語を母語とする人々（特に英米人）には常識的な内容なので、自然な表現や社会的背景知識、文化的価値観などを学ぶ初歩的な教材として最適です。

COFFEE BREAK 01

ビジネス英語についての誤解

「ビジネス英語」というと、普通の英語とは異なる貿易実務英語など、普段の生活には無関係の専門用語が出てくる英語と勘違いしている人が多いようです。実は、ビジネス英語とは、ある程度教養のある社会人の間で使われる「常識的な」英語のことなのです。職場で使われているだけでなく、大人同士が集まれば、そこで使われるごく自然な英語といえます。ですから、「社会人としての知識や常識を背景に話される普通の英語」がビジネス英語だと考えてください。英語学習者にとっては、このような英語を学ぶことが最も効率がよく、どこで使っても決して心配のない、きちんとした大人の英語を身につけることができます。

3　英語の聞き取り能力自己診断（力試し）

現状把握作業　「総合的聞き取り能力」

- **目的**　総合的な聞き取り能力の現状分析
- **内容**　CDを聞き、自分の理解した意味を確認
- **範囲**　第1パラグラフ～第2パラグラフ　CD 1-03

作業手順

1. 小さなピー音が入っているところ（1文ごと）まで聞いたら、そこで止める。
2. 聞いて理解したことを、2～3秒程度で一度、頭の中で整理する。
3. 自分なりに整理した内容を自分の言葉で口に出して説明してみる。
   （自分の声を必ず録音しておく）
4. この作業を各文ごとにくり返し、2パラグラフ行う。

K/Hシステムでは、本当にどの程度、自分が理解できているかを確認するために、このように、理解した内容を自分の言葉で口に出してみてもらいます。

この作業の目的を誤解して、翻訳や英文解釈的な訳をしようとしてしまう人がいますが、これは正しくありません。要は、自分の言葉で理解したことを言ってみればよいのです。硬い、美しい「訳」をする必要はまったくありません。英語を聞いて自分なりにしっかり理解できていたら、それを自分なりの言葉で表現できるはずですね。隣に英語がよくわからない両親や田舎のおじいちゃん、おばあちゃんがいるとして、理解したことを説明してあげる感じです。自分の最も使い慣れた言葉遣い（方言）でやってみてください。英語では文に一度しか出てこない名詞であっても、自分の日本語での説明では何回くり返してもまったくかまいません。自分なりに理解した内容が伝わればいいのです。美しい日本語である必要はありません。チェックのポイントは、あくまでも、どの程度正確に意味が理解できているかということです。

では、CDをかけて、一文終わったところで止め、あなたの理解した意味を、自分の言葉で言ってみましょう。必ず録音してくださいね。Good Luck！

第1章 総合的聞き取り能力の現状把握

4　自分の理解との比較

お疲れさまでした。では、録音した自分の声を聞き返して、以下のトランスクリプトと見本訳を参考に、自分の英語理解を確認してみましょう。自分の力でどの程度の理解ができたかを視覚的に明らかにするために、聞き取れなかったり、意味がずれていた部分をマーカーペンなどでハイライトしてみましょう。

> **作業手順（つづき）**
> 5. 録音したテープを聞き返し、見本訳を参考に、自分のリスニングによる理解力の現状と問題点を把握する。
> 6. 意味がしっかりと正確につかめていなかった部分にアンダーラインを入れてみる（自分に厳しくつけることが大切）。
> 7. 「K/Hシステム 英語力自己診断表」（48ページ）により、自分のレベルにあった本書の有効な利用の仕方を考えてみる。

トランスクリプト　見本訳［第1、第2パラグラフ］

> Let me talk about the confusion that happens with regards to Americans going from one company to another company.

アメリカ人が会社を転々とすることについては、戸惑いや混乱があるようなので、このことについてお話ししたいと思います。

> Since World War II, Japan has built itself up as a country, and many, many companies started their operations and became successful.

第二次大戦以来、日本は国家として自らを築き上げ、そして数多くの企業が事業をはじめて、成功しました。

> And the idea that you could go to work for one company and stay there for an entire work lifetime (was a popular, ...) continued to be a popular notion.

そして、ひとつの会社に就職して、ずっとそこで社会人として仕事ができるという考え方が、ずっと変わらず人々に受け入れられてきたのです。

総合的聞き取り能力の現状把握　第1章

That used to be the case in the United States. But about 20 years ago, things began to change.

かつては、アメリカでもそうだったんです。ところが20年ほど前から、状況が変わりはじめたのです。

And frankly this may not be (a...) a good characteristic of Americans, but Americans are not loyal to their company like Japanese are loyal to their company.

率直に言って、これはあまりアメリカ人のいいところとは言えないかもしれないのですが、アメリカ人というのは、日本人のようには会社に忠誠心をもっていないんですね。

And part of that is because many times the companies have not been loyal to the Americans or (to the...) to the workers.

まあ理由のひとつには、往々にして、会社自体がアメリカ人や社員に対して忠誠心を示してこなかったということもあるわけですが。

But it is a challenge for many Japanese companies working in the United States to hire and to retain Americans.

でも、とにかく、在米日系企業にとって、アメリカ人社員を採用して、辞めずにいてもらうというのは、なかなか大変なことなわけです。

And the reason, (within the...) at least within the engineering field right now.... Many Americans will come to work at our company knowing that it's a good company, knowing that they can learn a lot, and knowing that if they are successful, they can have a good career.

その理由ですが、少なくともエンジニアリングの分野で言うと、現在、多くのアメリカ人はウチの会社に、この会社はよい会社だ、と思って入ってくるんですね。たくさんのことを学べるし、もし力が発揮できればこの会社でキャリアを積める、という認識でこの会社に就職してくるわけです。

But they also think (that) "If it is not successful or if I don't like it, I can always go somewhere else."

けれども同時に彼らが思っているのは、もしうまくいかなかったり、好きになれなかったりする場合には、どこか別の会社で職を見つければいい、ということなんですね。

第1章 総合的聞き取り能力の現状把握

> That is the mentality of most Americans who are coming to work.
> それが、職場に入ってくる多くのアメリカ人のものの見方なんです。

5　力試しの結果にもとづくアドバイス

いかがでしたか。英語を本当に理解することが、そんなに甘いことではないことがわかったのではないでしょうか？　全然できなかったとしても心配いりません。大切なのは、これからどのように勉強するかです。K/Hシステム英語勉強法では、机上の勉強中心のこれまでのようなやり方を脱して、本当の実戦力につながる勉強法とはどのようなものかを学びます。ステップ・バイ・ステップで着実に身につくように工夫されています。ぜひ、本教材を最後まで仕上げてみてください。

力試しの結果をもとに、各人の現状をきちんと認識するための自己診断表を以下に示します。これからK/Hシステムで勉強をするための参考にしてください。

K/Hシステム　英語力自己診断表

自分に甘い型

はじめの数センテンスでまったくわからず、途中で「力試し」をやめてしまった人
この英語教材は、今の実力では大変すぎるかもしれません。または、この教材で勉強するための忍耐力に欠けているかもしれません。この力試しの作業にもう一度最後まで挑戦しようとする気がなければ、自分にあった別の教材を探してみた方がよいでしょう。

もし、できてもできなくても、もう一度最後まで挑戦してみようと思われる方は、以下に各レベルにあったアドバイスが書かれていますので、もう一度トライしたあとで自分に当てはまる「型」のアドバイスを見つけて参考にしてください。この教材は少し大変かもしれませんが、焦らずにゆっくりと着実に挑戦しましょう。必ず、今後の英語学習のために役立つ視点を得られます。

基礎力欠如型
最後までやったものの、ほとんど意味がとれず、自分の言葉をほとんど発することができなかった人（トランスクリプトを見ても、知らない単語がかなりある）

TOEIC500点以下の場合、このような状態になる可能性があります。知っている英語の単語や表現が少なすぎることから起こります。このクラスの人は、まず、単語や表現をもう少し増やす勉強をしてから、本格的にK/Hシステムの勉強法を利用する方がよいでしょう。もし、それでもこの教材で勉強するならば、2つの点に注意してください。まず、英語の聞き取り力はすぐには上がりませんが、その基礎づくりとして、この勉強法で英語の正しい音とリズムで新しい英語の表現（単語も含む）を身につけることに主眼をおいてください。また、K/Hシステムの各作業をこなすのに、普通の人の2倍程度の時間がかかることを覚悟してください。ただし、ここで頑張れば、他の勉強法では得られない「実戦力になる英語の基礎」ができます。基礎ができれば、成長は早いですよ。

単語暗記型
知っている単語がそれなりに聞こえるので、その単語をもとに意味を言おうとするのだが、その単語の意味がわかるだけで、なかなか意味のある文にならない人（トランスクリプトを見れば、80％は知っている単語）

伝統的な英語教育で勉強してきた「まじめ」な英語学習者と言えるかもしれません。TOEIC500点以上はある人でしょうが、実戦的な英語の身につけ方を今までしてこなかった人でしょうね。このような人は、はじめは少々苦しくてもK/Hシステムに沿った英語の勉強を強くお勧めします。特に、英語の音とリズムの受け皿をつくるシャドーイング作業（第2章）を、まず徹底的にやってみてください。シャドーイングを徹底的にやってできるようになるまでは、K/Hシステムの「意味をつかむための練習法」にはあまり強い興味をもてない場合が多いようですが、それでも結構です。まずは、徹底的にシャドーイングの練習をしましょう。これができるようになると、K/Hシステムの「意味をつかむ」ための方法論にも興味が出てきます。それまで、じっくりシャドーイングを使って英語の音の体系をつくってください。

第1章 総合的聞き取り能力の現状把握

サバイバル英語型
知っている単語がかなり聞こえる（70%以上）ので、あとはその単語群から話の流れを予想しようとするのだが、それを自分の言葉で説明しようとすると、なんとなく自信をもって文を終われない（結局、意味がわかっていない）

TOEIC600点以上の方でしょう。英語もそれなりに勉強し、実戦的な英語にも多少はふれてきた方ですね。ただ、まだ英語の音も十分にはつかめず、実戦的で正確な英語の聞き取り方がどんなものかも、実感としてわかっていません。そのため、サバイバル英語的な聞き方になり、知っている単語だけから意味を推測して聞き取っています。海外で英語を使う場合、初期の段階ではこれでよいのです。しかし、本当に英語力をあげようと思うなら、ある時点でこのような聞き方から脱皮する必要があります。さもないと、つねに「推測」に頼った聞き方に終始し、本格的なコミュニケーションをはかれるようにはなれません。このレベルの方は、K/Hシステムの「英語の音とリズムの受け皿をつくる」と「意味をつかむ」という2つの大きな課題を徹底的に練習してみましょう。K/Hシステムは、このクラス以上の方に特に適した、英語の実戦力を養成する方法論です。ぜひ、信じて粘り強く勉強してみてください。

慢性サバイバル英語型
すべての文について「たぶんこうだろう」と思う意味を自分の言葉で言えたが、本当の意味と照らし合わせてみると、かなりの部分（30%）で理解があいまいか不正確な人（自分で英語力があると誤解してしまいやすいレベル）

TOEIC700点以上でしょう。外国に数年住んでいたり、外国人とのコミュニケーションの機会が多い人によく見られる現象で、英語を聞き取れていると思い込みがちなレベルです。確かに聞き取れていることも多いのですが、多くの場合、よく知っている状況で、知り合い同士の会話であることから推測的理解が当たる場面が多いために、聞こえた単語をベースにして自分の中で勝手に想像してしまう聞き取りがクセになってしまっています。正確さをチェックすることなくコミュニケーションすることに慣れてしまっているので、正確に英語を聞き取るという姿勢を失っている可能性があります。特に、構文をきちんと聞き取ることをせず、単語や表現のニュアンスなどの理解

も自己流であることが多いので、この点から直しましょう。特に、K/Hシステムでは「意味をつかむ」の部分に重点をおくとよいでしょう。ただし、このグループの方がK/Hシステムで英語の勉強に取り組むには、着実さと正確さを視点に、自己に厳しく勉強する覚悟が何より必要です。特にこのレベルでは、その厳しさが欠けてしまうことが多いので。

構文力課題型
すべての文について「たぶんこうだろう」と思う意味を自分の言葉で言え、特に短文はほとんどすべて正確に理解できていたが、長い文になると意味がしっかりとつかめていない人

TOEIC800点以上でしょう。文が長くなると英文が把握できない人は、まず、構文を聞き取る意識があるかどうかを確認してみましょう。今までは、英文を聞きながら、同時に構文を分析するほどの余裕がなかったかもしれませんね。構文を意識しながら英語を聞き取ることは、高度な聞き取りを目指すには必須です。構文を意識した聞き取りの練習をくり返すうちに、意識しなくとも自然に構文を追っているようになります。はじめは負担かもしれませんが、この練習には特に力を入れてください。

また、英語を聞き取るときに、文頭から、しかもメッセージがしっかり頭の中に残る形で聞き取れていないこともあるでしょう。そのために、長い文になるとはじめの部分を忘れてしまいます。なるべく文頭から、イメージや「自分のよく使う言葉」にかみ砕いて英語を理解できれば、意味が頭の中に残りやすくなります。以上の能力を養成するためには、K/Hシステムの「意味をつかむ」と「音と意味の一体化」の練習が特に有効です。

メッセージ理解課題型
すべての文について理解しているつもりであるが、自分の言葉で言おうとすると、なぜか辞書的な硬い日本語になってしまう

TOEIC900点以上でしょう。このレベルの人は、きちんと英語を勉強してきたので、一文単位ならば正確に意味を理解する力があるようです。ただ、硬い日本語でしか意味

第1章 総合的聞き取り能力の現状把握

が出てこない人は、パラグラフなどの長い文章を聞いても、果たして全体的な内容や、前に聞いた文のメッセージが、はっきりとした確信とともに、しっかり頭に残っているかが心配です。辞書的な用語で英語を理解している部分が多ければ多いほど、聞いたときには理解したと思っても、少し話が進むと頭に残っていないケースが多いのです。これは、自分の本当の理解のレベルまで達していない聞き方になっているからです。K/Hシステムの「意味をつかむ」作業の中でも、メッセージを自分の身近なイメージや言葉で理解するテクニックである「やまと言葉落とし」などに特に力を入れて、英語を正しいニュアンスでかみ砕いてさっと理解する練習をしてください。単なる辞書的な漢字二文字の訳語による理解から脱皮します。

入門編卒業型 （K/Hシステム初段）

すべての文について聞き取れ、前後関係を正しく把握しながら、自分の自然な言葉で意味を正しく説明している場合がほとんどである（理想形）

TOEIC950以上でしょう。ですが、もう一度、見本訳と比較してニュアンスの崩れている部分や、落としている部分がないかどうかを「厳しく」チェックすることをお勧めします。この厳しさこそが、高度な英語力の持ち主がさらに飛躍するうえでの原動力となるからです。また、この教材でも英語の勉強法の視点やテクニックなど、まだまだ学ぶべきことは多いはずなので、100パーセントの聞き取りを目指して一通り「きちんと」勉強してください。特に、論旨を正確に理解するうえで非常に重要なポイントとなる時制や冠詞などについては、本当に自分でしっかり把握できているかどうかを厳しく確認します。そして、この教材でK/Hシステムの基礎となる考え方と視点をしっかりと身につけたあとで、本書の続刊でより高度なテクニックを勉強してください。続刊では、パラグラフ単位で英語を聞き、ニュアンスまで正確に理解する本格的な聞き取りのためのテクニックを扱う予定です。

PART 2

サイクル 1
K/Hシステム英語勉強法
英語力のインフラづくり

第1章　総合的聞き取り
　　　　能力の現状把握

第2章　音をつかむ
―聞き取り能力の個別強化―

2-1「力試し」
2-2「仕込み」
2-3「体得」

第3章　意味をつかむ
　―聞き取り能力の個別強化―

3-1「力試し」
3-2「仕込み」
3-3「体得」

第4章　音と意味の一体化
　―聞き取り能力の仕上げ―

第2章 音をつかむ──聞き取り能力の個別強化

❷-❶「力試し」 音をつかむ

1　英語の音をつかむ力

第1章でも述べましたが、K/Hシステムでは、リスニング能力を「音をつかむ力」と「意味をつかむ力」に分けて考えます。どちらも大切で、この両方ができてはじめて本物のリスニング能力になります。現状と問題点の把握についても、この2つの能力を別々にチェックし、対策を打つことによって、問題点のより的確な特定と克服が可能になります。

第2章では、英語の音を聞き取る力に焦点を当て、その能力強化練習を行います。本章「音をつかむ」で達成したい項目は3つあります。

1. 英語の正しい音とリズムの受け皿をつくる
2. 勉強テクニックとしてのシャドーイングの正しいやり方を身につける
3. 英語を身につけるうえで、単語単位ではなく意味の「かたまり」単位で考える視点の重要性に気づく

今までの英語学習では、多くの方が日本語的な音とリズムで英語を覚えていたために、せっかくたくさんの単語や表現を知っていても実際には聞き取れないという経験をよくされていると思います。自分のもっている英語のリズムと音の感覚を、正しい英語の音韻体系とリズムの体系に再構築する必要があります。「そんなことが可能なの？」と、少々心配になる方もいるかもしれませんが、K/Hシステム英語勉強法に沿ってシャドーイングの練習を行えば、それほど難しいことではありません。私たちの経験では、本書の方法に従って3カ月程度シャドーイングを続けると、大半の方は英語らしい音とリズムになってきます。

音をつかむ——聞き取り能力の個別強化　第2章

それでは、シャドーイング・テクニックを中心にして、皆さんの英語の音とリズムの体系を本当に英語らしいものに変える練習をさっそくはじめましょう。まずは、「音をつかむ力」の現状把握です。「力試し」をしていただき、具体的に、どのくらい英語の音が聞き取れているかを確認します。

2　音をつかむ力の「力試し」

力試しは、シャドーイングというテクニックを使って行います。どの程度皆さんが英語の音とリズムがつかめているかを診断しましょう。

1　シャドーイング

> **シャドーイングのやり方**　　　　　　　　　　CD2-02　[シャドーイング実例]
> スピーカーの英語を聞きながら、ほぼ同時に聞こえた英語をそのまま口に出してくり返し、スピーカーが話し続けるのに影のようについていく作業で、作業自体は単純です。シャドーイングの実例サンプルをCD2に入れてありますので、やり方を確認してください。

シャドーイングの効用はたくさんあります。本書では順を追って皆さんに体験していただきますが、ここではまずシャドーイングを使って、皆さんの英語の音とリズムの感覚がどの程度かを診断します。

効用1　英語の音をつかむ力の現状把握のツールとしてのシャドーイング

シャドーイングで聞こえた英語をきちんとくり返そうとすると、今まで以上に真剣に英語を聞こうとするようになります。しかし一方で、それでもくり返せない（つまりシャドーイングできない）ところが出てきます。そのような部分とは、次のようなところです。

1. 聞き取れない単語や表現
2. 聞き取れるが、まだ使い慣れていないために口がまわらない単語・表現

くり返せない部分を特定することで、英語の音やリズムの面での自分の弱点が見えて

第2章 音をつかむ——聞き取り能力の個別強化

きます。また、少々聞こえないところでも前後関係から正しく補う英語力があればシャドーイングができるので、シャドーイングがどの程度できないかを調べると、皆さんの英語の総合力もだいたい判断できます。

では、次の作業手順に従ってシャドーイングによる現状把握作業に挑戦してください。

2　シャドーイングによる音とリズムの力試し

現状把握作業　「英語の音をつかむ力」

目的	「音とリズムをつかむ」聞き取り能力の現状分析
内容	シャドーイング（CDで英文を聞きながら、聞いたままをくり返す）
範囲	第1パラグラフ～第4パラグラフ　CD 1-01
使用テクニック	シャドーイング

作業手順　シャドーイングに挑戦

1. **ウォーミングアップ**：CDの英文を聞きながら、2、3回シャドーイングをする。（トランスクリプトは見ない）
2. **事前予想**：自分がくり返せずにミスするだろうと思う単語の個数を予想し、次のページの表に記入。
3. **本番**：CDの英文を聞きながらシャドーイングし、それを必ず録音する。

作業手順　シャドーイング成績確認

4. **チェック**：録音した自分のシャドーイングを聞き返して、58～59ページのトランスクリプト上で、シャドーイングできなかった単語にマーカーなどでマークを入れる(正確にチェックすること)。
5. **数値管理**：シャドーイングできなかった個々の単語の数を数え、次のページの表に記入。その数が、あなたの音とリズムをつかむ力の現状。

☑ シャドーイングの成績を出すには、以下の点に注意してください。

- ✓ かたまりで一気に落としてしまった個所も、その中の単語をひとつずつミス1個として数えて、ミスした単語数を出してください（前置詞や冠詞も、複数形の -s や過去形の -ed も、それぞれひとつのミスとして数えます）。
- ✓ クセで、a や the などを挿入してしまえば、これもミス1個となります。
- ✓ ただし、カッコに入っている単語はスピーカーが途中で言うのをやめたり、言い直したりしている部分なので、ミス個数に入れなくて結構です。

現状把握シャドーイングの成績第1回目

	ミス単語数の事前予想	実際のミス個数
第1パラグラフ（単語数 67）		
第2パラグラフ（単語数167）		
第3パラグラフ（単語数125）		
第4パラグラフ（単語数160）		

> **シャドーイング練習記録シートへの記入**
>
> これから毎週一度はこの教材のシャドーイングを録音してミス個数をチェックし、上達度をモニターします。折込付録として「シャドーイング プログレスシート」があります。そこに、まず第1回目のシャドーイング成績を書き入れ、継続して記録していきます。

advice 06

シャドーイングのチェックは正確に

自分独りで練習する場合は特にシャドーイングのミスのチェックが甘くなりがちです。はじめての方だと、実際のミスの個数は自分でチェックした個数の1.5倍から2倍もあることがほとんどです。もう一度、ていねいに次のポイントを確認してください。

チェックポイント 1 冠詞や前置詞、複数形や三単現の -s、過去形の -ed など、発音されていますか？ an であるところを a と発音していませんか？

チェックポイント 2 the や a、また and など、口癖になっていて、テキストには入っていないのに勝手に入れてしゃべっていませんか？

チェックポイント 3 一気にかたまりで落としてしまっている部分を、ミス1個と数えていませんか？ そこに含まれる個々の単語を1個として、ミス個数を数えます。

第2章 音をつかむ──聞き取り能力の個別強化

サイクル1 Transcript　シャドーイング・チェック用トランスクリプト

[何度も使います。コピーしておくと便利です]

ハイライトした部分は、この英語でシャドーイングした山田智子さん（仮名）（TOEIC850点程度）がシャドーイングできずに落としてしまったか、間違った単語で発音してしまった部分です。皆さんのできなかった部分と比較してみましょう。この章の最後に、彼女自身が現状を自己分析した文章を掲載しましたので、お読みください。

> 正しいチェックの視点として，以下の点に注意してみましょう。
> 1. 弱く発音される単語、特に冠詞や接続詞、代名詞などはきちんと言えていますか？
> 2. 言い間違えて違う単語の発音になってしまっている個所はありませんか？
> 3. スピーカーは言っていないのに、冠詞の a や the などをクセでつけてしまっていることはありませんか？　例えば、about 20 years ago を about a 20 years ago としてしまっているなど。

Let me talk about the confusion that happens with regards to Americans going from one company to another company. Since World War II, Japan has built itself up as a country, and many, many companies started their operations and became successful. And the idea that you could go to work for one company and stay there for an entire work lifetime (was a popular,.. uh...) continued to be a popular notion.

That used to be the case in the United States. But about 20 years ago, things began to change. And frankly this may not be (uh...) a good characteristic of Americans, but Americans are not loyal to their company like Japanese are loyal to their company. And part of that is because many times the companies have not been loyal to the Americans or to the workers. But it is a challenge for many Japanese companies working in the United States to hire and to retain Americans. And the reason, (within the...) at least within the engineering field right now.... Many Americans will come to work at our company knowing that it's a good company, knowing that they can learn a lot, and knowing that if they are successful, they can have a good career. But they also think (that) "If it is not successful or if I don't like it, I can always go somewhere else." That is the mentality of most Americans who are coming to work.

Part of the reason they can operate that way is because there are many options. As an engineer, almost weekly they receive solicitation or calls from different companies or headhunters, saying, "Would you be interested in considering working for another company?" As long as (the team associate,) the American team associate is happy with the work that they are doing, they will say no to those solicitations. But if for some reason things are not going well, they will begin to listen to those options. And if things continue to not go well, they will try to exercise some of those options. And that's why it is not unusual for a person to go and work for a competitor, even after three or four years at our company.

This is very challenging, I think, for the Japanese person who is trying to build a company, trying to retain people and to build on the collective knowledge (of...) of the people that you have. Within most Japanese companies, a person will go to work, and do not have the calls from outside people, saying, "Would you come to work with us?" or "We'll give you a 10 percent or 20 percent increase in salary, and we'll give you this type of, (uh,) job responsibility." Most people do not have that option, and therefore, when they go to work, they think only about their company. And they'll think about, "If something isn't going well, how can I make it better?" "How long will I have to be in this department before things will get better?" And so the focus becomes: "How can we make it work better within our own company," instead of the mentality of escaping to go work somewhere else.

第2章 音をつかむ——聞き取り能力の個別強化

3　なぜ、シャドーイングができないのか

いかがでしたか。予想したよりも、ずいぶんできが悪かったのではないでしょうか（失礼！）。それに発音も（また失礼！）。確かに、音を聞きながら話すという作業自体に負荷がありますから、純粋な聞き取りではもう少しできるかもしれませんが、でも、現状はだいたいこの程度しか英語の音が聞き取れていないのですね。この状態で聞き取る勝負をするのですから、苦しいわけです。苦しいからといって、ここであきらめないでくださいね。まだ力試しなのですから、ここからどう勉強するかが大切です。そのトレーニングをこれから一緒にやっていきましょう。

英語と日本語の音とリズム感覚の違いの重要なカギ

まず、シャドーイングが苦しいわけを、少し考えてみましょう。100ページの記号入りのトランスクリプトを見ながら、もう一度英語を CD1-01 で聞いてみてください。

☛ p.100［シャドーイング練習用トランスクリプト（記号入り）］

▶ 英語のビート（拍子の感覚）数は、日本語よりもはるかに少ない

トランスクリプトに波形がついていますが、この波形の山になっているところがリズムの拍（リズムのビート）の部分になります。ビートは、この部分以外には入りません。「英語の拍（ビート）の数は、日本語のそれよりもずっと少ない」ことに気づかれましたか？　日本語は、音節ごとにビートが入りますね。例えば、「やまださん」は、「や・ま・だ・さん」と4拍になります。それに対して、英米人が話すときのことを思い出してみてください。「や**ま**ださん」と1拍ですよね。つまり英語は、拍の数が少なく、音が強くなる部分と、す〜っと弱くなる部分から成り立っているのです。強弱の拍でリズムを刻むロックンロールやジャズのリズム感覚と同根です。ですから、日本語の演歌的なこぶしの感覚で、ロックミュージックのリズムをもつ英語を聞き取ろうとしても決して聞き取れないわけです。ちなみに、このような英語の特徴を専門用語では、ストレスタイミング（ストレス、つまり「強い拍」の入る部分のみにビートが入るリズム）といいます。それに対して、音節ごとに拍が入る日本語は、シラブルタイミング（音節ごとにビートが入るリズム）と呼ばれます。

次のリズム波形つきの例文を参考に、もう少し詳しく見てみましょう。

Since World War II, Japan has built itself up as a country, and many, many companies started their operations and became successful.

波の高い部分で1拍です。したがって、この例文では11拍ですね。1音節で1拍の日本語的な感覚の場合、数え方にもよりますが、60拍を超えてしまうのではないでしょうか。このビート感覚の違いが、シャドーイングを苦しくするのです。それ以上に問題なのは、こうした日本語的なビート感覚の誤った音の「受け皿」で英語を聞こうとすることが、英語の聞き取りの最も大きな障害になっていることです。自分の中の「音の受け皿」を、英語の正しい音とリズムにあうように変えていかなければなりません。
CD2-03 にも英語のビート感覚の解説が入っています。この違いを聞いてみてください。

☛ **CD2-03** ［英語のビート感覚解説］

▶ 英語はストレスアクセントの言語

このほかにも、英語の聞き取りを難しくしている、ストレスアクセントのいくつかの特徴があります。頭に入れておくべきポイントを3つ挙げます。

　　✓ ストレスは、音の「高低」ではなく、音の圧力の「強弱」！
　　✓ ストレスは、母音ではなく「子音から」爆発させるように入る！
　　✓ ストレスの入る母音以外は、力が抜けてあいまい母音になる！

英語のストレスアクセント（拍）は、音の高低ではありません。ストレス（圧力）アクセントと言われることからもわかるように、圧力の高低、つまり音の強弱でアクセントが入り、リズムが生まれます。リズム波形でもわかるように、アクセントのあるところにガ〜ンと爆発するように力が込められ、あとは、す〜っと力が抜けていくわけです。

☛ **CD2-04** ［英語のストレス感覚1］

第2章 音をつかむ──聞き取り能力の個別強化

英語のビートを刻むストレスは、音節のはじめの子音から入ります。日本では、学校で音節の母音にアクセント記号を入れましたよね。実は、母音からではなく、その前にある子音から、ストレスがズバッと入るのです。

☞ **CD2-05** ［英語のストレス感覚2］

英語の「音」自体もこのビートの影響を受けます。ビートの入らない音節の母音は力が抜けるため、辞書どおりの母音の音では発音されず、「あいまい母音（力の抜けた、怠慢な音）」の発音になってしまいます。この部分が、まさに音が弱くて、よほど聞き取りのアンテナが英語のリズムにあってこないと聞き取れてこない部分ですね。非常に速く話される場合など、母音がほとんどなくなってしまうことさえあります。英語では、強いストレスの感覚に慣れることも大切ですが、逆に、このす〜っと力が抜けて音が弱くなる感覚に慣れることも非常に大切なのです。この感覚がないと、シャドーイングも、「ガ、ガ、ガ、ガ〜ン」と機関銃を連発しているようなシャドーイングになってしまいます。K/Hシステムではこれを「機関銃撃ちシャドーイング」と呼んでいますが、英語のリズム感覚とはかけ離れたタイプのシャドーイングです。また逆に、力が抜ける部分は「アンテナにひっかかってこないために聞こえない」という理由からも、シャドーイングで苦労するところのはずです。ともに、学校で文法や英文解釈などに重点をおいて英語を勉強してきた方によく見られる現象です。

☞ **CD2-06** ［英語のあいまい母音の感覚解説］

さて、まだまだありますが、これがシャドーイングを苦しくしている英語の音とリズムの主な特徴です。このことでわかるように、「音とリズムの受け皿」が正しくないと、現実の英語の音やビートと食い違っているために知っているはずの単語や表現まで聞き取れず、せっかく学んだ単語・表現が宝のもち腐れになってしまいます。聞き取りのためには、何よりもこの「受け皿」をつくり直さねばなりません。では、どのようにして、正しい英語の音とリズムの体系を自分の中につくるのか。それを、これから一緒に勉強しましょう。

音をつかむ——聞き取り能力の個別強化　第2章

advice 07

シャドーイングにはじめて挑戦する人が陥りやすい「誤解」について

1. CDからの英語は流したまま、それを聞きながらくり返すので、確かに少々慣れが必要です。ですが、くり返せないのは、慣れていないためということ以上に、英語力がないことが圧倒的な原因ですのでお忘れなく。

2. K/H システムでは、シャドーイングを、焦点の当て方によって非常に多くの効用をもつ、実に有効な勉強テクニックとしてとらえており、学習システムの各段階で、異なる目的で利用しています。ここで行った「はじめての音素材をシャドーイングすること」が、シャドーイングの利用法のすべてであるとは決して誤解しないように。

K/Hシステム Q&A 01

Q 力試しで英語テキストもその訳もすでに見ており、さらにウォーミングアップで2、3回シャドーイングもして、かなり慣れてしまっている分、自分の本当の現状把握ができないのでは？

A ご心配なく。前もってその部分のテキストや訳を見ていたとしても、たとえ2、3回シャドーイング練習していたとしても、それですぐ完全にできるようになってしまうほどシャドーイングは甘くありません。2、3回の練習でできるようになってしまうと考えている方は、英語の勉強で、「知っている」ことと「できること」をほぼ同義にとらえてしまう傾向があるのでは？　実は、知識を運用能力に高めるまでが大変なのです。もし、この作業手順のウォーミングアップ程度でシャドーイングができてしまう部分があるなら、そこははじめからあなたの英語力の強い部分であったと考えてよいでしょう。それ以外にできていない部分がまだ、たくさんあるはずですね。それが、現状の弱点と考えてよいでしょう。

第2章 音をつかむ──聞き取り能力の個別強化

COFFEE BREAK 02

実際にシャドーイングしてみた山田智子さん（TOEIC850点程度）の自己分析

シャドーイングのミスは133個と、予想以上に多かったです。声はうわずっているし、聞こえなかった部分やスピードに追いつけなかった部分も多かった。そのため、かたまりで抜けてしまったところが多いです。そういう部分を見ると、やはり特徴があるように思います。大きく分けると、スピードについていけずに落としてしまったところ、「かたまり」として頭の中に定着していない表現、自分で勝手につくってしまったところ、そして聞き間違いです。

スピードは、あとから聞いてみるとびっくりするほど速いというわけではないのですが、熟語や成句が、ひとつの「かたまり」として入っていないことが多い点が気になりました。例えば"work for"という表現を3回も落としている。"work"というと、次は"in"だという思い込みがあったのだと思います。あと"built itself up"というフレーズは、はじめて出会った表現で、自分のデータベースになかったためにくり返せませんでした。

特に聞き取りにくいとも思えないのに"retain"を"entertain"と言っていたり、全然意味を考えていないで聞いていることがはっきりわかります。スピードについていけず、自分で「こうだったかな」と思ってやってしまっている部分が多かったように思いました。もっと意味も追えるようになれば、シャドーイングも今よりはできるようになると思います。

あと、ミスで気になったのが、やはり冠詞や前置詞など、弱い音節が見事に落ちていた点です。聞くことに精一杯で、そこまで意識できず、かと言って自然にシャドーイングできるほど弱い音に対する感覚ができてはいないように思いました。同時に、聞き取れない部分でも英語のしかるべき正しい形が自然に出てくるほどの文法力がないのだなということも感じました。これからテキストのシャドーイングでは、冠詞、前置詞や複数形などに注意を向けていきたいと思います。

サイクル 1
K/Hシステム英語勉強法
英語力のインフラづくり

PART 2

| 第1章　総合的聞き取り |
| 第2章　音をつかむ
―聞き取り能力の個別強化― |
| 2-1「力試し」
2-2「仕込み」
2-3「体得」 |
| 第3章　意味をつかむ
―聞き取り能力の個別強化― |
| 3-1「力試し」
3-2「仕込み」
3-3「体得」 |
| 第4章　音と意味の一体化
―聞き取り能力の仕上げ― |

第2章 音をつかむ──聞き取り能力の個別強化

❷ 音をつかむ「仕込み」

1　目標：100パーセント正確なシャドーイング

英語の音の受け皿をつくる必要性を、前のセクションの「力試し」で感じられたと思います。では、英語の音とリズムの受け皿を自分の中につくるためには、どうすればよいのでしょう？　この目的を達成するために、K/Hシステムでは、ひとつの教材をミスなしに100パーセント正確にシャドーイングできるまで徹底的に練習するというアプローチをとっています。この作業をK/Hシステムでは＜100％シャドーイング＞と呼んでいます。この考え方も、これまでの英語の勉強法と比べてユニークなところです。K/Hシステムを使って勉強した多くの人が、これを実践して「自分の英語に大きな変化があった」と報告しています。本書に収録の学習教材はこのためにあるのだ、と言えるほど、「100パーセント正確なシャドーイング」を達成することは重要なポイントです。

ただし、シャドーイングのミスを「ゼロ」にするというのは多くの人にとって現実的でないので、ミスの個数のターゲットは2.5パーセント未満とします。すなわち、サイクル1の英文量（約500 words）では、ミス個数を1桁にすることをターゲットとしてください。本教材をこのレベルまで正確にシャドーイングできるようにすると、英語の音とリズムの感覚や、英語表現を大きな「かたまり」でリズム単位でとらえる感覚の体得など、英語の「音をつかむ力」を強化するうえでのシャドーイングの効果が確実に感じられます。

> **効用 2**　「英語の正しい音とリズムの感覚」、さらには「英語の『かたまり』の感覚」を身につけるツールとしての＜100％シャドーイング＞
>
> ☛ p.55 ［効用1　英語の音をつかむ力の現状把握のツールとしてのシャドーイング］

1 ＜100％シャドーイング＞の目指すもの

１．英語の音とリズムの正しい「受け皿」づくり

音が弱くて聞き取りにくい部分や、音がリエゾンしている部分まで、100パーセント正確にシャドーイングできるようにすることにより、英語の正しい音とリズムの感覚を自分の中につくり込みます。この感覚ができてくると、正しい英語の音とリズムの待ちで待てるようになり、マージャンで言うと「カンチャンがスポッと入る」ような感覚で、英語の音をスパッと正しくとらえられるようになります。言い換えれば、英語を聞くときの音とリズムの正しい「受け皿」ができ、今まで聞き取れなかった音も明確に聞き取れるようになるのです。

２．意味の「かたまり」感覚の養成

アメリカ人が大きな「意味のかたまり」としてとらえている慣用的表現などは、特に一息で一気に発音されます。したがって、100パーセント正確なシャドーイングを目指して、そうした一気に言われる部分まで練習する過程で、「かたまり」で英語をとらえる力も身につきます。今までのような単語ごとにひとつひとつ処理する聞き方、話し方ではなく、意味の「かたまり」で一単語のような感覚で英語を理解し、表現する力が養成されます。

３．自分の英語の本当の問題点の顕在化

シャドーイングを数回した程度では、自分がかかえている多種多様な問題が入り乱れて、自分にとって何が本当に重要な課題なのかがはっきりしてきません。しかし、100パーセント正確なシャドーイングを目指して練習していると、すぐにできるようになる部分と、何度やっても克服できない問題点とに分かれてきて、自然に、自分の英語がかかえる最も大きな問題点が特定されてきます。問題が特定されれば、改善の対策が立てられます。

４．意味と音の一体化作業などのための下地づくり

音と意味とを別個に強化したあとに、さらにシャドーイングを使って聞き取り能力の強化を仕上げるための「音と意味の一体化」の作業や、一層高度な英語力を目指した強化訓練を行います。他の勉強法では得がたい効果の期待できる大切な作業です。その際に、音を追うシャドーイング自体が苦しいと目指す効果が得られません。シャドーイングの負荷をできるだけ減らしておくことで、その後の作業でねらっている効果をより確実なものにすることができます。

2 ＜100％シャドーイング＞達成に要する時間の目安

＜100％シャドーイング＞達成のために必要な練習時間は、英語のレベルや、その人のそれまでの勉強方法によって当然異なります。K/Hシステムでは、「K/Hシステム実力英語講座セミナー」参加者の継続学習を助けるために「シャドーイング通信添削講座」を提供していますが、その受講者の方々のデータから、はじめて100パーセント正確なシャドーイングに挑戦する人が目標達成に要する練習時間の一応の目安を表にしてみました。シャドーイングだけでこんなに時間がかかるのか、と気落ちしないように。シャドーイングを100パーセント正確にできるようにするための練習をすると、その過程で多くのことが学べます。単に、シャドーイングができるようになるだけではないのです。それまで伸び悩んでいた人でも必ず英語力のブレイクスルーが起こるので、じっくり取り組んでください。

個人差があるので、以下の表はあくまでも目安として参考にしてください。また、一度ひとつの教材で100パーセント完璧にできるまで仕上げると、別の教材で100パーセント正確なシャドーイングをするときに要する時間は大幅に減ってきます。

本テキストのシャドーイングの当初のミス個数と英語のレベル別に見た
＜100％シャドーイング＞達成に要する時間の目安

	最初のミス個数	ミスの割合	ミスを1桁にするのに要するおよその勉強時間
TOEIC600未満	300 words 前後	60％以上	25時間以上
TOEIC600〜750	250 words 前後	50％	20時間前後
TOEIC750〜850	125 words 前後	25％	15時間前後
TOEIC850〜950	80 words 前後	15％	10時間前後
TOEIC950以上	50 words 以下	10％以下	5時間以下

3　独りで勉強を継続するための、数字による管理

前セクションの「力試し」でもふれたように、ここからの勉強ステップでは、常に、少なくとも週に1回は、＜100％シャドーイング＞の進歩過程を確認するためにシャドーイングを録音し、ミス個数を数え、それを練習時間の合計とともに本書付録の「プログレスシート」に記録してください。数字によって進歩の状況が管理できるので、ゲーム感覚で勉強でき、独りでも継続的な勉強が面白くなります。これも、ミス個数を減らすという数値的な目標をもつ＜100％シャドーイング＞練習の利点のひとつです。

2　仕込み作業

＜100％シャドーイング＞ができるようになるには、当然ながら練習が必要です。すぐにシャドーイングにとりかかりたい人もいるでしょうが、少し我慢してください。まず以下の「仕込み」作業を行ってから、実践的なシャドーイング練習に入ります。この順序が、結果的に最も効率的で、効果が高いのです。

シャドーイングの「仕込み」作業

最終目標　＜100％シャドーイング＞の基礎づくり

具体的目的

意味の側面
1. 英文を英文解釈的に正確に理解しておく。

音の側面
2. 英語の正しい音とビートを、少なくとも知的には理解する。
3. 英語は、単語単位で切れ切れに話されるのではなく、「かたまり」でひとつの単語のように発音されることを認識する。

範囲　第1パラグラフ～第4パラグラフ　CD1-01

参照資料　136～153ページ「聞き取り用語句解説」／
79ページ「音とリズムの仕込み用ワークシート」

第2章 音をつかむ——聞き取り能力の個別強化

> **作業手順**
>
> **意味の側面** ☛ 136〜153ページの「聞き取り用語句解説」参照
>
> 1. **意味のわからない単語がないようにする**
> 2. **文の意味の区切りや、意味の「かたまり」を理解しておく**
>   この点はそれほど難しく考える必要はない。語句解説の英文に、意味の区切りを示す斜線(/)が入っているので、参考にするとよい。
> 3. **構文を分析し、各文の構造を理解しておく**
>   英文解釈的に、正確に構文や文法を納得しておく。
>
> ☑ 英語のレベルにもよりますが、単語、表現、文法、構文などを正確に理解せずに、決して＜100％シャドーイング＞に挑戦しないように。たとえ100パーセントできたとしても、単なる丸暗記のようなシャドーイングになり、応用力につながりません。練習もつらいだけで、「前進」しているという実感が得られず、途中で投げ出してしまうことになりがちです。
>
> **音とリズムの側面** ☛ 79ページ「音とリズムの仕込み用ワークシート」参照
>
> 4. **音とリズムの確認**
>   次ページからの「1　英語の音とリズムの理解」と「2　英語の音とリズムの実際」の解説を読んで、英語の音とリズムの特徴をしっかり理解しておく。それらを頭に入れて、80ページからのトランスクリプトを見ながらCDを数回聞き、英語の音とビートの感覚を味わう。特に、ビートの数が日本語的な発音よりも少ないことを認識すること。
>
> 5. **口慣らし部分練習**
>   「仕込み用ワークシート」を参考に、シャドーイングの力試しで落としてしまったところに特に重点をおいて、シャドーイングの下準備として口がまわるように部分練習をする。CDもくり返し聞き、音やリズムを確かめながら練習する。「英語の音とリズムの理解」で学んだポイントを頭に入れて、特に「かたまり」で一単語のようになっている部分を、自分でも一息で話せるようになるまで練習し、シャドーイングに備える。

以上の下準備作業で、ある程度全体がかたまってきたら、94ページからの「音をつかむ力」の体得のためのシャドーイングに進んでください。

1　英語の音とリズムの理解

音をつかむ力の「力試し」でもふれたように、英語を聞き取りにくくさせている最も大きな理由は、英語の子音や母音の音そのものよりも、英語のリズムの特徴が日本語と大きく異なることにあります。英語のリズムの最大の特徴は、ストレスタイミングでしたね。ストレスタイミングでは、ストレスの入る音節だけに強い拍（ビート）が入り、他の音節には拍はなく、す〜っと力が抜けて発音されます。これに対して、日本語はシラブルタイミングといい、音節（シラブル）ごとに拍（ビート）が入る特徴があります。

☞ p.60 ［なぜシャドーイングができないのか］

この違いに慣れていないと、音を聞き取るときに、自分のもっている音の受け皿と現実の音とが大きく食い違ってしまい、知っているはずの英語すら聞き取れないことになります。さらに、ビートの特徴に付随した英語の音の特徴がありましたね。ストレスの入る音節は子音から爆発するように強く発音され、母音もはっきり発音されます。それに対して、ストレスの入らない音節は、母音も力が抜けて「あいまい母音」になってしまいます。簡単に言えば、英語ネイティブの感覚では、2つのことをポイントとして英語を聞き取っているのです。

1．ビートのリズムがどのような波形なのか
例えば、orange juice を、オレンジジュースと傍点すべてを同等な強さで発音すると、アメリカ人には理解してもらえません。彼らは、まず、orange juice という波形で理解しているので、　　　　　　　という受け皿で待っています。音そのもの以上に、この強弱の波形をヒントにしているのです。

2．ビートの入る音節の子音と母音がどんな音か
この強弱の波形の「強い部分」の音がどのような音になっているかが、次の重要なヒントです。したがって、拍の部分の発音をきちんと正確にすることが大切になります。総合すると、先ほどの例だと、o　　　(j)　　　が聞き取りで「音をつかむ」うえでの主なヒントになるのです。

第2章 音をつかむ──聞き取り能力の個別強化

2　英語の音とリズムの実際

こうした英語の音とリズムの特徴を、ここでは実際のテキストも例にとりながら、さらに詳しく説明します。この仕込みの段階で、まずは頭でしっかり理解しておき、＜100％シャドーイング＞をするときに、この感覚を身につけることを主眼にシャドーイング練習をしてください。

英語のビートは日本語よりもはるかに少ない

　　　　　　　　　　　　　　　　　　　CD2-07　［英語のビート感覚の具体例］

次のページの英文を例にとって説明します。波形の高い部分にしか拍（ビート）が入りません。ビートとビートの間にある部分は、拍を入れずに、す〜っと力を抜きながら素早く、かつスムーズに話すことが求められます。このビート感覚を比喩的に言うと、例えば、月面で「ピョーン」、「ピョーン」、「ピョーン」とジャンプしている感じです。「ピョーン」と月面を力強く蹴る瞬間の部分がビートの入る部分で、音節の子音から力強く入りますね。右の英文だと、idea や go がその部分です。「ピョーン」と「ピョーン」の間は、ウサギが空中にジャンプしている感じで、力が抜けた状態で、ゆったりとした軌道を描きながら落ちてきます。「ピョーン」と月面を蹴った直後の、とつぜんフワッと浮いた「ゆったりさ」が、以下に説明する「ストレスのある音節の母音をたっぷりめに発音すること」に通じます。

母音をたっぷりめに発音したあとに続く、力が抜けて落ちていく部分が、す〜っと力を抜きながら素早く話す部分です。この部分には拍が入らないため、普通は息継ぎもなく、息の途切れなく、素早くなめらかに話されます。これゆえに、単語の語尾とその次の単語のはじめの音がリエゾンしやすいのです。例文で言えば、力を抜きながら、スムーズに that you could と発音しなければなりません。that you could のどの音節にも決してビートを入れてはいけません。

CD2-07　に次の英文の具体例が入っていますので、英語のビートと日本語のリズムを比較してみましょう。日本語では、各音節に、ほぼ同じ強さでビートが入りますね。この違いを認識して練習に取り組んでください。はじめは仕方ありませんが、日本語的なリズムでシャドーイングし続けないように注意しましょう。

比較例

■英語のビート

And the idea that you could go to work for one company

and stay there for an entire work lifetime (was a popular, ...)

continued to be a popular notion.

■日本語的リズム

アンド・ジ・アイディア・ザット・ユウ・クド・ゴウ・ツウ・ワアク・
フォオ・ワン・カンパニイ・アンド・ステイ・ゼア・・・・・・

CDを聞くと特によくわかると思いますが、大きな違いがありますね！ この日本語的なビートの「受け皿」のままで英語を聞き取ろうとするかぎり、英語で圧力の弱い部分の音が引っかかってこないのです。例えば、次の英文のハイライトした部分が、音の弱い、リズムの波の谷間の部分で、聞き取りにくいはずです。

Let me talk about the confusion that happens...
Japan has built itself up as a country, ...

これを聞き取れるようになるには、こうした英語の正しいビート感覚の受け皿づくりが必須なわけです。そのためにK/Hシステムでは、英語の正しいビートをまねながら、＜100％シャドーイング＞をする練習をしてもらうのです。100パーセントできるまでくり返しまねることで、ビート感覚の受け皿を自分の中につくってしまおうというのが目的なのです。

第2章 音をつかむ──聞き取り能力の個別強化

ストレスの入る音節は、子音から強くストレスが入る

☞ **CD2-08** ［子音からのストレス具体例］

英語のビートは、音節のはじめの子音から入ります。日本では、音節の母音にアクセント記号を入れましたよね。実は、母音からではなく、その前にある子音から、ストレス（圧力）がズバッと爆発するように入るのです。このときに忘れてはならないのが、英語のストレスは「音の高低」ではなく「圧力の強弱」だという点です。ですから、たっぷり息をお腹に吸い込んで、勢いよく、力強く、音を爆発させるように発音してみてください。

比較例1

park, **t**alk, i**d**ea, **c**ompany, **g**o, **w**ork, **st**ay, entire, **l**ifetime, con**t**inue, **p**opular, **n**otion

比較例2

And the i**d**ea that you could **g**o to **w**ork for **o**ne **c**ompany and **st**ay there for an en**t**ire **w**ork **l**ifetime (was a **p**opular,...) con**t**inued to be a **p**opular **n**otion.

ビートが入る母音は正確にかつたっぷりめに発音する

☞ **CD2-09** ［ストレスの入る音節の母音の具体例］

ストレスの入る音節の母音は、はっきりと正確に、たっぷりめに発音することが大切です。ただし、「たっぷりめ」にしようとすることで母音にアクセントが入ってしまわないように。あくまでも子音を強く発音し、あとは力を抜いて「音の余韻を楽しむ」ような感じでたっぷりめに発音します。

比較例

And the i**de**a that you could **go** to **wor**k for **o**ne **co**mpany and **sta**y there for an en**ti**re **wor**k **li**fetime (was a **po**pular, ...) con**ti**nued to be a **po**pular **no**tion.

COFFEE BREAK

03

英語の音韻体系をつくる必要性

英語の母音は20前後しかないので、母音だけでもきちんと発音できるようになれば、かなりの英語の財産になります。例えば、pat、pot、putt は英語ではすべて異なる音韻（入れ替えると意味が変わってしまう音）ですが、日本語ではすべて音韻の[ア]の変種でしかないので、意味は変わりません。日本語の「愛している」という音の[ア]の部分を、上記の英語の pat、pot、putt のそれぞれの母音と入れ替えたとしても、意味は変わりませんね。ということは、この英語の各母音は、日本語では意味的にまったく区別されていない同じ母音、すなわち同じ音韻であることになります。この点は重大です。なぜならば、日本語を母語とする私たちが感覚として身につけてしまっている「音韻体系（意味と音を結びつけている約束事）」では、英語ではまったく異なる pat、pot、putt の母音、[æ]、[ɑ]、[ʌ] を心理的に区別せず、すべて[ア]としてひとまとめにしてしまうために聞き分けられないことになるからです。同様に、話すときも正確にこの区別をせずに話しますから、アメリカ人にとっては非常にわかりにくいことになってしまいます。高いレベルの英語を目指すのであれば、この英語の音韻体系を身につける努力が必要です。本書では、ここまでは扱いませんが、興味ある方は市販のテープ・CD付の発音教本などに、一度、挑戦されることをお勧めします。

子音から強くストレスが入るために、その直前に力の溜めができる

🔊 **CD2-10** [ストレス直前の溜めの具体例]

ストレスを、子音から力強くズバッと入れようとすると、自然に、ストレスを入れる直前にほんの少しの「力の溜め」ができます。ジャンプの前の「溜め」のようなもので、音が一瞬途切れるような、つまった感じになります。

比較例

company, talk, challenge, idea, entire, continue,
American, successful, mentality, characteristic, World War II

第2章 音をつかむ——聞き取り能力の個別強化

拍の入らない母音はあいまい母音化する

▶ **CD2-11** ［あいまい母音化の具体例］

さて、拍の入らない部分はす〜っと力を抜いて発音されます。このため、ほとんどの母音があいまい母音（力を抜いて怠慢に発音した音）になってしまいます。非常に速く話される場合には、母音自体がほとんどなくなってしまうことさえあります。英語では、強いストレスを入れることも大切ですが、ストレスのないところを、いかに力を抜いて楽に発音できるかということも非常に大切なのです。

比較例

Let me talk about the confusion that happens
[ə] [ə]   [ə][ʊ] [ə] [ə]   [ə]   [ə]   [ə]

☑ ストレスの入る母音まであいまい母音化しないこと。ストレスの入る母音は正確に発音しなければなりません。よく英語的に話すことを、あいまい母音的な発音にすることのように考えてしまう方がいます。考え方の方向性の50パーセントはよいのですが、ストレスが入る母音まであいまい母音にしてしまうために、雰囲気が英語っぽいだけで、実際は英語として極めて聞きにくい話し方になっています。

ストレスの入る音節の直前の音が極めて弱くなり、聞こえにくくなる

▶ **CD2-12** ［ストレス直前の音が聞こえにくくなる具体例］

ストレスの入る子音にかなりの力が入るため、その前の音は極めて弱くなり、日本語的な受け皿感覚で聞いていると、聞こえてこないことがあります。例えば、先ほどの entire という単語だと、-tire の t から力強くストレスが入る分、直前の en- が非常に弱く、聞こえにくくなります。こうした例はいたるところにあります。例えば begin を、be- と -gin の音が同じ程度の強さでくるものだと思って聞いていると、現実には -gin としか聞こえず、「ginってどんな意味だ？」と考え込んでしまうことになります。他にも surprise や retain などが -prise や -tain としか聞こえないことが往々にして起こります。英語を知らない人なら、American も merican に聞こえるでしょうし、昔、小麦粉を「アメリカの粉」の意味で「メリケン粉」などと言ったのも納得のいく話です。英語を学習している私たちは、ここまでひどくはないですが、同じような種類の聞き取りのミスを知らずにしていますね。

音をつかむ——聞き取り能力の個別強化 第2章

> **比較例**
>
> entire, begin, surprise, retain, obtain, continue, American,
> a country, a challenge, to work, a popular notion

単語ごとに切れ切れに発音するのではなく、意味の大きな「かたまり」を一息で、息を切らずに発音する　　● CD2-13　［かたまりは一息の感覚の具体例］

日本で英語教育を受けた方のほとんどは、単語単位に英文を分析する勉強法に慣れてしまっているため、どうしても一単語をひとつの意味のユニットとしてとらえる感覚で英語を聞いてしまいます。これは英語を言語として研究する目的ならよいでしょうが、英語を実戦的に使ううえでの感覚としては正しくありません。このクセがシャドーイングにも出てしまい、単語ごとに区切ってしまう人が多くいます。正しいやり方は、少なくとも意味の1ユニットは一単語のように、一息で発音することです。音楽の比喩を使うと、「スラー」の感じです。一息で発音される部分がひとつのメロディーを形成する感覚でシャドーイングしてみます。例えば、Japan has built itself up as a country なら、built itself up as a country はひとつの意味ユニットを形成しているため、ここは一息でさーっと言えなければなりません。この感覚でシャドーイングができるようになると、意味の「かたまり」を一単語の感覚で聞き取れ、かつ話せるようになり、英語の実戦力が飛躍的に伸びます。

少し練習してみましょう。スラッシュを入れた部分までは、英語の正しいビート感覚で、一息で発音してみてください。スラッシュまでの英文が2度流れますから、そのあとで同じリズムで一息で言ってみてください。一息でなめらかに発音する感覚をつかむには、それぞれ2回ぐらいくり返し、口慣らしした方がよいでしょう。

> **比較例**
>
> Let me talk about / the confusion that happens / with regards to Americans / going from one company to another company. //
> Since World War II, / Japan has built itself up as a country, / and many, many companies started their operations / and became successful. //

advice 08

いくつかの意味の「かたまり」を一息で話すのが理想

スピーカーによっては、2つや3つの意味の「かたまり」を一息で話してしまう場合もありますので、意味の「ひとかたまり」を一息で発音するのは、最低条件です。これができたら、さらに一息でカバーできる長さを広げましょう。例えば、以下のような文であれば一息で言えるようにします。

That used to be the case in the United States.
But about 20 years ago, things began to change.

意味の「かたまり」を意識しながら、一息で長く言えれば言えるほど、英語力が上がってきます。英語としてもずっと自然になってきます。

COFFEE BREAK 04

MapとMopの話

アメリカで仕事をする日本人駐在員が、その地域の地図が欲しくて、大型スーパーマーケット・チェーンの「Kマート」に行ったときの話です。店員さんに、Where can I get a map? と聞いたところ、「あそこにあるよ」と教えられて行ってみると、そこはなんとモップ売り場だったそうです。これは、map の母音の発音が、「マップ」になっていたからですね。マップは、英語の mop の発音に近いのです。map は cat と同じように、アとエの中間のような発音をする必要があります。こうした日本人流の母音の発音で、アメリカ人が理解に苦労している可能性のある単語をいくつか挙げておきましょう。

not	X ノット	○ ナット
top	X トップ	○ タップ
a lot	X アロット	○ アラット
option	X オプション	○ アプシュン
job	X ジョブ	○ ジャップ
problem	X プロブレム	○ プラブレム

3　テキストでの音とリズムの仕込み

音とリズムの仕込み用ワークシート

次のページからのトランスクリプトと解説を参考に、＜100％シャドーイング＞の下準備として、口慣らし練習をしてください。「力試し」で自分ができなかったところはもちろんのこと、特にスピーカーが「かたまり」で一息で言っているところは、自分も一息で言えるようになるまで練習します。CDもくり返し聞き、スピーカーの音とリズムをまねして練習します。 CD1-01

トランスクリプトにハイライトしてある部分は、約40人の受講者に試験的にシャドーイングをしてもらった結果、多くの人がシャドーイングできなかった個所です。この個所がどんな理由で難しいのか、どのように取り組むとシャドーイングできるようになるか、などのコメントもつけましたので参考にしてください。

ポイント1　「かたまり」の把握　　　　　　　スラッシュ（／）　下線
斜線（／）までが、それぞれ意味の「かたまり」で、一単語のように続けて発音される部分です。少なくとも斜線までの「かたまり」が一息で言えるように、口慣らし練習をしましょう。下線を入れた部分は特に慣用的な表現で、その分、アメリカ人にとっては一単語の感覚が非常に強いところで、速いスピードで話されています。特に注意しましょう。一単語のつもりで覚えてしまえば、スピーキングにも生きてくるので、一石二鳥です。

ポイント2　部分練習　　　　　　　　　　　　　　　　　　　網かけ
細かい部分をシャドーイングできずに落としてしまった場合は、単語単位で練習するだけで終えず、それが含まれる意味の「かたまり」全体を、英語のビートをまねしながら口慣らし練習をします。音の弱いところは、自分も上手に力を抜いて言うようにするとリズムがまねしやすくなります。

ポイント3　細かい重要ポイント　　　　　　　　　　　　　　　網かけ
上級者は、細かい部分（音の弱い前置詞、冠詞、語尾など）に特に注意します。こうした音の非常に弱い部分が聞き取れて、かつ、言えるようになると、冠詞や複数形の感覚などが身についてきて、大きな飛躍の種になります。

第2章 音をつかむ——聞き取り能力の個別強化

右のページのコメントを参考にしながら、口慣らしの練習をしてみましょう。

Let me talk about / the confusion that happens / with regards to Americans / going from one company to another company. //

Since World War II, / Japan has built itself up as a country, / and many, many companies started their operations / and became successful. //

And the idea that you could go to work for one company / and stay there for an entire work lifetime / (was a popular, ...uh...) / continued to be a popular notion. //

That used to be the case / in the United States. // But about 20 years ago, / things began to change. //

the confusion that happens

■ 弱く発音される the と that は、この「かたまり」全体で、英語のリズムごと身につけてしまいましょう。この「かたまり」のリズムは、英語の基本的「弱強弱強」のビートの典型で、応用範囲は絶大です。

---

built itself up as a country

■ 母音ではじまる単語では、その前の単語の最後の子音とリエゾン（連結）します。「ビルテイッ セル フアッ プアズエイ カントリー」という感じになります。

---

you could go to work for one company

■ ここは速いので注意が必要です。could のように子音で終わっている単語は、舌で d の形をしたら、音を出す責任はありませんから、安心して次の go にいくのがコツです。

continued

■ 過去形の -ed を忘れないように、特に上級者は注意。この d も、舌の先を上あごにつけて、一瞬 d の形を味わったら、音を出す責任はありません。その、一瞬味わっているときの「つまった感じ」が過去形の音の感じです。音として -ed の音が聞こえていなくとも、アメリカ人は、この一瞬のリズムの「つまり」で、ちゃんと過去形を聞き取れるのですね。

---

in the United States

■ 普段から the を落として United States と言うクセのある人は、シャドーイングでも the を落とす傾向があるので、注意しましょう。シャドーイングで正確に the United States と言えるようになれば、逆に話すときも the を落とさなくなるものです。

things began to change

■ things の使い方に慣れていないためか、複数形の -s を落としやすいようです。

And frankly / this may not be (uh...) a good characteristic of Americans, / but Americans are not loyal to their company / like Japanese are loyal to their company. //

And part of that is because / many times the companies have not been loyal to the Americans / or to the workers. //

But it is a challenge / for many Japanese companies working in the United States / to hire and to retain Americans. //

characteristic

■ この発音自体に慣れていない人が多いようです。また、この単語は characteristics と -s をつけて話されることが多いので、ここでもつい -s をつけないように注意してください。ここでは「ひとつ」の特徴ですから、はじめにきちんと単数の a がついていますね。

their company

■ their は、[ゼア] を実に軽く言った感じでしか発音されていないので、聞こえずに落とす人が多いと思いますが、これが their の英語の音なのだと肝に銘じて、このように軽く言えるようになっておきましょう。そうすると、この軽い their の音が他で使われたときにもわかるようになります。

Japanese are loyal to their company

■ かなり軽く発音されていますね。すでにアメリカ人の説明で使ったのと同じ表現なので、くり返しになるために余計に軽いのです。

---

the companies have not been loyal to...

■ 力が抜けていく感じで一気に言われる have not been の部分が難しいようですね。日本語のビートで音節すべてに均等にストレスを入れていては、決して追いつけません。company の co に思いきり拍を入れて、そこからは力を抜いてさーっとなめらかに、楽に音をころがし、loyal の lo の拍につなぎます。

---

to retain Americans

■ to retain（維持する→定着させる）は意味としてなじみがないためにシャドーイングでミスすることが多いようです。＜100％シャドーイング＞を達成するには、各単語・表現の意味の理解が不可欠です。

And the reason, (within the...) / at least within the engineering field right now.... // Many Americans will come to work at our company / knowing that it's a good company, / knowing that they can learn a lot, / and knowing that if they are successful, / they can have a good career. //

But they also think / (that) "if It is not successful / or if I don't like it, / I can always go somewhere else." // That is the mentality of most Americans / who are coming to work. //

at least within the engineering field...

■ スピードが速い、at least within... の組み合わせに慣れていない、加えて、engineering が正しいリズムで発音できないという三重苦で特にミスしやすい個所のようです。

come to work at our company

■ 決まった言い方なので、かなり速いスピードで話されています。一息の感覚で覚えてしまいましょう。work at our を上手にリエゾンして、力を抜いて言えるようになることです。「ワー クア タアー」という感じです。

career

■ career は「キャリア」という発音で覚えていると、本当の英語の career は聞こえませんね。「ク リアー」の感じです。

---

or

■ 節をつなぐ or は、かなり軽い音になります。感じとしては「オー」と口を半開きにして言うような発音で、学校英語のときのように「オア」と2拍で言わないこと。また、or をそのように2拍の音だと思っているかぎり、決して現実の or は聞き取れないでしょう。

mentality

■ なじみがないためにミスして落ちるのでしょう。「思考パターン」や「無意識にもっているものの見方」といった意味です。

who are coming to work

■ 決まった言い方なので、非常に速いです。特に何回も口慣らし練習することが必要です。who are の are は力を抜きながら who にすっとくっついて「フーアー」の感じで発音します。to work の方は「タワーク」の感じです。

第2章 音をつかむ──聞き取り能力の個別強化

Part of the reason they can operate that way / is because / there are many options. //

As an engineer, / almost weekly / they receive solicitation or calls / from different companies or headhunters, / saying, / "Would you be interested in considering working for another company?" //

As long as (the team associate,) the American team associate is happy / with the work that they are doing, / they will say no / to those solicitations. //

音をつかむ──聞き取り能力の個別強化　第2章

■ ハイライトの入った個所はすべて、母音があいまい母音化して非常に軽くなっています。ビートの入らないこうした部分を、どのくらい力を抜いて発音できるかがカギです。

solicitation

■ 「誘い」や「募集」などの意味ですが、日本の英語教育を受けただけでは、なじみがない人がほとんどだと思います。よくアメリカのマンションの入り口などに「セールスお断り」の意味で "No Solicitation" と書かれています。

■ それ以外のハイライト部分は、決まり文句なので、非常に速いです。

as long as...

■ 日本語的に「アズ・ロング・アズ」と覚えてしまっている人が多いでしょうが、実際の英語では「アズロン グアズ」のように発音されるので、混乱してしまったものと思います。日本語的に発音しないと、ちゃんと言った気にならないような英語の勉強の仕方から早く脱皮しましょう。そのためには、英語的にできるだけ発音し、その音に重ねて意味を覚える練習が必要です。具体的には、シャドーイングによる「音と意味の一体化（第4章）」で、徹底的に意味を考えながらシャドーイングします。

with the work that they are doing

■ これも決まり文句で速い部分です。2拍で言えなければなりません。「ウィ(ズ)ザ　ワー(ク)　ザッ(トゥ)　ゼアー　ドゥーイン(グ)」という感じです。( )に入っている音は、「舌と口でしっかりその音の形をしたら、音を出す責任はない」ということです。

solicitations

■ 2度目の登場です。早く慣れてしまいましょう。

But if for some reason / things are not going well, / they will begin to listen to those options. //

And if things continue to not go well, / they will try to exercise some of those options. //

And that's why / it is not unusual for a person / to go and work for a competitor, / even after three or four years at our company. //

This is very challenging, I think, / for the Japanese person who is trying to build a company, / trying to retain people / and to build on the collective knowledge (of...) of the people that you have. //

But if for...

■ ビートが入らないために軽くさーっと話されていて、ついていくのが難しいでしょう。各単語は決して独立してブツブツと区切って発音されるのではなく、音と息が続きながら発音されている感覚を身につけてください。「バットイッ（フ）フォー」という感じです。

things are not going well

■ 決まった言い方なので、速いのです。一息で発音してみましょう。音を決してブツブツ切らないこと。

to those

■ 軽いので、音に慣れる必要があります。

options

■ 人によってはなじみがない単語でしょう。自然な英語では「アプシュン」と聞こえるので、日本語的発音でオ・プ・ショ・ンと覚えているとミスしてしまいます。

continue to

■ 多くの人の continue の音とリズムの受け皿が、「コン・ティニュー」と、2拍入る感じになっているのではないでしょうか。実は「ヵンティニュー」のように、「ティ」が強く1拍で発音され、「カン」はほとんど聞こえないくらい小さく発音されます。

■ 速く、軽く言う部分が概して落ちているようです。

at our company

■ at と our がリエゾンする感覚がつかめると、できるようになります。「ア　トアー」の感じです。

■ すべて軽く話される部分ですね。注意して練習しましょう。

第2章 音をつかむ──聞き取り能力の個別強化

Within most Japanese companies, a person will go to work, and do not have the calls from outside people, saying, "Would you come to work with us?" or "We'll give you a 10 percent or 20 percent increase in salary, and we'll give you this type of, (uh,) job responsibility."

Most people do not have that option, and therefore, when they go to work, they think only about their company.

And they'll think about, "If something isn't going well, how can I make it better?" "How long will I have to be in this department before things will get better?"

And so the focus becomes: "How can we make it work better within our own company," instead of the mentality of escaping to go work somewhere else.

音をつかむ——聞き取り能力の個別強化 　第2章

■ ハイライトの部分はすべて、会話調の決まった言いまわしなのでかなり速いです。

in

■ increase in salary で覚えておきましょう。increase in〜（〜の上昇）で、常に前置詞は in で、of ではありません。

option

■ また出てきましたね。発音と意味の両方をしっかり覚えておいてください。

■ それ以外のハイライトの部分は、拍が入らず、軽く話される部分です。

■ ここにある文はすべて決まった言い方なので、抜き出して覚えてしまいましょう。長いですが、リズム波形で拍の位置をよく確認して、まずはゆっくりのスピードで練習し、少しずつスピードを上げていきましょう。

How can we make it work better within our own company

■ 決まった言いまわしなので、抜き出して覚えてしまいましょう。拍を確認して、正しいリズムで練習してください。

the mentality

■ この the は、確かに聞き取りにくいですね。CDをよく聞いて、スピーカーと同じように、「つまるような感じ」にしか聞こえないくらいの軽い音で自分でも言えるように練習してみましょう。

go work somewhere else

■ go workと、to不定詞を用いない形が最近は一般的です。

K/Hシステム Q&A 02

Q なぜ、それほどまで「正確に」やらねばならないの？

A 「だいたいできる」という勉強法では、あるところで伸びが止まるということです。この足踏み状態をブレイクスルーするためには、正確なシャドーイングの練習を徹底的に行うことが必要です。つまり、正確さを追求することで、できない部分をはっきりと認識し、それを克服し、一段階上のレベルの英語力をつけるのです。徹底的に正確なシャドーイングを仕上げることで、より具体的には、以下の力をつけることができます。

正確な聞き取りに不可欠な、英語のアンテナを身につける
＜100％シャドーイング＞ができるためには、否が応にも英語のリズムまでまねできなければならなくなります。弱い音の部分まで、自分でもしっかり正しいリズムで言えるように練習しなければならなくなることで、英語独特の音の「弱強」のリズムに慣れ、英語の音とリズムにあった音の受け皿、すなわち、正しい「アンテナ」が自分の中につくられてきます。これが、聞き取りの大きな力になります。

文法、構文などの正確な英語のストック
シャドーイングで落としやすい音の弱い部分の大半は、いわゆる機能語と呼ばれるものです。これは、時制、単数・複数、受け身形などで、正確な文をつくり、ニュアンスをつかむときの柱になる部分です。こうした部分まで正確にシャドーイングできるようにすることで、文法や構文を正しく身につけ、自分の一部にしてしまうことができます。しかも、シャドーイングを使って身につけておけば、頭でわかっているだけでなく、リズムごと、正しい形が感覚に刻み込まれますから、実戦力のある確実なアセットになります。正確に覚えてしまえば、一生の財産です。いったん不正確に身についたものを直すのは、なかなか難しいものです。せっかく覚えるなら、はじめから正確に、口が滑っても正しい文法で英語表現が口から出てくるように覚えてしまいたいものです。

サイクル 1
K/Hシステム英語勉強法
英語力のインフラづくり

PART 2

第1章　総合的聞き取り
　　　　能力の現状把握

第2章　音をつかむ
―聞き取り能力の個別強化―

2-1 「力試し」
2-2 「仕込み」
2-3 「体得」

第3章　意味をつかむ
―聞き取り能力の個別強化―

3-1 「力試し」
3-2 「仕込み」
3-3 「体得」

第4章　音と意味の一体化
―聞き取り能力の仕上げ―

第2章 音をつかむ──聞き取り能力の個別強化

❸ 音をつかむ「体得」

1　＜100％シャドーイング＞による「体得」作業

さて「仕込み」では、英語の正しい音とリズムの受け皿をつくり、英語をより大きな意味の「かたまり」でとらえるための視点を学んでもらいました。また、英文の意味も確認し、口慣らし部分練習をしてもらうことで＜100％シャドーイング＞のための基礎をかためてもらいました。＜100％シャドーイング＞の目的は、「仕込み」で理解した「音をつかむ力のポイント」を、自分の一部として身につくまで「体得」練習してもらうことにあります。ここからは、あまり机に向かう必要もなく、ちょっとしたあき時間を上手に利用して行うことができる作業です。ただし、忘れてならないことは、正しい視点でていねいに取り組むこと、それに「継続！」です。

作業に入る前に、「仕込み」で学んだポイントを再確認しておきましょう。こうした視点を実際にできるようにするのが、＜100％シャドーイング＞による「体得作業」の目的であることを忘れずに。

＜100％シャドーイング＞の目的と視点

目的1　英語の正しい音とリズムの体得

1. 必要のないところに、拍（ビート）を入れない！
2. 拍の入るところは、音節のはじめの子音からストレスを入れる！
3. 拍の入る母音は、たっぷりめに発音する！
4. 拍の入らない母音は、あいまい母音になる！

> **目的 2** 英語の「かたまり」の感覚の体得
> 1. 意味の「かたまり」は、途中で切らずに一息で！
> 2. ひとつのメロディーのように、なめらかに音をつなげて！

また、ミスを9個以内にまで落として、ほぼシャドーイングが100パーセントできるようにしておくことで、第4章の「音と意味の一体化」の作業が確実に効果をあげます。ひとつひとつのステップをしっかり仕上げて、次に進みましょう。

2　体得作業

それでは、＜100％シャドーイング＞を目指したシャドーイング練習に取りかかりましょう。この「体得」の作業でも、「仕込み」のところではじめた数字による管理を継続して行ってください。独りで勉強するためには、「継続」を面白くするための工夫が不可欠です。自分の進歩を確認し、ペースづくりをするための、自分の勉強の「約束事」にして、ぜひ、英語より難しい「継続」(！)を達成するための一助としてください。

> **継続のためのルール**
> 週に最低一度は、必ず自分のシャドーイングを録音してチェックし、
> 練習時間とともに、結果をプログレスシートに記録する。

それでは、実際の作業に入りましょう。

シャドーイングによる「体得」作業

目標　英語の正しい音とリズムの受け皿をつくり、英語の「かたまり」の感覚を身につけるために、テキストの英語を、正しい音とリズムでなめらかにシャドーイングできるまで徹底練習

第2章　音をつかむ──聞き取り能力の個別強化

内容	＜100％シャドーイング＞（シャドーイングのミスを9個以下に抑える）
範囲	第1パラグラフ〜第4パラグラフ　CD1-01
参照資料	100ページ「シャドーイング練習用トランスクリプト」

作業手順

■部分練習

1. **まだできない部分は、抜き出して部分練習する**
   できない部分こそ、英語力飛躍の種なので、少々できなくともあきらめずに。
   ［前セクションの「仕込み」の手順とポイントを参考に］

■ポイント練習

☞ [100ページ「シャドーイング練習用トランスクリプト」参照]
　（＊詳しくは次頁からの「シャドーイング練習用トランスクリプト」の解説を参照）

2. **英語のビート（拍）を強調しながら、シャドーイング**
   ①トランスクリプトのリズム波形を見ながら（3回）
   ②何も見ずに、ビートを意識してシャドーイング練習（3回以上）

3. **拍の入る音節のはじめの子音から、強くストレスを入れる**
   ①トランスクリプトの太文字を参考にシャドーイング（3回）
   ②何も見ずに、ビートの入る音節の子音からストレスを強く入れることを意識してシャドーイング練習（3回以上）

4. **拍の入る音節の母音を、正確に、かつたっぷりめに発音する**
   ①トランスクリプトの網かけ文字を参考にシャドーイング（3回）
   ②何も見ずに、ビートの入る音節の母音をたっぷりめに発音する意識でシャドーイング練習（3回以上）

5. **拍の入らない音節の母音を、力を抜いてあいまい母音で発音する**
   ①トランスクリプトを見ながらシャドーイング（3回）
   ②何も見ずに、ビートの入らない音節の母音は、軽くあいまい母音ですべて発音する意識でシャドーイング練習（3回以上）

6. **意味の「かたまり」を意識して、そこまでをスムーズに一息で発音する**
   ①トランスクリプトのスラッシュを参考にシャドーイング（3回）
   ②何も見ずに、意味の「かたまり」を、スムーズに一息で言う意識でシャドーイング練習（3回以上）

■仕上げ練習
- ☞ [100ページ「シャドーイング練習用トランスクリプト」参照]
7. ミスの個数が9個以下になるまで、徹底練習（毎週のミス個数をプログレスシートに記入する）

以上の手順で、まずポイント練習によって、英語の音とリズムの特徴にひとつずつフォーカスして練習します。詳しい注意点などは、下記の「ポイント攻略のためのアドバイス」を見てください。最終的には、これらすべてが同時に行われなければなりません。そのためには、ひとつずつ課題を仕上げていくことが、一見遠回りなように見えても、長期的には最も効果的、かつ効率的なやり方です。

それぞれのポイントがかたまってきたら、特定のポイントのみに特化しない全般的なシャドーイングで、100パーセント正確にできるようになるまでシャドーイング練習を何十回、何百回と行います。これが、正しいフォームを身につけるための、くり返しによる「体得」です。

1 ＜100％シャドーイング＞のポイント練習

シャドーイング練習用トランスクリプト

英語の正しい音とリズムの感覚と、英語の「かたまり」の感覚を身につけるために、ひとつひとつのポイントに別個にフォーカスしてシャドーイング練習できるよう、トランスクリプトにさまざまな記号が入っています。ポイント別に、該当する記号とアドバイスを参考に、勉強手順に従ったポイント攻略のシャドーイング練習を行ってください。

該当するトランスクリプト上の記号と、ポイント攻略のためのアドバイス

■ 英語のビートを強調しながら、シャドーイング

ビートがくるところで机を手でたたきながらやってみましょう。日本語は音節ごとにストレスが入りますので、リズムが単調な感じになりますが、英語でビート（拍）を打つのは、

ストレスが入っている音節のみなので、リズムがダイナミックです。アメリカ人の政治家などの体の動きや手の振り方を観察してみましょう。英語のビートの打ち方と同じリズムで動かしていることがわかりますよ。

■ 拍の入る音節の最初の子音から、強くストレスを入れる

太文字

英語のリズムに「切れ味」が出るようになる、最も大切な練習です。子音から強くストレスを入れるときに、机を手でたたきながらやってみましょう。体も上下にリズムをとりながら動かすともっと効果的です。

■ 拍の入る音節の母音を、正確に、かつたっぷりめに発音する

網かけ文字

必要以上に引っぱる必要はないですが、急ぎすぎないように、正しい発音で、母音の音の余韻を楽しむような感じで、ゆったりと発音します。

■ 拍の入らない音節の母音を、力を抜いてあいまい母音で発音する

マークなし

英語では、ストレスを強く入れることも大切ですが、いかに拍のないところの力を抜いて発音できるかも大切です。これができないと、「ガ、ガ、ガ、ガ〜ン」と機関銃を連射しているようなシャドーイングになってしまいます。K/Hシステムではこれを、「機関銃撃ちシャドーイング」と呼んでいますが、好ましくないタイプのシャドーイングです。

■ 意味の「かたまり」を意識して、そこまでをスムーズに一息で発音する

スラッシュ（／）

もちろん、スピーカーが考えながら話しているために、意味の「かたまり」の途中でポーズが入っているところもあります。そこはスピーカーと同じリズムで、ポーズが入っても構いません。ただ、ひとつの「かたまり」表現のお皿の中に、言葉をていねいに選びながら入れていっているスピーカーの思考を、自分も味わうような意識でやってみましょう。

音をつかむ——聞き取り能力の個別強化 | 第2章

＜100％シャドーイング＞ができるようになるまで、何度もシャドーイングの自己チェックをします。そのため、シャドーイング練習用トランスクリプトは、自分で何枚もコピーをつくっておくことをお勧めします。

K/Hシステム Q&A 03

Q 前回できたところが、今回は間違えてしまったりと、練習のたびに違うところを間違ってしまいます。どうしたらよいのでしょうか。

A 練習不足です。まだ、力が安定していないからです。もっと徹底的にやりこまなければなりません。すぐできると思ったら大間違いです。自分の英語のリズム感覚が、本当の英語と違っているために起こることが多い現象なので、2週間程度、合計で10〜20時間は取り組んでください。仕込みの口慣らし練習も、ていねいに行いましょう。

サイクル1 Transcript　シャドーイング練習用トランスクリプト

Let me talk about / the confusion that happens / with regards to Americans / going from one company to another company. // Since World War II, / Japan has built itself up as a country, / and many, many companies started their operations / and became successful. // And the idea that you could go to work for one company / and stay there for an entire work lifetime / (was a popular, ...uh...) / continued to be a popular notion. //

That used to be the case / in the United States. // But about 20 years ago, / things began to change. // And frankly / this may not be (uh...) a good characteristic of Americans, / but Americans are not loyal to their company / like Japanese are loyal to their company. // And part of that is because / many times the companies have not been loyal to the Americans / or to the workers. // But it is a challenge / for many Japanese companies working in the United States / to hire and to retain Americans. // And the reason, (within the...) / at least within the engineering field right now.... // Many Americans will come to work at our company / knowing that it's a good company, / knowing that they can learn a lot, / and knowing that if they are successful, / they can have a good career. // But they also think / (that) "If it is not successful / or if I don't like it, / I can always go somewhere else." // That is the mentality of most Americans / who are coming to work. //

Part of the reason they can operate that way / is because / there are many options. // As an engineer, / almost weekly / they receive solicitation or calls / from different companies or headhunters, / saying, / "Would you be interested in considering working for another company?" // As long as (the team associate,) the American team associate is happy / with the work that they are doing, / they will say no / to those solicitations. // But if for some reason / things are not going well, / they will begin to listen to those options. // And if things continue to not go well, / they will try to exercise some of those options. // And that's why / it is not unusual for a person / to go and work for a competitor, / even after three or four years at our

第2章 音をつかむ——聞き取り能力の個別強化

company.//

This is very challenging, I think, / for the Japanese person who is trying to build a company, / trying to retain people / and to build on the collective knowledge (of...) of the people that you have.// Within most Japanese companies, / a person will go to work, / and do not have the calls from outside people, / saying, / "Would you come to work with us?" / or "We'll give you a 10 percent or 20 percent increase in salary, / and we'll give you this type of, (uh,) job responsibility."// Most people do not have that option, / and therefore, / when they go to work, / they think only about their company.// And they'll think about, / "If something isn't going well, how can I make it better?" // "How long will I have to be in this department / before things will get better?" // And so the focus becomes : / "How can we make it work better / within our own company," / instead of the mentality / of escaping to go work somewhere else.//

サイクル 1
K/Hシステム英語勉強法
英語力のインフラづくり

PART 2

第1章　総合的聞き取り 　　　能力の現状把握
第2章　音をつかむ 　―聞き取り能力の個別強化―
2-1 「力試し」 2-2 「仕込み」 2-3 「体得」
第3章　意味をつかむ 　**―聞き取り能力の個別強化―**
3-1 「力試し」 3-2 「仕込み」 3-3 「体得」
第4章　音と意味の一体化 　―聞き取り能力の仕上げ―

第3章 意味をつかむ──聞き取り能力の個別強化

3-1 「力試し」 意味をつかむ

1　英語の意味をつかむ力

これまでにも述べましたが、K/Hシステムでは、リスニング能力を「音をつかむ力」と「意味をつかむ力」に分けて強化します。第2章で「音をつかむ力」の問題点を特定・克服しましたね。この章では、聞き取りのもうひとつの柱である「意味をつかむ力」で、同様の作業をします。こうして「音をつかむ力」と「意味をつかむ力」の2つの力の基礎づくりをしっかりしたうえで、第3章の「音と意味の一体化」の作業で、聞き取り能力の最終的な仕上げをします。

「音さえ聞き取れれば、英語は聞き取れるはずだ」と考えている人が意外に多いようですが、実は「意味をつかむ」ことのほうが、ずっと難しいのです。前章で「正しい音とリズムの受け皿」をつくったのと同じように、英語の「意味のつかみ方」においても、実際のリスニングの現場で実戦力になる「正しい聞き取りのフォーム」に直しておくことが英語力の飛躍には不可欠です。ここをしっかり押さえておかないと、英語の伸びがどこかで頭打ちになったり、推測に頼った聞き取りから脱皮できないなど、本格的な英語力を目指すうえでのネックとなってしまいます。ぜひ、この章も、根気よく、ていねいに取り組んでみてください。

さて、それでは英語の「意味をつかむ力」に焦点を当てた能力強化練習に入りましょう。この第3章「意味をつかむ」で達成したい項目は4つあります。

1. 常に構文を意識しながら聞き取るようになる
2. 単語単位でなく、より大きな意味の「かたまり」の単位で聞き取るようになる
3. 辞書的な訳語でなく、自分にとって身近な言葉やイメージで意味をとらえるようになる
4. 英文解釈的に文末から戻ってくるのでなく、できるだけ文頭から意味をつかんでいくようになる

これまで多くの人にとって、英文理解とは、書かれた英語をていねいに分析し、知らない単語の意味は辞書の訳語の中から適当なものを探し、そのうえで英文解釈的に文の中を行きつ戻りつしながら訳す、というものだったと思います。一度きりの音だけが頼りの聞き取りで、こうした聞き方では歯が立たないことは、最初にやった「総合的聞き取り能力の現状把握」でも気づかれたと思います。

この章では、音が勝負の現場で本当に実戦力になる英語の聞き取り方、理解の仕方がどんなものであるかを学び、それができるようになるための体得作業まで行います。まずは、すでにシャドーイングで音にはすっかり慣れたこの教材で、本当にどこまで意味をとれるのか、よりていねいに「意味をつかむ力」の現状把握をしてみましょう。

2　意味をつかむ力の「力試し」

力試しは、一番最初にやった「総合的聞き取り能力の現状把握」と同じ方法で行います。ただし、今回は音はとれるはずですから、「音のとれる英語で、どれだけ意味を正確につかめるのか」を確認することになります。そのために、よりていねいな理解の確認ができるように「チェックポイント」を加えました。これを参考に、自分の英語の理解をていねいに確認してください。聞き取りのでき具合を競うのが目的ではありませんから、自分がどこまで正確に、確信をもって英語を理解できたかを厳しく自己確認して、自分の弱点や問題点を洗い出しましょう。

第3章 意味をつかむ——聞き取り能力の個別強化

1　音のとれる英文での、意味をつかむ力の力試し

現状把握作業「英語の意味をつかむ力」

目的　「英語の意味をつかむ」聞き取り能力の現状分析
内容　CDを聞き、自分の理解した意味を確認
範囲　第1パラグラフ〜第4パラグラフ　CD 1-01

作業手順　意味とりに挑戦
1. CDの英文を1、2文聞いたら、そこで止める
2. 聞いて理解したことを、2、3秒程度で一度、頭の中で整理する
3. 自分なりに整理した内容を、自分の言葉で口に出して説明してみる
4. この作業を各文ごとにくり返す（自分の声を必ず録音しておく）

作業手順　意味理解の確認
5. **チェック**：107ページからの「聞き取りチェック用トランスクリプト」の見本訳と「チェックポイント」を参考に、各文の自分の理解を確認。そのうえで、英文の下のチェック項目で自分の問題点と感じる項目に、チェックを入れる。
6. **数値管理**：チェック項目ごとに、チェックの個数を数え、トランスクリプトのあと（113ページ）の「聞き取り項目別 現状把握表」に数字を書き込む。

項目別チェックの方法

次ページのトランスクリプトの四角に囲まれた英文ごとに、「チェックポイント」の解説を参考に、以下の3つの項目に焦点を当てて自分の意味理解を確認してください。問題があると思う項目については、四角の下の帯の該当項目にチェックを入れてください。

■「かたまり」表現の認識
トランスクリプトに下線が入っているところは、慣用的な「かたまり」表現です。たとえ正しく意味がわかったとしても、よく使われる「かたまり」の表現だと認識して

知っていたかを確認してください。「かたまり」の表現という意識がなく、単語をベースに何とか意味を導き出した場合には、チェックを入れてください。

■ メッセージの把握

訳として正しく言えた場合でも、解説を参考にして、その文や表現の「結局のところのメッセージ」をしっかりつかめていたか確認してください。

■ 長い文の把握

長い文や、構文の複雑な文について、正確に理解できたかを確認してください。聞き取れた単語をベースに、どことなく記憶と推測で意味を言ったと思う場合には、この項目にチェックを入れておいてください。

サイクル1 Transcript　聞き取りチェック用トランスクリプト

英文の正確な理解についての詳しい解説は、次セクションでていねいに行います。ここでは、見本訳と照らして自分の理解が不正確だったり、あいまいだったりするところを、まずは洗い出しておきます。

> Let me talk about the confusion that happens with regards to Americans going from one company to another company.
> アメリカ人が会社を転々とすることについては、戸惑いや混乱があるようなので、このことについてお話ししたいと思います。

チェックポイント　□「かたまり」表現の認識　□メッセージの把握　□長い文の把握

文が長く、構文も複雑ですが、しっかりと確信をもって意味をとれましたか？ confusion が具体的にどんな感じか、つかめますか？

> Since World War II, Japan has built itself up as a country, and many, many companies started their operations and became successful.
> 第二次大戦以来、日本は国家として自らを築き上げ、そして数多くの企業が事業をはじめて、成功しました。

チェックポイント　□「かたまり」表現の認識　□メッセージの把握　□長い文の把握

built itself up as a country は、イメージがわきますか？ operations のイメージはわきますか？

> And the idea that you could go to work for one company and stay there for an entire work lifetime (was a popular...) continued to be a popular notion.
>
> そして、ひとつの会社に就職して、ずっとそこで社会人として仕事ができるという考え方が、ずっと変わらず人々に受け入れられてきたのです。

チェックポイント　□「かたまり」表現の認識　□メッセージの把握　□長い文の把握

文が長いですが、きちんと主部と述部が見抜けましたか？ stay there は「そこに滞在する」などと、よくわからない理解をしていませんか？ entire はイメージがわきますか？ the idea は、「いいアイディア」の「アイディア（思いつき）」と理解していませんか？（それじゃ、何だか意味が通じませんよね）

> That used to be the case in the United States.　But about 20 years ago, things began to change.
>
> かつては、アメリカでもそうだったんです。ところが20年ほど前から、状況が変わりはじめたのです。

チェックポイント　□「かたまり」表現の認識　□メッセージの把握　□長い文の把握

case のイメージがわきましたか？「事例、状況」などと理解した人は、文の結局のメッセージがしっかりわかりましたか？ things を「物事」などと理解した人は、「結局、何を言っているのか」しっかりメッセージがつかめましたか？

> And frankly this may not be (uh...) a good characteristic of Americans, but Americans are not loyal to their company like Japanese are loyal to their company.
>
> 率直に言って、これはあまりアメリカ人のいいところとは言えないかもしれないのですが、アメリカ人というのは、日本人のようには会社に忠誠心をもっていないんですね。

チェックポイント　□「かたまり」表現の認識　□メッセージの把握　□長い文の把握

but 以降の文は、少々ややこしいですが、音だけで意味がしっかりつかめましたか？

意味をつかむ──聞き取り能力の個別強化　第3章

> And part of that is because many times the companies have not been loyal to the Americans or to the workers.
>
> まあ理由のひとつには、往々にして、会社自体がアメリカ人や社員に対して忠誠心を示してこなかったということもあるわけですが。

チェックポイント　□「かたまり」表現の認識　□メッセージの把握　□長い文の把握

part of that is because で結局何を言うのか知っていましたか？ 意味がさっとつかめましたか？ that は何を指しているのか、はっきりわかっていますか？

> But it is a challenge for many Japanese companies working in the United States to hire and to retain Americans.
>
> でも、とにかく、在米日系企業にとって、アメリカ人社員を採用して、辞めずにいてもらうというのは、なかなか大変なことなわけです。

チェックポイント　□「かたまり」表現の認識　□メッセージの把握　□長い文の把握

challenge のイメージはつかめますか？「挑戦」などと理解した人は、結局どういうことを言っているのかしっくりきますか？ retain はイメージがわきましたか？

> And the reason, (within the...) at least within the engineering field right now.... Many Americans will come to work at our company knowing that it's a good company, knowing that they can learn a lot, and knowing that if they are successful, they can have a good career.
>
> その理由ですが、少なくともエンジニアリングの分野で言うと、現在、多くのアメリカ人はウチの会社に、この会社はよい会社だ、と思って入ってくるんですね。たくさんのことを学べるし、もし力が発揮できればこの会社でキャリアを積める、という認識でこの会社に就職してくるわけです。

チェックポイント　□「かたまり」表現の認識　□メッセージの把握　□長い文の把握

分詞構文で knowing that... が何度も重なっていますが、すっきりと全体の意味が入ってきましたか？

> But they also think (that) "If it is not successful or if I don't like it, I can always go somewhere else."
>
> けれども同時に彼らが思っているのは、「もしうまくいかなかったり、好きになれなかったりする場合には、どこか別の会社で職を見つければいい」ということなんですね。

チェックポイント　□「かたまり」表現の認識　□メッセージの把握　□長い文の把握

they also think のところは、ひとつ前の文との関連をしっかりとらえて、ニュアンスをつかめましたか？ I can always... のニュアンスはつかめましたか？

> That is the mentality of most Americans who are coming to work.
>
> それが、職場に入ってくる多くのアメリカ人のものの見方なんです。

チェックポイント　□「かたまり」表現の認識　□メッセージの把握　□長い文の把握

mentality のイメージはしっかりつかめましたか？ that が何を受けているかは、わかっていますね？

> Part of the reason they can operate that way is because there are many options.
>
> 彼らがそういうふうにできる理由のひとつには、彼らにはたくさんの選択肢があるということがあります。

チェックポイント　□「かたまり」表現の認識　□メッセージの把握　□長い文の把握

operate でひっかかってしまいませんでしたか？ Part of the reason に節で修飾がくるなど、構文が長めですが、クリアに頭に入ってきましたか？

> As an engineer, almost weekly they receive solicitation or calls from different companies or headhunters, saying, "Would you be interested in considering working for another company?"
>
> エンジニアだと、ほとんど毎週、いろいろな会社やヘッドハンターから勧誘やら電話を受けます。「他の会社で働くことを考えてごらんになる気はありませんか？」といった誘いの声がかかるわけです。

意味をつかむ——聞き取り能力の個別強化　第3章

チェックポイント　□「かたまり」表現の認識　□メッセージの把握　□長い文の把握

different を「異なる」と理解すると、メッセージがしっかり入ってきませんね？ saying のところで、ちゃんと前後のイメージをつなぐことができましたか？

> As long as (the team associate,) the American team associate is happy with the work that they are doing, they will say no to those solicitations.
> 少なくとも、そのアメリカ人社員が仕事に満足していれば、そのような誘いを断るでしょう。

チェックポイント　□「かたまり」表現の認識　□メッセージの把握　□長い文の把握

to be happy with はイメージがつかめましたか？ the work のあとに that they are doing と説明がきてしまうところは混乱しませんでしたか？

> But if for some reason things are not going well, they will begin to listen to those options. And if things continue to not go well, they will try to exercise some of those options.
> けれども何らかの理由でいろいろとうまくいっていない場合、そうした選択肢に耳を傾けはじめます。そして、もし引き続き状況が変わらなければ、そうした選択肢を選ぼうとします。

チェックポイント　□「かたまり」表現の認識　□メッセージの把握　□長い文の把握

some reason のsomeを「いくつかの」と理解すると、イメージがずれてしまって、メッセージがピンときませんね。things go well のイメージはとれますか？　to exerciseのイメージはわかりますか？

> And that's why it is not unusual for a person to go and work for a competitor, even after three or four years at our company.
> だからこそ、たとえ3年とか4年とか働いていても、ライバル社に転職してしまうといったことがめずらしくないのです。

第3章 意味をつかむ──聞き取り能力の個別強化

チェックポイント □「かたまり」表現の認識　□メッセージの把握　□長い文の把握

that's why のイメージはしっかりとれましたか？ It is not unusual for 人 to ... の構文はかなり長くなっていますが、きちんと文全体のつくりを見抜きながら、意味をとっていくことができましたか？ even after はさっと意味がとれましたか？ 3～4年というのは、「長い」のですか、「短い」のですか？この文のニュアンスを、自信をもってつかめましたか？

> This is very challenging, I think, for the Japanese person who is trying to build a company, trying to retain people and to build on the collective knowledge (of...) of the people that you have.
>
> このことは、日本の方にとってはかなり大変なことだと思いますね。会社をつくり、社員に長く働いてもらって、社員全体の知識を生かして仕事をしていこうとする日本人にとっては、とても大変なことだと思います。

チェックポイント □「かたまり」表現の認識　□メッセージの把握　□長い文の把握

retain のイメージはしっくりきますか？ build on は非常によく使われる表現ですが、イメージがわきましたか？ people that you have は、また細かい情報が後ろにくっついた形ですが、惑わされませんでしたか？

> Within most Japanese companies, a person will go to work, and do not have the calls from outside people, saying, "Would you come to work with us?" or "We'll give you a 10 percent or 20 percent increase in salary, and we'll give you this type of, (uh,) job responsibility."
>
> たいていの日本の企業だと、いったん会社に就職すると、外の人から電話がかかってきて、「ウチの会社で働いてみる気はないですか？」とか「1割から2割高い給料を払いますよ。こういう内容の仕事をお任せしたいんですが」といった誘いを受けることは、まずありません。

チェックポイント □「かたまり」表現の認識　□メッセージの把握　□長い文の把握

これでひとつの長い文ですが、しっかりと意味をつかみながら聞き進むことができましたか？最後にメッセージがすべて頭に残っていましたか？

意味をつかむ──聞き取り能力の個別強化　第3章

> Most people do not have that option, and therefore, when they go to work, they think only about their company.
> ほとんどの人にとっては、そんなことはしたくてもできないのです。ですから、会社に就職すると、自分の会社のことだけを考えるわけです。

チェックポイント　□「かたまり」表現の認識　□メッセージの把握　□長い文の把握

do not have that option のイメージはしっかりつかめますか？

> And they'll think about, "If something isn't going well, how can I make it better?" "How long will I have to be in this department before things will get better?"
> で、何を考えるかというと、「何かがうまくいっていないなら、どうすれば状況がよくなるだろう」と考えたり、「どれくらいこの部署で我慢すれば、状況がよくなるだろう」と考えるのです。

チェックポイント　□「かたまり」表現の認識　□メッセージの把握　□長い文の把握

How long will I have to ... before 〜? では、前半部分と before 以降との時間的関係が、即座につかめましたか？

> And so the focus becomes : "How can we make it work better within our own company," instead of the mentality of escaping to go work somewhere else.
> ですから、視点は「この会社で、どうすればもっとうまくいくのだろうか」ということになって、他の会社に移ることで逃げるという考え方ではないんですね。

チェックポイント　□「かたまり」表現の認識　□メッセージの把握　□長い文の把握

instead of ときたので、文末まで聞いてから戻ってこなきゃ、と思った人は、文全体の意味がしっかり把握できましたか？

聞き取り項目別　現状把握表

	「かたまり」表現の認識	メッセージの把握	長い文の把握
チェック個数			

第3章 意味をつかむ──聞き取り能力の個別強化

2　なぜ、音がとれても、意味が頭に入ってこないのか

いかがでしたか。わかったような気がしていても、ていねいに、厳しく自分の理解を確認すると、どうも不安なところが多かったのではないでしょうか。「『かたまり』表現の認識」「メッセージの把握」「長い文の把握」の３つのチェックポイント項目で、自分が聞き取りで苦労したものにチェックを入れてもらいました。自分にとって特に弱点になっている分野が浮き彫りになりましたか？

音は聞き取れているはずですから、単語レベルではいろいろな情報が入ってきていますよね。それなのに、「しっかり、即座に、メッセージが頭に焼きつく」状態になかなかならない理由を、少し検討してみましょう。

チェックポイント1　「『かたまり』表現の認識」

英語を学ぶときに、これまで単語単位か、せいぜい前置詞を入れた動詞句の単位で辞書を引き、単語帳で覚えていた人が多かったと思います。生の英語をさっと聞き取れるようになるために、ひとつ不可欠なことは、英語を「より大きな『かたまり』でとらえる」ということです。

聞き取りの現場で、単語ひとつひとつの意味をとり、前後の関係をつないで、それから文全体の「結局の意味」をつかもうとするやり方をしていると、英語を理解するのに工程が多すぎて、時間がかかり、脳のRAMも不足し、絶対に追いつかなくなります。私たちが日本語を話す場合を考えてもそうですが、英語のネイティブ・スピーカーも、単語をひとつひとつ積み上げて文をつくっていく感覚では話していません。より大きな「意味のユニット」で、大きな積み木をいくつか重ねるような具合で文を組み立てています。聞き取りにおいても、然り。より大きな「かたまり」を単位にさっと意味がとれるようにならなければ、生の英語を聞き取れるようにはなりません。単語は、化学で言えば「原子」のようなもの。現実の世界は、「分子」、それどころか「化合物」の単位で動いているのだと心得る必要があります。

決まった単語の組み合わせでできている「慣用句、慣用表現」については、身につけようと意識している人がすでに多いと思います。でも、中の単語を入れ替えて使える大きな受け皿のような表現のパターンも、負けずに大切です。例えば、先ほどの The idea that ... continued to be a popular notion. などです。これなどは、The idea that ... の that 節の内容はどんなものでもよく、また動詞部分も was でも is でも、否定形でも、continues to be でも、remains to be でもよいわけですし、a popular notion でなくても、an unpopular notion でも、an exciting notion でも、形容詞だけで、extremely popular でもよいわけで、一見、慣用表現とは思えないかもしれません。でも実は、「〜だっていう考えは、とても…な［人気のある、人気のない、すごくワクワクする］ことだ」ということを言いたいときによく使われる、便利なパターンなのです。つまり、表現の大きな枠組みのようなもので、似たようなメッセージを伝えるのに、中の単語をどんどんと入れ替えて使える「パターン表現」なのです。

このくらいの大きい「かたまり」で、さっと意味のつかめるパターン表現が自分の中でどんどん増えてくると、聞き取り力が大きく向上します。一般的な意味での慣用表現に加え、置き換えをして便利に使える、こうしたパターン表現や、パターン構文も意識して身につけることが英語の実戦力強化のカギになります。

チェックポイント2　「メッセージの把握」

単語は知っているものばかりで、英文解釈なら「正解」をもらえるところまでは正確に意味が言える。なのに「結局、この人、何言ってるかっていうと……」となると、何となく自信をもって「わかっている」気がしない。あるいは、2、3秒かけないと確信がもてない、というところも結構あったのではないかと思います。外国語として、「正確に理解すること」にまず焦点をおいて英語を学んできた私たちには、「直訳的には正確だけど、メッセージがピタッとつかめていない」理解のレベルで止まってしまっている場合が非常に多いようです。簡単な英語で比喩的に説明すると、"Good morning."を「よい朝」と理解しているようなもので、2、3秒かけて「ええと、だから、これって……ああ、つまり、『おはよう』って言ってんだよね」とたどり着くのでは、ゼロコンマ何秒かで勝負しなければならない現場での聞き取りでは遅すぎると

第3章 意味をつかむ──聞き取り能力の個別強化

いうことです。「よい朝」という理解から一歩すすめて、「おはよう」という日本人の発想に対応するメッセージにつないでいるから、"Good morning."と聞いて、即、メッセージがぴたりとわかるわけです。

ただし、直訳的、英文解釈的に「よい朝」と意味を正確に理解しておくことは、もちろん重要です。このステップをきちんと踏んでおくことで、スピーキングも正確になり、また、「そうか、英語圏の人は、『おはよう！』と言いたいときに、『よい朝だね！』とやるわけだ。なるほどな。そういえば、なんで日本語では『早い』なんてことを言うのだろう？」などと、文化やものを見る視点についての違いにも興味を広げながら、奥行きのある、楽しい姿勢で言葉を学ぶこともできるのです。要は、さっと聞き取れるようになるためには、直訳的な理解からさらに一歩すすんで、日本人の私たちの発想にしっかりつないでメッセージをとる理解の仕方ができるようにしておかないと、実戦力にはならないということです。

K/Hシステムでは、この「日本人である私たちの発想にしっかりつながる理解」を、「やまと言葉での理解」と便宜上呼んでいます。ここでいう「やまと言葉」とは、自分の発想、自分のイメージに最も近い言葉、自分にとって最も身近で、しっかりなじんだ言葉ということです。子どもの頃から使い慣れている方言、小さいときからの友達と話すときの言葉を思い浮かべてください。こうした言葉と英語をつないでおくことで、即座にしっかりとイメージをつかむことが可能になります。もちろん、すでにイメージでしっかりとメッセージをとれるようになっている英語表現や文については、わざわざ日本語を介して理解することはありません。ポイントは、まだ直訳的な日本語を介さないと意味がつかめない表現や文について、もう一歩すすんで、「やまと言葉」で意味がつかめるように工夫をしておくことが重要だということです。「やまと言葉」は、「イメージ」で英語が理解できる（英語を英語で理解できる）ようになるための最後の中継地点のようなもので、ここまでもってきておけば、あとはくり返し練習をすることで、いつのまにか「やまと言葉」すら意識せずにイメージでさっと意味がつかめるようになります。

☛ p.33 ［やまと言葉落とし］

チェックポイント3 「長い文の把握」

書かれた英語を見ながらであれば、行きつ戻りつしながら、正確に英文を理解することができる。なのに、あと戻りのきかない音だけが頼りの聞き取りの現場では、ちょっと文が長く、複雑になると、一挙に途中で混乱する。これは多くの人に共通した悩みだと思います。例えば、It is a challenge for many Japanese companies working in the United States to hire and to retain Americans. という文。「アメリカ人を採用して、ずっといてもらうことは、アメリカで事業をする多くの日本の会社にとって、大変なことです」となりますが、後ろから戻ってきて理解するのでは、途中ですっかりわからなくなりかねません。文頭から、まず意味のうえで一応まとまる「かたまり」を見抜き、その「かたまり」ごとに、文頭からどんどん意味をつかんで理解しながら聞いていく必要があります。

例えば先ほどの文であれば、It is a challenge / for many Japanese companies working in the United States / to hire and to retain Americans. のように、意味がある程度まとまるところを「ひとかたまり」に、順ぐりに聞き取っていきます。「大変なんですよ。(だれにとってかな？)アメリカの多くの日本企業にとっては、(何するのが大変なのかな)アメリカ人を雇って、長く会社にいてもらうのがね、(ああ、それが大変なんだ)」のように、どんどん意味を頭にこすりつけながら聞き進みます。「かたまり」の間の関係を正確に理解するためには、構文の構造がしっかり理解されていることが絶対に不可欠です。[It is ... for 人 to 不定詞.] という全体の構文が見抜けて、追えていなければなりません。文頭からの順ぐりの聞き取りは、構文の正確な理解のベースのうえで行わなければならないのです。

そのための視点として、「英語の文のつくり」の特徴を理解しておくと便利です。英語は、まず大くくりの結論を述べて、そのあとに、前置詞など、連結器のような役割を果たす単語に引っ張られてより詳しい情報が次々に付け加えられていくのが特徴です。英文解釈的な知識に加え、この「英語の文のつくり」の特徴を頭に入れておくと、文の先を予測し、「かたまり」同士の関係を見失わずに聞き取ることができるようになってきます。

第3章 意味をつかむ──聞き取り能力の個別強化

3 音だけで意味がとれるようになるための視点

さて、以上のことからわかっていただきたかったのは、音だけが頼りの聞き取りの現場で聞き取れるようになるには、英語の理解の仕方の意識改革が必要だということです。これまでに挙げてきたポイントをまとめると、以下のようになります。

一単語単位に意味をつかもうとする	→	きちんと単語の意味を理解したうえで、より大きな「かたまり」を単位に英語をとらえられるようにしておく ⇒慣用句、パターン表現、パターン構文をたくさん身につけ、慣れておく
正確だが、日常的な発想になじまない直訳的、英文解釈的な理解をしようとする	→	正確に単語や文の意味を理解したら、さらに一歩すすめて、「結局のメッセージ」を日本語の発想とつないで聞き取れるようにしておく ⇒英語の表現のメッセージを「やまと言葉」とリンクさせて慣れておく
レ点で漢語を読むようにして、英文解釈的に英文を理解しようとする	→	構文を正確に理解しつつ、さらに一歩すすめて、できるかぎり文頭から、意味の大きな「かたまり」ごとに聞き取っていけるようにしておく ⇒英語の文の「つくり」に慣れておく

さて、これまで音を勉強してきたこの教材を使って、今度は意味の聞き取りの「正しいフォーム」をつかむための練習に入りましょう。次の「仕込み」のセクションでは、この教材の英文をどう聞き取れば、実戦で即座にしっかりと話者のメッセージが頭に残る聞き取りができるのかを具体的に見ていきましょう。

本章「意味をつかむ──聞き取り能力の個別強化」に取り組んでいる間も、最低週1回のシャドーイングのチェックと、プログレスシートへの書き込みをお忘れなく！

PART 2

サイクル 1
K/Hシステム英語勉強法
英語力のインフラづくり

第1章　総合的聞き取り 　　　能力の現状把握
第2章　音をつかむ 　―聞き取り能力の個別強化―
2-1「力試し」 2-2「仕込み」 2-3「体得」
第3章　意味をつかむ 　**―聞き取り能力の個別強化―**
3-1「力試し」 **3-2「仕込み」** 3-3「体得」
第4章　音と意味の一体化 　―聞き取り能力の仕上げ―

3-2 意味をつかむ 「仕込み」

1　聞き取りのための「正しいフォーム」

さて、現場で実戦力になる英語の聞き取りの「正しいフォーム」とは、どんなものなのでしょう。前セクションの「力試し」では、一般的な聞き取りの問題点と、実戦力になる聞き取りのための基本的な視点を見てきました。

しっかりと、即座にメッセージが頭に焼きつく、実戦力のある聞き取りの視点を、もう一度整理してみましょう。

実戦的な「聞き取りのフォーム」の4つのポイント

ポイント1	常に構文を意識しながら、
ポイント2	英語をより大きな「かたまり」で、
ポイント3	やまと言葉（またはイメージ）にリンクさせて、
ポイント4	できるだけ文頭から、聞き取っていく

短くてなじみのある文などで、すでにこうした理想的な聞き取りができて、意味が自然に頭に入ってくるものもあるでしょう。一方で、音は聞き取れているのに意味が頭に入ってこない文というのは、この4つのどこかに問題があると考えられます。シャドーイングのときと同様、「できないところ」に飛躍の種があるのです。

構文が長くて頭が混乱してしまう文ならば、構文をしっかり理解して、構文の全体像を見失わずに、文頭から上手に意味を頭にこすりつけていく工夫をして、徹底的に慣れておく。こうすることで、似たような構造の文ならさっと聞き取れるようになると同時に、構文を見抜きながら文頭から聞き進む力が養われます。

大きな「かたまり」でさっと言われて頭が真っ白になってしまうような表現であれば、まず、その部分を「かたまり」として認識して、即座に頭に引っかかる自分の言葉とリンクさせて、徹底的に慣れておく。こうすることで、似たような「かたまり」であればさっと見抜いて聞き取れるようになると同時に、英語を大きな「かたまり」でとらえる視点が強化されてきます。このような視点で勉強するのであれば、1、2ページの短い教材の中にも実戦的な聞き取りのフォームを身につけ、応用力の基盤をつくるうえでの「宝物」がたくさん存在しているのです。

テキストの最初のパラグラフを例にとって、実際にどのような「宝物」が存在しているのかを具体的に見てみましょう。

ポイント 1　常に構文を意識して

構文を意識することは、聞き取りのための残りの3つのポイントを、「当てずっぽう」にしないためにも不可欠です。英語を正確に聞く上級者は、必ず聞きながら構文を意識しています。構文がどうなっているかをつかもうとする意識が常に働いているのです。この意識があると、意味の理解の正確さが格段に上がります。また、自分がなじんだ「構文のパターン」が増えれば増えるほど、文全体の構造を見抜いて、長い複雑な文でもある程度、先を読みながら正確に、余裕をもって聞き取れるようになってきます。

今回のテキストの中にも、こうした構文の「宝物」がたくさん存在します。例えば、前のセクションでも説明した The idea that you could go to work for one company and stay there for an entire work lifetime continued to be a popular notion. という文。主語が節で長々と修飾されて、忘れたころに述部がくるという、この文の構造は非常によく見られる典型的な構文のパターンで、慣れておくと応用力になります。例えば、この構文のパターンで文を考えてみましょう。

> **The news** that the company is going to close the plant and lay off all the workers **was a surprise to everyone.**
> （会社が工場を閉鎖し、全労働者を解雇するというニュースは、だれにとっても突然のことだった）

この構文パターンは、The idea や The news ときた瞬間に、「どういう idea？」「どういう news？」と、その詳しい内容の情報を聞き取りつつ、その一方で、「で、この idea がどうしたの？」「この news が何だっていうの？」と述部を待つ気持ちをしっかり持ち続ける感覚が必要な構文なのです。この点を味わいながらくり返し練習することで、自分の中にこの構文のパターンの受け皿ができてきて、似た構造の文なら、余裕をもって聞き取れる力が養成されるのです。

テキストの英語の構文をよく味わい、「似たような構文がきたら、次は絶対に聞き取れるようにしておくぞ！」という意識で身につければ、自分の中に構文の受け皿がたくさんつくられ、聞き取りが格段に楽になってきます。こうした構文の宝物をK/Hシステムでは【パターン構文】と呼んで、語句解説で取り上げるようにしています。

ポイント2　英語をより大きな「かたまり」で

「英語の聞き取りでは、単語ひとつひとつを追いかけていては、意味理解は追いつかない」ということでしたね。より大きな「かたまり」で、英語の意味をとらえられるようになることが必要です。先ほど、構文の形自体がよく出てくる、典型的なパターン構文だと説明した The idea that... continued to be a popular notion. という文。これは表現としても、「…っていう考えは、(ずっと人気のある) ことだ」というメッセージを言いたいときに便利に使える、ひとつの決まった表現のパターンでもありましたね（パターン表現）。つまり、これは「文」全体という非常に大きな単位で、ひとつの表現として「きた、きた！」と認識できる例でした。

もう少し小さな例では to [go] from one ～ to another というパターン表現があります。これも「(ひとつのものに落ち着かずに) ～から～へ移る、～を転々とする」などと言いたいときによく使われる、便利なパターン表現です。このパターン表現を使って、いくつかの例文を考えてみましょう。

We went from one doctor to another, but could not get a diagnosis.
(いろいろなお医者さんを回ったんだけど、いったい何が原因なのか診断が得られなくて)

> She is never in one place very long, moving from one apartment to another.
> （彼女は、なかなかひとところにいつかないよね、いつもアパート、転々としてて）

このように、単語よりも大きな「かたまり」で、さっと「あ、あれだ！」とか、「あ、あれの変形だ！」などと認識できる慣用句やパターン表現が身につけばつくほど、聞き取りは速く、楽になります。こうした表現の宝物をK/Hシステムでは【パターン表現】と呼んで、やはり語句解説で取り上げるようにしています。

ポイント 3　やまと言葉（またはイメージ）にリンクさせて

直訳的で、日本人である私たちの日常の発想にない硬い日本語とリンクさせて英語を聞き取っても、「結局、言っていること」のメッセージが頭に入ってこなかったり、聞き取ったことがすぐに頭から抜けてしまう、ということでしたね。直訳的に、正確に意味を理解したら、さらにもう一歩進めて、自分の発想にある日常的な言葉にリンクし直して、しっかり身につけておく。こうすることで、意味がさっとつかめて、頭に残る聞き取りができるようになっていきます。

例えば、an entire work lifetime。直訳的には、「仕事の生涯全体」ということになってしまいますが、どうもしっくりきません。そこでもう一歩すすめて考えます。work lifetime は work の面での一生ということだろうから、「社会人として働く間」といった意味でしょう。entire は確かに「全体」ですが、モノなら「ぜ〜んぶ」、時間なら「ず〜っと」という感じでとると頭にしっかりと焼きつきます。したがって、an entire work lifetime を「社会人として働く間、ず〜っと」というメッセージとしてとれば、「社会人としてず〜っとひとつの会社にいる」という非常にしっくりとしたメッセージがつかめます。

もうひとつ、idea や popular notion はどうでしょう。idea や notion を辞書で引くと、「概念、観念、見解」などいろいろと出てきますが、ともに「漠然とした考え」の意味で使われており、イメージとしてはマンガで人間の頭から考えている内容がプカプカと出ている図のイメージでしょうか。あるいは「　」(カッコ) でくくった感じ、つま

第3章 意味をつかむ——聞き取り能力の個別強化

り、「〜というもの、ということ」という感じとも言えます。

直訳から一歩すすめて、意味の正確さを失わずに自分のなじんだ発想や言葉やイメージに結びつけて英語を理解しておく。これが即座に聞き取れる英語の「駒」を増やすポイントです。こうした直訳を超えた理解の仕方の宝物を、K/Hシステムでは【やまと言葉】の項目として、語句解説で取り上げています。

ポイント 4 　できるだけ文頭から、聞き取っていく

「英文解釈的に後ろから戻ってきて訳す」やり方では、あと戻りのきかない音だけが頼りの聞き取りでは歯が立たない、ということでしたね。できるだけ文頭から、「かたまり」で英語をとらえて、意味を頭にこすりつけながら聞き進みます。ただし、「かたまり」同士の関係を正しくとらえるためには、同時に構文を追っていなければなりません。

自分がなじんだ構文（パターン構文）が増えれば増えるほど、先が読めて、聞き取りが楽になるのは先述のとおりです。また、大くくりの概念や結論をまず言って、より詳しい情報が加わっていくという、「英語の文のつくりの特徴」を理解しておくことも、構文の理解と同様、非常に役に立つという点にもふれました。テキストで、文が比較的、複雑になっているものを例にとって見てみましょう。

```
Let me talk
    何について？        about the confusion that happens
        何についての confusion ？    with regards to Americans
            どういうアメリカ人？        going from one company to another company.
```

```
And the idea
    どういう idea ？    that you could  ┌ go to work for one company
                                       └ and stay there
                                    どれだけ？    for an entire work lifetime
    で、この idea がどうした？    continued to be a popular notion.
```

このように、「概→詳」「結論→説明」という英語の「文のつくり」の特徴を頭に入れておくと、文頭からでも情報が入ってきやすくなります。そして「文のつくり」を味わいながら、文頭から意味をとる練習をくり返すことで、英語の語順のままでも意味がしっかりと頭に入ってくるようになります。K/Hシステムでは、【パターン表現】【パターン構文】【やまと言葉】の解説でも、できるかぎり文頭から理解できるよう工夫をしています。

---

advice 09

文頭から意味をとるコツ──
前置詞、接続詞、関係詞に注目！

前置詞、接続詞、関係詞は、意味の「かたまり」同士をつなぐ「接着剤」のような働きをします。今まで、about は「〜について」、with regards to は「〜に関して」と、後ろから戻ってくる理解の仕方をしてきたと思います。しかし、ネイティブの感覚では、もちろん後ろから戻ってくる感じではなく、「何についてかというと〜」「何に関してかというと〜」のような感覚の言葉なのです。つまり、「概→詳」「結論→説明」という英語の「文のつくり」の特徴の大切な柱となる、新しい情報を加えるための「連結器」といった感じなのです。

以上、例をテキストにとって、「聞き取りのフォーム」の4つのポイントを身につけるための宝物とはどんなものなのかを具体的に見てきました。常に「聞き取りのフォーム」の4つのポイントを頭に入れ、そうした聞き取りの仕方を身につけるうえでの宝物に意識をフォーカスしながらくり返し練習することで、聞き取りの正しいフォームを少しずつ自分のものにしていきます。これが、英語の実戦力の、本当の基礎力（応用力の基盤）になります。

それでは、実際の教材を使って、こうした実戦力のある聞き取りの「フォーム」を身につけるための「仕込み」の作業をやってみましょう。

第3章 意味をつかむ──聞き取り能力の個別強化

2 聞き取りのための「正しいフォーム」の詳しいステップ

さあ、それでは実際の作業をはじめましょう。聞き取りの正しいフォームを理解するために、まず、先ほどの4つのポイントを頭に入れて、英語の聞き取り方をより細かいステップに分けて見てみます。

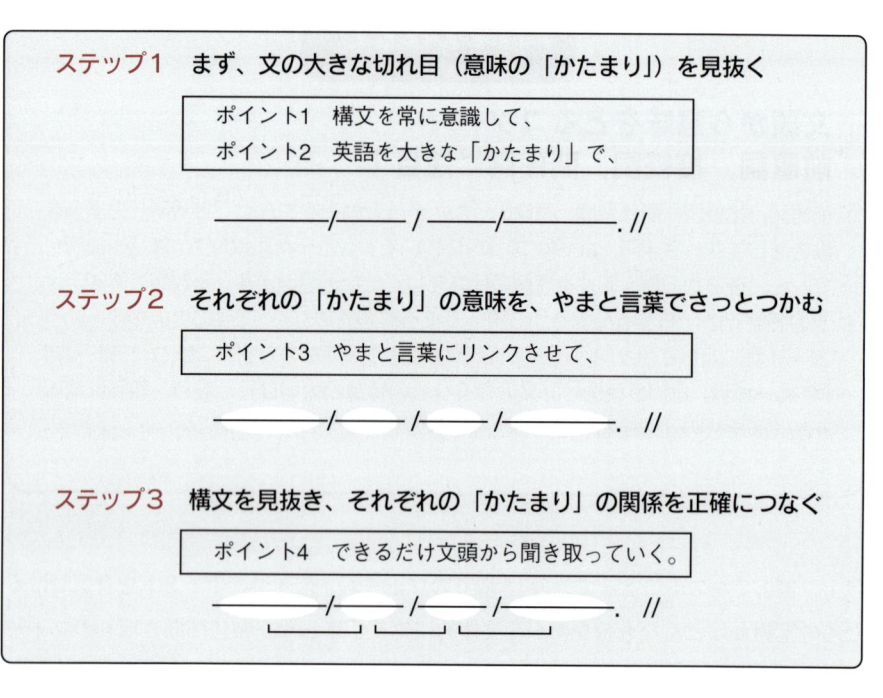

ステップ1 まず、文の大きな切れ目（意味の「かたまり」）を見抜く

> ポイント1 構文を常に意識して、
> ポイント2 英語を大きな「かたまり」で、

――――/―――/――/――. //

ステップ2 それぞれの「かたまり」の意味を、やまと言葉でさっとつかむ

> ポイント3 やまと言葉にリンクさせて、

――――/―――/――/――. //

ステップ3 構文を見抜き、それぞれの「かたまり」の関係を正確につなぐ

> ポイント4 できるだけ文頭から聞き取っていく。

――――/―――/――/――. //

聞き取りの現場では、スピーカーの話すのと同じ速さで、これらの3つの作業を同時にこなさなければならないわけですね。「構文を常に追いながら、文の切れ目を見抜き、文頭から意味の『かたまり』ごとに、意味を正確につなぎながら、自分になじんだ言葉やイメージで聞き取っていく」。この聞き取り方ができるようになるために、ひとつひとつのステップを分けて体験していきましょう。再びテキストの最初の短いパラグラフを使って、ひとつひとつ作業を行います。

ステップ 1　まず、文の大きな切れ目を見抜く

133ページのトランスクリプトで、最初の短いパラグラフを見て、文の切れ目（意味のうえでのまとまり）ごとに斜線（スラッシュ）を入れていきます。これはスラッシュ・リーディングと呼ばれ、大量の文書を読むアメリカの弁護士なども使っている手法です。これによって、意味の「かたまり」を見抜いて、文全体の構造を見渡すことになります。文を見ながらですから、それほど難しくはないと思います。また、どこで切るかは多少、人によって好みがあるでしょう。ただ、構文上、切ってはおかしい場所もあります。よく構文を分析して確認してください。以下を参考にしてください。

> Let me talk about / the confusion that happens / with regards to Americans / going from one company to another company. //
> Since World War II, / Japan has built itself up as a country, / and many, many companies started their operations / and became successful. //
> And the idea / that you could go to work for one company / and stay there for an entire work lifetime / (was a popular...) continued to be a popular notion. //

Let me talk about などは、about の前で切ってもよいでしょう。ただ、アメリカ人だと、talk about はリズムのうえでもほとんど一単語のように（まるで、これでひとつの他動詞のように）続けて言うのが普通なので、ここでは about の後ろでスラッシュを入れています。And the idea that のところは逆に that はリズムとしては後ろの節にくっつくことが多く、ここでは that の前にスラッシュを入れてあります。あとはだいたい構文がわかる人であれば、同じになったのではないかと思います。

さて、英文を見ながらであれば、それほど難しくないこの作業ですが、さーっと流れていく音だけで、このように意味の区切りを見抜きながら聞けるかどうかが、聞き取りの力のカギになります。同じことを、あとで音を聞きながらやってもらいますが、ここでは、まず机上でできるようにしておきます。

第3章 意味をつかむ──聞き取り能力の個別強化

ステップ2 それぞれの「かたまり」の意味を、やまと言葉でさっとつかむ

さて、それではスラッシュの間の各「かたまり」の意味が、さっと頭に入ってくるかを見てみましょう。

Let me talk about／〜について話します、これからお話ししたいのは〜

やまと言葉 **パターン表現** Let me talk about 〜は、スピーチや会議のときの慣用表現です。「〜について話させて」ですから、話したい内容を言ってくれるのですね。文末から戻って聞いていると忘れてしまいます。文頭から「これからお話ししたいのは（〜についてです）」や「これからお話ししたいのは何についてかというと〜」というように理解すれば、あとをゆっくり聞けます。

the confusion that happens／よく生じる戸惑いや混乱

やまと言葉 **パターン表現** the confusion は外に出ている現象であれば「混乱」、心の中なら「戸惑い」の感じですね。ここは、もちろんどちらも含んでいるでしょう。that happens は日本語だとわざわざ言わないようなものですよね。日本語の感覚ではあまり予想しない、こういう詳しい情報が英語ではよくついています。慌ててしまわないように、慣れておきましょう。ただ非常に厳密に言うと、ここでは単に the confusion with regards to とだけあるよりも、この that happens が加わることで、「アメリカ人が会社を転々とする」という概念についての戸惑いというよりは、その実際の行動によってもたらされる戸惑いや混乱を指していることがより伝わっています。

with regards to Americans／アメリカ人について、〜に関して、〜に関連して

やまと言葉 with regard to で本当はよいのですが、多くのアメリカ人がこのように -s をつけて言います。意味はまったく同じです。with のかわりに in も使われます。文頭から、「何についてかな？」「何についてかというと〜」と聞くと慌てずに聞けます。

going from one company to another company.／／
会社から会社へ移る、会社を転々とする

パターン表現 これは先ほど解説した通りですね。1回移るだけの場合にも用いられますが、多くの場合、ひとところに落ち着かずに（落ち着けずに）次から次へと移る感じのときに使われます。

意味をつかむ──聞き取り能力の個別強化　第3章

Since World War II, / 第二次大戦以来、
Japan has built itself up as a country, / 日本は国家として自らを築き上げ、

> 　やまと言葉　　to build ~ up は、「より強いものへ」「よりしっかりしたものへ」とつくりあげていく感じです。

and many, many companies started their operations /
そして数多くの企業が事業をはじめて、

> operations の意味のエッセンスは「それが本来やることになっている仕事」の感じです。それゆえに、機械の話ならば、「運転、作動」になり、このように会社や組織であれば「事業や仕事」になります。

and became successful. // 成功しました

> 　やまと言葉　　パターン表現　became successful は「成功した［栄えている］状態になった」というのが直訳ですから、結局、「成功した」と言うときの表現ですね。アウトプットの場合を逆に考えると、「成功した」と言いたいときに動詞の to succeed を使うより、この to become successful の方が自然な場合が多いです。to succeed の方は、具体的に「何をすることに」成功したのかを言わないと不自然になります。それに対して、より一般的に「（事業に）成功した」という場合には to become successful が自然です。
> 　　He succeeded in getting support from everyone.
> 　　（彼は、うまく皆の支持をとりつけることに成功した）
> 　　He succeeded in starting up a business with very little capital.
> 　　（彼は、ほとんど元手なしに事業を立ち上げることができた）
> 　　⇔ He became very successful despite his humble upbringing.
> 　　（彼は、貧しい家庭に育ったが、大きな成功を収めた）

And the idea / 考え、発想

> 　パターン表現　　パターン構文　前述のとおり、The idea that ... is a popular notion. は、「…という考え方は、人気のある考え方だ」という決まったパターン表現です。idea は「意識的な意見や考え方」というよりは、「漠然とした感じや予感、発想」、さらには「イメージ、ビジョン」に近い感覚です。ですから、マンガでよくある、考えている内容が頭からシャボン玉のようなものに入ってプカプカ立ち昇る、あのプカプカの絵を思い浮かべるとよいでしょう。「その考えている中身（プカプカの中身）は何かな？」と待ちます。また、パターン表現として見抜けていれば、最後に、「それが人気があるとか、ないとか」などの結論がくることも予想して待ちます。

第3章 意味をつかむ──聞き取り能力の個別強化

that you could go to work for one company / ひとつの会社に就職して

　　　ここを聞き取っている間、「これは idea の中身の説明だぞ！」と思って聞き進みます。そして一方で、「で、この idea がどうだってんだ？」という、「述部を待つ気持ち」をしっかり持っておきます。

and stay there for an entire work lifetime /
ずっとそこで社会人として仕事ができる

　　　「まだ、idea の中身だぞ」という意識をもって。

　　　やまと言葉　to stay there は、stay は「とどまる」ですから、ある一定期間、ひとところに「ずっといる」という感覚ですね。an entire work lifetime は前述 (p.123) のとおりです。

(was a popular, ...) continued to be a popular notion. //
ずっと変わらず人々に受け入れられてきたのです。

　　　やまと言葉　to continue は、「…し続ける」ですが、係り結び的に、まず「ずっと変わらず…」と頭から意味をつかむようにすると、自然に「…し続ける」の感覚が入ってきます。popular は「一般的な」ととる人が多いようですが、「広まっている」という以上に、「人々にプラスのもとのして受け入れられている」という意味合いの強い単語です。したがって、「広く受け入れられている」か、さらには「人気がある」という感じで理解します。

　　　パターン表現　まず、was ときたところで、「で、この idea がどうだってんだ？」と待っていた答え、つまり文の述部が「きた、きた！」と思ってくださいね。was を continued to be に言い換えていますが、この言い換え自体も、よく聞くものです。「以前はそうだった」と言ってから、「以前もそうだったし、今でもその状況はそれ程、変わっていない」という感じで言い換えるパターンです。

ステップ3　構文を見抜き、それぞれの「かたまり」の関係を正確につなぐ

　さあ、仕上げの作業です。最初の2つのステップを一緒にして、正確に「かたまり」同士をつないで文全体を聞き取るためのステップです。構文をしっかり頭に入れて、関係をつなぎます。あるいは、前置詞や接続詞、関係詞などが詳しい情報を付け足す「連結器」の役割をして、「概→詳」へとより詳しい情報が付け加わっていく英語の「文のつくり」の特徴を頭に入れておくのもよいでしょう。

意味をつかむ──聞き取り能力の個別強化　第3章

次の体得作業では、実際にCDを聞きながら聞き取る練習をしますが、ここでは、まず机上で準備をします。構文を確認して、それぞれの「かたまり」の関係をよく考えて、「音で流れてきたとき、自分はどう理解したらよいか」を工夫します。

Let me talk about / the confusion that happens / with regards to Americans / going from one company to another company. //
お話ししたいのは、よく起こる混乱や戸惑いについて。何についてのかって言うと、アメリカ人で、会社を移ってしまうことについて。そういう混乱やら戸惑いについてです。

Since World War II, / Japan has built itself up as a country, / and many, many companies started their operations / and became successful. //
第二次大戦以来、日本は国としてしっかり力をつけて、たくさんの会社が事業をはじめて、成功しました。

And the idea / that you could go to work for one company / and stay there for an entire work lifetime / (was a popular, ...) continued to be a popular notion. //
『ひとつの会社に入って、そこにずっといて社会人として仕事ができる』っていうのは、人気のあった、というか、ずっと変わらず人気のある考え方でした。

最初は、この3段階の作業にとても違和感を感じるかもしれません。この練習は、このように文の構造と意味をすでに覚えてしまっている英文でやって構わないのです。むしろ正確にわかっているものでくり返し練習して、「英語の正しい聞き方」に慣れるようにします。「覚えているからできるだけじゃないか」と心配せずに、体に覚えさせるつもりで練習してください。頭の中での英語の処理の仕方を、ある意味で「変える」わけですから、「最初はうまくいかなくても当たり前」くらいのつもりで、少し頑張ってみましょう。英語の「文のつくり」や構文の感覚に慣れるのも大切な目標のひとつです。この感覚ができてくると、はじめての文でも、少しずつ、無理なく文頭から情報が頭に入ってくるようになってきます。CDにはこうした聞き取りの感覚をつかんでいただけるように CD2-14 に［かたまりごとの聞き取り見本］が入っています。参考にしてください。また、 CD1-10 には、聞き取りのくり返し練習に便利なように、一文ごとにトラック分けされた［サイクル1　全体ストレート］も入れてあります。こちらには文の切れ目の目安として小さなピー音も入っていますので、練習に活用してください。

第3章 意味をつかむ──聞き取り能力の個別強化

3 すでに音はとれる英文での、意味をつかむ力の「仕込み」

さて、正しい聞き取りのフォームを身につけるための「仕込み」作業を、テキストの最初のパラグラフを使って一緒に見てきました。残りの3パラグラフは、語句解説を参考に自力で挑戦していただきます。136ページからの「聞き取り用語句解説」では、最初のパラグラフのときと同じように、実戦的な聞き取りの助けになる「宝物」の解説がていねいにされています。これを参考に、次のセクションでのCDを使った聞き取りの「体得」練習のための、「仕込み（準備）」をしてください。

4パラグラフ全部の準備をしてから「体得」に進んでもよいですし、1パラグラフごとに、「仕込み」をして「体得」に進み、また次のパラグラフの「仕込み」に戻る方法をとっても構いません。

仕込み作業　「英語の意味をつかむ力」

目的	英語の意味をつかむ「正しいフォーム」体得のための仕込み作業
内容	語句解説を参考に、机上で、英語の聞き取り方を工夫
範囲	第1パラグラフ〜第4パラグラフ
参照資料	133ページ「聞き取り用トランスクリプト」／136ページ「聞き取り用語句解説」

作業手順

1. **ステップ1**

   スラッシュリーディングで文の意味の切れ目を見抜く
   トランスクリプトを見て、文の意味の切れ目で斜線を入れる。文の構造（構文）を確認し、英文解釈的には正確に意味がわかるようにしておく。

2. **ステップ2**

   「かたまり」ごとに「やまと言葉」でさっと意味がつかめるように工夫
   語句解説を参考に、できるかぎり「やまと言葉」で、文頭から意味をつかんでいけるように、自分なりの工夫をしておく。

3. **ステップ3**

   「かたまり」を正確につなぎながら文全体を聞き取れるように工夫
   構文をもう一度確認して、音で流れてきたときに「かたまり」の関係を正しくつなぎながら、文頭からスムーズに意味をつかんでいけるようにするための、最終的な確認と工夫をする。

サイクル1 Transcript　聞き取り用トランスクリプト

Let me talk about the confusion that happens with regards to Americans going from one company to another company. Since World War II, Japan has built itself up as a country, and many, many companies started their operations and became successful. And the idea that you could go to work for one company and stay there for an entire work lifetime (was a popular, ...uh...) continued to be a popular notion.

That used to be the case in the United States. But about 20 years ago, things began to change. And frankly this may not be (uh...) a good characteristic of Americans, but Americans are not loyal to their company like Japanese are loyal to their company. And part of that is because many times the companies have not been loyal to the Americans or to the workers. But it is a challenge for many Japanese companies working in the United States to hire and to retain Americans. And the reason, (within the...) at least within the engineering field right now.... Many Americans will come to work at our company knowing that it's a good company, knowing that they can learn a lot, and knowing that if they are successful, they can have a good career. But they also think (that) "If it is not successful or if I don't like it, I can always go somewhere else." That is the mentality of most Americans who are coming to work.

Part of the reason they can operate that way is because there are many options. As an engineer, almost weekly they receive solicitation or calls from different companies or headhunters, saying, "Would you be interested in considering working for another company?" As long as (the team associate,) the American team associate is happy with the work that they are doing, they will say no to those solicitations. But if for some reason things are not going well, they will begin to listen to those options. And if things continue to not go well, they will try to exercise some of those options. And that's why it is not unusual for a person to go and work for a competitor, even after three or four years at our company.

This is very challenging, I think, for the Japanese person who is trying to build a company, trying to retain people and to build on the collective knowledge (of...) of the people that you have. Within most Japanese companies, a person will go to work, and do not have the calls from outside people, saying, "Would you come to work with us?" or "We'll give you a 10 percent or 20 percent increase in salary, and we'll give you this type of, (uh,) job responsibility." Most people do not have that option, and therefore, when they go to work, they think only about their company. And they'll think about, "If something isn't going well, how can I make it better?" "How long will I have to be in this department before things will get better?" And so the focus becomes : "How can we make it work better within our own company," instead of the mentality of escaping to go work somewhere else.

第3章 意味をつかむ――聞き取り能力の個別強化

サイクル1　聞き取り用語句解説

やまと言葉	さっと意味がとれてイメージが頭に残るためには、やまと言葉的理解ができるように。
パターン表現	この表現は一種のパターンで、似たようなバリエーションでたくさん使われています。リズムごと覚えてしまうと、特に効果的です。
パターン構文	文の構造自体が一種のパターンで、似たような構造の文とたくさん出会います。
4つのポイント	囲みの中の英文について、「正しい聞き取りの4つのポイント」（構文の意識、「かたまり」意識、やまと言葉落とし、文頭からの理解）が、それぞれできるようになったかを確認してチェックを入れながら進んでいきましょう。

That used to be the case / in the United States. // But about 20 years ago, / things began to change. //

かつては、アメリカでもそうだったんです。ところが20年ほど前から、状況が変わり始めたのです。

4つのポイント　□構文意識　□「かたまり」意識　□やまと言葉　□文頭から

That used to be the case in ～　～も昔はそうだったんです

> **パターン表現**　the case は「実状」の意味で、直訳的には「昔はそれが実状だった」の意味になります。直前に説明した状況について、「～でも、以前はそうだったんですよ」と追いかけて話を展開するパターンで、よく使われる表現です。普通、こう言ったあとに、「現在は違う」という話に進むのが一般的です。ここでも、そうですね。「昔はアメリカでもそうだったんだけど、20年前ぐらいから変わってきた」ときています。

things began to change.　（状況が）変わりはじめた。

> **パターン表現**　things（事情が、状況が）という非常に一般的であいまいな主語をおいています。事情がよくなる場合、悪くなる場合、どちらにも使えます。非常によく聞く表現です。
>
> We got along fine at first. Things began to change after I got the promotion.
> （俺たち、最初はとってもうまくいっていたんだよ。俺が昇進してから、なんかおかしくなってきちゃってさあ）

意味をつかむ――聞き取り能力の個別強化　第3章

このように、「事情、状況」の意味で things をごくあいまいに主語にするのは非常に一般的で、慣れておくと聞き取りとアウトプットの両面で有効です。なお、この意味では普通、複数形で使われます。

　　Things are pretty tough for us right now.（ウチの会社、結構いま、大変で）
　　I am sure things will get better for you soon.
　　（きっと、じきにいい方に物事が進み始めるわよ）

And frankly / this may not be (uh...) a good characteristic of Americans, / but Americans are not loyal to their company / like Japanese are loyal to their company. //
率直に言って、これはあまりアメリカ人のいいところとは言えないかもしれないのですが、アメリカ人というのは、日本人のようには会社に忠誠心をもっていないんですね。

4つのポイント　□構文意識　□「かたまり」意識　□やまと言葉　□文頭から

And frankly this may not be a good characteristic of Americans, but ...
正直言って、これはアメリカ人の長所とは言えないかもしれませんが、……

パターン表現　This may be ～, but ... という形で、ひとつのパターンになっています。ここでは、直前に「20年ほど前から状況が変わりはじめた」と言っていますね。英語のロジックとしては、次に具体的にどう変わったかの説明に入っていく流れになります。それがまさに but 以下で、「アメリカ人は日本人のようには会社に忠誠心をもってない」状況になったと説明されているわけです。では、この文の前半、And frankly this may not be ～, but ... の部分はどういう意味でしょう。まず、this は「これから言うこと」を指しているので、「まあ正直言って、これから言うことってアメリカ人の長所とは言えないかもしれないんですが、とにかく……」という意味になります。したがって、この部分は「ついでに言っておくと」というふうに本文からちょっと脱線してつけ足して、but で本文の流れに戻った感じなのです。ですから、この but を「しかし」などと重たく理解すると意味がすんなり入ってこなくなります。注意しましょう。同じように、ちょっと脱線的に（挿入的に）何かを言って、but で軽く戻って本来の話の流れが続く感じのよく聞かれる表現には、以下のようなものがあります。

3-2　仕込み　137

第3章 意味をつかむ——聞き取り能力の個別強化

Sure I do speak a little French. I don't know if I've told you this, but I lived in France for three years when I was a child.
(ええ、私、フランス語なら少しは話せるわ。言ったことあったかしらね、私、子どものときに3年ほどフランスに暮らしてたのよ)
I don't mean to brag, but ... (自慢するつもりはないんだけど、実は……)
I don't want you to take this personally, but ... (悪気があって言うのじゃないけど……)
This may come as a surprise to you, but ... (意外に思うかもしれないけど……)

to be loyal to 〜　〜に忠誠心をもつ、〜に忠誠心を示す
Americans are not loyal to their company like Japanese are loyal to their company.
アメリカ人は日本人のように会社に忠誠心をもっていないんですよ。

> **パターン構文**　普通はより簡単に Americans are not loyal to their company like Japanese are. と言うことが多いですが、このようにていねいにくり返すこともあります。混乱することのないように慣れておきましょう。この文は Americans are NOT ときていて、like Japanese ARE ですから、like 以降に対照的で異なっている例がきている場合です。逆に、like 以降に同類がくる場合もあります。したがって、聞き取りの際には、like のあとに「異なる例」がきているか「同類の例」がきているかに注意する必要があります。つまり、この文であれば「アメリカ人は会社に忠誠心をもってないんですよ。日本人の場合と違うのです」という感じで聞き、「同類」がきている場合には、以下のように「〜と同様です」と聞き取れば、さっと意味が入ってくるでしょう。
>
> Americans are hardworking like Japanese are (hardworking).
> (アメリカ人は勤勉ですよ。日本人と同様に)

And part of that is because / **many times** / **the companies have not been loyal to the Americans** / **or to the workers.** //
まあ理由のひとつには、往々にして、会社自体がアメリカ人や社員に対して忠誠心を示してこなかったということもあるわけですが。

4つのポイント　□構文意識　□「かたまり」意識　□やまと言葉　□文頭から

And part of that is because ...　理由のひとつには…ということがあります

> **パターン表現**　前に言ったことの理由（の一部）を説明する際の決まった表現です。この文の that は、直前に言った「アメリカ人が、日本人ほど会社に忠誠心を感じていない」ということを指しています。直訳的には、この表現は

意味をつかむ――聞き取り能力の個別強化　第3章

「このことの一部は、…ゆえだ」という文ですから、理由の一部（「他にもあるかもしれないが」というニュアンスあり）を説明する表現になります。Part of it is ... とくることや、また because ではなく、that 節で理由がくることも多いです。

> He's not really happy with his current job. Part of it is (that) he is stuck in the computer room all day long and doesn't get to see other people.
> （彼、今の仕事、あまり気に入っていないのよ。ひとつには、一日中コンピュータ・ルームに閉じこもってて、他の人の顔も見られないってこともあるのよね）

But it is a challenge / for many Japanese companies working in the United States / to hire and to retain Americans. //
でも、とにかく、在米日系企業にとって、アメリカ人社員を採用して、辞めずにいてもらうというのは、なかなか大変なことなわけです。

4つのポイント　□構文意識　□「かたまり」意識　□やまと言葉　□文頭から

it is a challenge for ~ to ...　～が…するのはなかなか大変なことです

やまと言葉　challenge は「難しいけど、やり遂げれば自信や満足感になるような課題」といった感じ。基本的にプラスな響きがあるので、problem（問題）などのマイナスな響きの強い言葉の代わりに好んで使われます。

パターン構文　[it is A for B to ...] のよくある構文ですね。聞き取りの際には、「なかなか大変なんですよね。在米の日系企業が…するのは」と聞きます。

Japanese companies working in the United States　在米日系企業

やまと言葉　「在米日系企業」の意味で、ここでは Japanese companies working in the U.S. となっています。他には、Japanese companies operating in the U.S. がよく使われます。

to hire and to retain Americans　アメリカ人を採用して辞めずにいてもらう

やまと言葉　retain は「保持する」ですから、要は、従業員に「辞めずにいてもらう」ということです。労働市場に流動性がなく、終身雇用が一般的だったこれまでの日本では、あまり従業員を「retain する」という概念はなかったかもしれません。従業員の転職が非常に多いアメリカでは、いったん採用した従業員にいかに辞めずにいてもらうかが、非常に重要な人事政策の課題となります。retention rate（一定期間以上その会社で働いている社員の割合）などがよく経営上の課題として問題にされます。

第3章 意味をつかむ——聞き取り能力の個別強化

> And the reason, / (within the...) at least within the engineering field right now.... // Many Americans will come to work at our company / knowing that it's a good company, / knowing that they can learn a lot, / and knowing that if they are successful, / they can have a good career. //
>
> その理由ですが、少なくともエンジニアリングの分野で言うと、現在、多くのアメリカ人はウチの会社に、この会社はよい会社だ、と思って入ってくるんですね。たくさんのことを学べるし、もし力が発揮できればこの会社でキャリアを積める、という認識でこの会社に就職してくるわけです。

4つのポイント □構文意識 □「かたまり」意識 □やまと言葉 □文頭から

構文理解

And the reason (at least within the engineering field right now). ...

Many Americans will come to work at our company,
  ┌ knowing that it's a good company,
  ├ knowing that they can learn a lot, and
  └ knowing that if they are successful, they can have a good career.

But they also think
  (that) ┌ "If it is not successful or ┐
         └ if I don't like it,   ┘
         I can always go somewhere else."
That is the mentality of most Americans
                    who are coming to work.

And the reason ... その理由ですが

本来 And the reason (at least within the engineering field right now,) IS ... と続くはずですが、口語ではこのように文を途中で言い捨ててしまって、新たに文をはじめることがよくあります。ここでは、Many Americans ... から新たな文になっています。

to come to work　仕事にくる、会社に入ってくる

ここでは、単に「朝、会社にくる」という意味ではなく、「就職して会社に入ってくる」の意味。

..., knowing 〜　〜という認識で…、〜と理解して…

パターン構文　このように分詞構文で情報をつけ加える感覚に慣れましょう。この文の主節は Many Americans will come to work at our company ですが、これだけでは「多くのアメリカ人がウチの会社にきます」だけですから、なんだか何も言っていないような文ですよね。ですから、ほぼ間違いなくこのあとに何らかの形で情報が加わるであろうことが推察できます。when 〜 でくるかもしれませんし、if 〜 や based on 〜 なども考えられます。ここでの ..., knowing 〜 の分詞構文も、非常によく使われます。同じようなパターンでよく使われる分詞構文の例として、saying 〜（〜と言って）もあります。覚えておきたい構文です。この教材の後半にも出てきます。

to learn a lot　多くを学ぶ

「多くを学べるだろう」と思ってアメリカ人が会社に入ってくる、と言っていますね。ここで多少、文化的なことに注意を向けて、to learn という言葉を見てみましょう。会社で「いろいろなことを教えられる」、「上司に鍛えられる」という感覚は、上司と部下の関係を、「教える側と教えられる側」として、ごく自然にとらえる風土にある日本人には、別段、不自然に感じないと思います。しかし、少なくともアメリカの職場文化では、多くの人にとって「教える（to teach）」とはあくまでも教師や親が、生徒や子どもにすることであり、会社の中の対等な大人の関係では、ポジションの上下があっても、teachされることには抵抗を覚えます。それに対して、自分の方から自主的に学びたいと思って学ぶ "to learn" は、非常に積極的でプラスの響きがあります。したがって、ここでの文と同様、一般的に I learned a lot from him.（彼には本当にたくさんのことを教えてもらった）のように、「教わった、学んだ」ことを to learn を使って言うことが一般的です。ただし、社内の上司との関係でも、自ら進んで「先生」や「師」として仰いで教わったという自主的な背景が強くあった場合には、He taught me everything I know about public relations.（PRについては、すべてを彼から教わった）と言うような場合があります。

第3章　意味をつかむ——聞き取り能力の個別強化

> But they also think / (that) "If it is not successful / or if I don't like it, / I can always go somewhere else." //
>
> けれども同時に彼らが思っているのは、「もしうまくいかなかったり、好きになれなかったりする場合には、どこか別の会社で職を見つければいい」ということなんですね。

4つのポイント　□構文意識　□「かたまり」意識　□やまと言葉　□文頭から

they also think (that) ...　同時に思うのが…

　　that がきているので、本来、that 以降は間接話法で they を主語にしなければいけないのですが、なぜか主語が "I" に変わって、カッコに入った直接話法のような文になっていますね。口語では、こうしたことは時々みられます。

I can always ...　いつでも…できる／場合によっては、…すればいい

　　パターン表現　いつでも「そういうオプションがある」という意味での、「いつでもできる」です。したがって、「…すればいい」「…する手もある」という感じになります。日常の会話にも、「まあ、そうなったらさ、…すればいいじゃない」という感じのときなどに、よくこの表現が使われます。

to go somewhere else　どこか他にいく

　　パターン表現　somewhere else（どこか他のところ）と一緒に、something else（何か他のもの）もセットで覚えてしまいましょう。疑問文での形にも慣れておきましょう。

　　　Anything else?（何か他に？　それでよろしいですか？）

> That is the mentality / of most Americans / who are coming to work. //
>
> それが、職場に入ってくる多くのアメリカ人のものの見方なんです。

4つのポイント　□構文意識　□「かたまり」意識　□やまと言葉　□文頭から

That is ...　で、それが…

パターン表現　(And) That's ... と、直前に説明してきたこと全体を受けて、「で、それが…」と締める話のもっていき方はとても一般的です。よく見かけるものには、以下のようなものがあります。

... [And] that's my concern.（で、それを私は心配してんですよ）
... [And] that, I think, is wrong.（で、それって間違ってると思うのよね）
... [And] that's why ～（で、それが理由で～／で、それだから～）

the mentality of most Americans　ほとんどのアメリカ人のものの見方

やまと言葉　「ものの見方」に該当する英語としては、a way of looking at things や a way of thinking about things なども考えられます。mentality は特にそうですが、何かについての意識的な「考え方、意見」というよりは、「思考パターン」や「無意識的にもっているものの見方」の感じです。

ちなみに、ここでスピーカーは「アメリカ人のメンタリティ」と言い切らずに、「ほとんどのアメリカ人の」と言い切りを避けて限定していますね。どうしても一般化しすぎて乱暴になりがちな文化の話では、特に大事なことですね。言葉のうえでも、このようにさっと言い切りにならない表現が出てくるようにしておくことは、大事ですね。

who are coming to work　仕事に就く人たち

ここでも、「就職して職場に入ってくる人たち」の意味。

> Part of the reason / they can operate that way / is because / there are many options. //
>
> 彼らがそういうふうにできる理由のひとつには、彼らにはたくさんの選択肢があるということがあります。

4つのポイント □構文意識 □「かたまり」意識 □やまと言葉 □文頭から

Part of the reason (why) ～ is because ...
〜の理由のひとつには…ということがある

パターン表現 前述の Part of that is because ... とよく似たバリエーションですね。Part of that ... の方では、「何の理由か」については、直前に言ったことを that で受けることで詳しく言い直さないわけですが、この Part of the reason ... の方にはチョイスがあります。

    Part of the reason is because ... （「何の理由か」をくり返さない場合）
    Part of the reason (why) ～ is because ... （「何の理由か」を"(why) ～"の部分で改めて言い直す場合）

それにしても、英語はていねいな言いまわしをするもので、双方とも理由の「一部」ときちんと言っています。日本語だと「理由は…ってこともあるんですね」と、他の理由もあることを語尾で多少は匂わせたりしますが、主語でこのようにていねいに「いくつかあるかもしれないうちのひとつ」だと限定することは少ないですね。これはとても英語的な感覚で、他の表現でも似たような特徴をもつものが多いので、慣れておきましょう。

    One of the things I discovered is ... （わかったことのひとつが……）
    One of the things I realized is ... （気づいたことのひとつが……）
    One thing I can think of is ... （ひとつ思いつくこととしては……）
    One thing we can do is ... （ひとつできることとしては……）

> As an engineer, / almost weekly / they receive solicitation or calls / from different companies or headhunters, / saying, / "Would you be interested / in considering working for another company?" //
>
> エンジニアだと、ほとんど毎週、いろいろな会社やヘッドハンターから勧誘やら電話を受けます。「他の会社で働くことを考えてごらんになる気はありませんか？」といった誘いの声がかかるわけです。

4つのポイント　□構文意識　□「かたまり」意識　□やまと言葉　□文頭から

different companies　いろいろな会社

　　　different は、このように「いろいろな」という意味でよく使われます。「いろいろな種類の、別個の」という意味がもともとでしょうが、この場合のように、「種類が異なる」ということにほとんどフォーカスがなく、単に「一社だけじゃなく」という意味で使われることが多いです。

... , saying 〜　〜と言って…

　　　パターン構文　前述の ... , knowing 〜 で説明した通り。聞き取りでは、「いろいろな会社やヘッドハンターから電話がかかってくるわけです」と聞いたあと、「で、彼らが言うのが〜」と聞いてもいいですし、「で、なんて言うかっていうと〜」と聞いてもよいかもしれませんね。

Would you be interested in 〜?

〜にご関心おありですか？／いかがですか、〜は？

　　　パターン表現　勧誘などによく使われる表現です。

to consider ...ing　…しようか考える、…を検討する

　　　パターン表現　「…するかどうかを考える」の意味で非常によく使われます。
　　　I'm considering buying a new house.（新しい家を買おうと思ってるんだ）
　　　Would you consider participating in our charity drive?
　　　（今度の募金活動に参加していただけますか）

to work for another company　他の会社で働く

　　　「転職する」は、これを使って to go work for another company でもいいですし、to change jobs などもあります。

第3章 意味をつかむ――聞き取り能力の個別強化

> As long as (the team associate,) the American team associate is happy / with the work that they are doing, / they will say no / to those solicitations. //
>
> 少なくとも、そのアメリカ人社員が仕事に満足していれば、そのような誘いを断るでしょう。

4つのポイント □構文意識 □「かたまり」意識 □やまと言葉 □文頭から

As long as ... ,　少なくとも…なかぎりは

　　　やまと言葉　直訳的には「…なかぎり」ですが、聞き取る際には係り結び的に文頭から「少なくとも…」と頭にこすりつけながら聞くと、自然に「…なかぎりは」という感覚が入ってきます。

a team associate　社員、一般社員

　　　associate は動詞で「知り合いになる、仲間になる、協同する」という意味があることからもわかるように、名詞では「仕事などを共にやる提携者、同僚」の意味になります。最近では、この例のように一般社員のことを、「責任あるチームの一員」という響きの強いこの表現で言う会社が非常に増えています。通常は、肩書きのない一般社員に使います。

to be happy with the work　仕事に満足している

　　　パターン表現　何かに「納得している、満足している」と言うときによく使われる表現です。

　　　　We are all pretty happy with the decisions we made.
　　　　（決定内容には、皆、満足しています）

the work that they are doing　自分のしている仕事

　　　「仕事に満足している」というような場合に、わざわざ「自分がやっているところの」仕事、などと詳しく言わないでいいのが日本語ですが、英語ではこのように詳しく限定するのが当たり前です。このような表現に慣れておくことで、聞き取りの際の余分な負荷を下げることができます。

　　　　In America, the position that you are in gives you power to make decisions.
　　　　（アメリカでは、ポジションに意思決定の権限がついてくるのです）

to say no to ～　～を断る、～を拒否する

　　　パターン表現　よく標語などに使われる表現です。また、反対に "yes" を用いて「賛成する、支持する」の意味でも使われます。

Say no to drugs!（麻薬の誘惑に負けるな！）
Say yes to Senator Clinton!
（ヒラリー・クリントンを上院議員に！　あなたの清き一票を！）

But if for some reason / things are not going well, / they will begin to listen to those options. // And if things continue to not go well, / they will try to exercise some of those options. //
けれども何らかの理由でいろいろとうまくいっていない場合、そうした選択肢に耳を傾けはじめます。そして、もし引き続き状況が変わらなければ、そうした選択肢を選ぼうとします。

4つのポイント　☐構文意識　☐「かたまり」意識　☐やまと言葉　☐文頭から

for some reason　何らかの理由で

> **パターン表現**　ここでの some は「いくつかの」の意味でなく、「何らかの」の意味で使われています。for some reason（何らかの理由で）で、非常によく使われる慣用表現になっています。
>
> I'll call you if I can't make it for some reason.
> （何かの事情で行けなくなったら、電話するから）

things are not going well　いろいろとうまくいっていない

> **パターン表現**　前述したように、「事情が、状況が」という非常に一般的であいまいな主語を使った表現です。
>
> Things are not going well between us.（私たち、最近、うまくいっていないの）

to listen to those options　そうした選択肢に耳を傾ける
to exercise some of those options　そうした選択肢を選ぶ

> to exercise は「権利などを行使する」の意味です。

第3章 意味をつかむ──聞き取り能力の個別強化

> And that's why / it is not unusual for a person / to go and work for a competitor, / even after three or four years at our company. //
>
> だからこそ、たとえ3年とか4年とか働いていても、ライバル社に転職してしまうといったことがめずらしくないのです。

4つのポイント　□構文意識　□「かたまり」意識　□やまと言葉　□文頭から

And that's why ...　まさにそれゆえに…、だからこそ…

パターン表現　これは前述のとおり、直前まで言ってきたことを that で受けて、「だからこそ…なんですよ」と言うときの決まった表現です。このように原因と結果をつなぐ表現を上手に使えるようになるとメリハリのある英語でのアウトプットが可能になります。他に便利な表現としては以下のようなものがあります。

[原因] .... That's why ... [結果] ....
[結果] .... That's because ... [原因] ....

[原因] .... The result is that ... [結果] ....
[結果] .... The reason is that ... [原因] ....

[原因] .... Because of that, ... [結果] ....

it is not unusual for 〜 to ...　〜が…するのはめずらしくない

パターン表現　**パターン構文**　[It's A for B to 〜.] の例のパターン構文ですね。ただ、最初のところが否定形できているので、何だかいっぺんになじみが薄くなって聞き取りにくくなったりします。not unusual は意味をゆっくり考えてみれば「めずらしくない」ですね。not unusual で「めずらしくない」という意味の一単語のようなつもりで、慣れてしまいましょう。この文全体が、よく使われる、決まった表現です。

even after 〜　〜のあとでさえ

パターン表現　「3年とか4年、うちの会社にいたあとでさえ」の意味になります。「3年も4年もいて、この会社のことも気に入って、ここでキャリアを積むつもりかと思ったら」という感じですね。また、入社して3、4年経つと、休暇や年金をはじめ、いろいろな社内の制度で権利や特典もついてきて、仕事にも本格的に慣れて力が発揮できるようになるなど、長くいることの利点が出てくる時期でもある、ということもあるようです。この意味でも、「そこまで会

社に自分の時間を投資した人であっても」というニュアンスが even after 〜 に込められています。逆に「たった3、4年で」は、only after になります。

This is very challenging, I think, / for the Japanese person / who is trying to build a company, / trying to retain people / and to build on the collective knowledge (of...) / of the people that you have. //

このことは、日本の方にとってはかなり大変なことだと思いますね。会社をつくって、社員に長く働いてもらって、社員全体の知識を生かして仕事をしていこうとする日本人にとっては、とても大変なことだと思います。

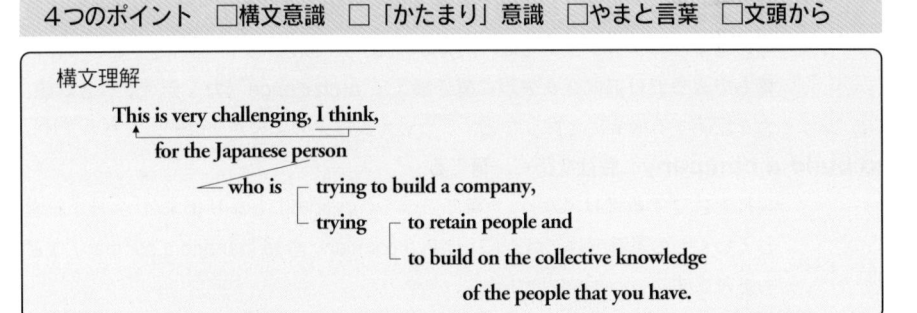

4つのポイント □構文意識 □「かたまり」意識 □やまと言葉 □文頭から

構文理解

```
    This is very challenging, I think,
        for the Japanese person
            who is ┬ trying to build a company,
                   └ trying ┬ to retain people and
                            └ to build on the collective knowledge
                                 of the people that you have.
```

This is ... で、このことって…なのですね。

パターン表現 前に言ってきたことを this で受けて、「で、これって…なんですよね」と展開する、いつものパターンですね。

この文で言っている「これ、このこと」が何を指しているかをしっかり頭に刻み込んで、聞き進みましょう。ここまでで説明してきた、「アメリカ人社員は、その考え方や行動パターンゆえに、3、4年働いたあとですら会社を辞めていくことがめずらしくないのだ」という状況のことです。思い出してくださいね。第1、2パラグラフでは、「多くのアメリカ人社員は会社にそれほど忠誠心を感じておらず、この会社でキャリアを積みたいと思って就職してきても、反面では、うまくいかなければ他の会社に移ればよいと考えて会社に入っているのだ」ということがまず言われましたね。その後の第3パラグラフでは、そうした考え方や行動パターンが可能になる事情が補足的に説明されました。アメリカの労働市場には、社員に転職の引き合いが頻繁にくる実態があるのだということでした。だから「3、4年勤めた社員ですら辞めていくことがめずらしくない」

第3章　意味をつかむ──聞き取り能力の個別強化

と締めくくられています。このような話の流れをしっかりと追いながら聞いていかないと、こうした this や that が何を指しているのかがわからなくなり、混乱してしまいます。

challenging　難しい

to challenge は、相手に対して「挑戦する」こと、つまり「力を発揮せよ、証明せよ」と迫ることです。したがって「challenging なこと」とは、「力を出せと自分に迫ってくる、挑戦してくるようなこと」、つまり「簡単でない、力を一生懸命発揮しなければならないようなこと」です。通常、「簡単ではないが、一生懸命やれば満足感の得られるやりがいのあること」というプラスのイメージで使われるというのは前述のとおり。ここでも difficult のような単語を使わずにこの単語を使うことで、後ろ向きな響きをとり除いています。アメリカの特に職場のコミュニケーションでは、例えば、「困った問題（a problem）」といった言葉もできるだけ前向きな表現に置き換えて a challenge（力を発揮すべき課題、力を証明する機会）と言うなど、こうした表現上の工夫が一般的になされます。

to build a company　会社を築く、育てる

会社を設立するだけでなく、「育てていく」の意味にもなります。「会社を経営していく」の意味では、ほかに to run a company や to manage a company などもあります。

to build on ～　～を生かす

> やまと言葉　　パターン表現　　直訳的には「～の上に何かを建てる、築く」ですが、on 以下のものを「土台にして生かして、その上に新たに何かを築いていく」感じなので、「～を生かす」という意味になります。土台と同じモノを上に築いていくなら、「～を生かして、さらに強化していく」感じにもなります。ここでは「社員たち全体の知識を生かして、その上に会社の事業を築いていく」とも、「社員たちの全体の知識を強化拡大していく」ともとれます。to build on を使った言いまわしでは、他には以下の組み合わせが非常によく聞かれます。

>   to build on one's experience　（経験を生かす）
>   to build on one's strengths　（強みを生かす）

the collective knowledge　組織全体の知識、皆の知識

the people that you have　会社の雇っている人たち、社員

> パターン表現　　これも、このコンテクストから people は「社員のことだろう」と言われなくてもわかるような話ですね。日本語なら言わなくてもわかるような情報が加わっている、いつもの例ですね。慣れることです。

> Within most Japanese companies, / a person will go to work, / and do not have the calls from outside people, / saying, / "Would you come to work with us?" / or "We'll give you / a 10 percent or <u>20 percent increase in</u> salary, / and we'll give you / this type of, (uh,) <u>job responsibility</u>." //
>
> たいていの日本の企業だと、いったん会社に就職すると、外の人から電話がかかってきて、「ウチの会社で働いてみる気はないですか？」とか「1割から2割高い給料を払いますよ。こういう内容の仕事をお任せしたいんですが」といった誘いを受けることは、まずありません。

4つのポイント □構文意識 □「かたまり」意識 □やまと言葉 □文頭から

... , saying 〜　　〜と言って…

パターン構文　前述のとおり。... , knowing 〜 などのバリエーションもありましたね。「外の人から電話がかかってこないんですよ」と聞いたあと、「どんな電話かって言うと、〜みたいな」と聞けばよいでしょう。

a 20 percent increase in salary　給与20％増

パターン表現　a ... percent (%) increase in 〜 で「〜における…％の増加」の決まった表現です。慣れておきましょう。

job responsibility　職責

「仕事の内容」という感じに近いです。特に管理職になれば、地位に権限が自動的についてくるのが当たり前のアメリカでは職責は権限と表裏一体で、したがって、「職責」と言った場合、「どういう内容の仕事をどのように任せてもらえるのか」といったことを意味します。

第3章 意味をつかむ——聞き取り能力の個別強化

> Most people do not have that option, / and therefore, / when they go to work, / they think only about their company. //
>
> ほとんどの人にとっては、そんなことはしたくてもできないのです。ですから、会社に就職すると、自分の会社のことだけを考えるわけです。

4つのポイント □構文意識 □「かたまり」意識 □やまと言葉 □文頭から

not to have that option その選択肢がない、したくてもできない
they think only about their company 自分たちの会社のことだけ考える［だけしか考えない］

> And they'll think about, / "If something isn't going well, / how can I make it better?" / "How long will I have to be in this department / before things will get better?" //
>
> で、何を考えるかというと、「何かがうまくいっていないなら、どうすれば状況がよくなるだろう」と考えたり、「どれくらいこの部署で我慢すれば、状況がよくなるだろう」と考えるのです。

4つのポイント □構文意識 □「かたまり」意識 □やまと言葉 □文頭から

to make it better 状況をよくする
How long will I have to ... before things (will) get better?
状況がよくなるまで、どれだけ…しなきゃならないんだろう、どれだけ…したら、状況がよくなるんだろう

パターン表現　パターン構文　この文全体が、いろいろなバリエーションでよく聞かれるパターン表現です。before は、時間関係をよく考えてみると、before 以降が時間的にあとで起こることです。これをしっかり押さえておきます。ですから、「やっと」や「ついに」などを、最初のうちはあえて入れて理解することで慣れておくのも、ひとつの手でしょう。

> How many times do I have to tell you before you begin listening to me!
> (何度言えば、わかるんですか！　言うことを聞きなさい！)
> How many times do I have to prove myself before you finally trust me?
> (何度自分を君に証明すれば、君は僕のことを信じてくれるの?)

> And so the focus becomes : "How can we make it work better / within our own company," / instead of the mentality / of escaping to go work somewhere else. //
> ですから、視点は「この会社で、どうすればもっとうまくいくのだろうか」ということになって、他の会社に移ることで逃げるという考え方ではないんですね。

4つのポイント □構文意識　□「かたまり」意識　□やまと言葉　□文頭から

And so the focus becomes ...　ですから、視点はどうなるかというと……
to make it work better　もっとうまくいくようにする

パターン表現　この it は things と同様に、ごく一般的な「状況」の意味でおかれています。to work は非常によく使われる便利な表現で、「（システム、機械、関係、状況などが）うまくいく、うまく機能する」の意味で使います。

　　They tried hard to make it work before finally deciding to get a divorce.
　　（うまくいくようにとずいぶん努力したけど、ついには離婚することになったんだ）
　　The new purchasing procedure is working extremely well.
　　（今度の新しい購買手続き、とってもうまくいってます）

instead of ～　～ではなくって

やまと言葉　instead of ～ は辞書で見ると、「～の代わりに、～しないで」とありますが、このように後ろから戻ってきて理解しようとすると、かなり負荷が高くなってしまいます。ひとつのよい手は、instead of ときたところで、「これじゃないんだ!!」というつもりで、「ペケ!!」をイメージしながら（首でも振りながら?!）、残りを聞き進む手です。これで結構、しっかり意味がつかめますよ。

お疲れさまでした。少々退屈で、負荷の高い作業だったかもしれません。最初のうちは時間もかかり、コツもつかみづらく大変かもしれませんが、少しずつ慣れて、時間もかからなくなってきます。根気よく、挑戦してください。

机上で理解した「聞き取りのフォーム」を、次のセクションでは、実際に音を聞きながらできるようにします。それでは、頑張ってください！

第3章 意味をつかむ──聞き取り能力の個別強化

K/Hシステム Q&A 04

Q K/Hシステムでは「やまと言葉」での理解を強調していますが、日本語を介して英語を理解していて、本当に「英語を英語で理解できる」ようになるのでしょうか？

A もちろん、どんな日本語も介さず、英語のメッセージをさっとイメージで理解できる表現であれば、すでに「英語を英語で理解できる」理想の状態になっているわけですから、わざわざ日本語にして理解する必要はありません。

そうした理想の聞き取りがまだできない表現や文について、実戦で即座に正確に意味がつかめ、メッセージが頭に残るような聞き取りができるようになるためのステップとして、「やまと言葉」を利用するのです。一瞬で消えてしまう音が頼りの聞き取りでは、直訳的、英文解釈的な理解でしか意味をつかめない表現や文は、まったく頭に引っかかってこないか、何となくわかったような気がしても、理解が中途半端ですぐに頭から消えてしまいます。

こうした文や表現については、正確にその意味を理解したうえで、日本人である私たちの日常の発想にある言葉、しかも「イメージ」に最も近い言葉としっかりリンクさせて聞き取れるようにしておくのです。こうした「それぞれの人にとって最もこなれた日常的な言葉」、それを便宜上「やまと言葉」と呼んでいます。どうせリンクするなら、頭にしっかり残り、「イメージ」まで最短距離でもっていける「やまと言葉」にリンクさせるのが最も効果的だということです。

☞ p.33 [やまと言葉落とし]
意味のわからない表現や文を、最初から「イメージ」で理解しようとすれば、意味を「正確に」理解しているかを確認することもできませんが、言葉ならそれができます。しかも同じ言葉でも、イメージまでの距離が最短距離のものであれば、英語を聞いてすぐに正確なイメージでメッセージを理解できる「英語を英語で理解する」状態にまでもっていくのが速いのです。英語のやまと言葉的な理解をしっかり学び、音とリズムにもしっかり慣れた教材で、意味を考えながら何度も何度もシャドーイングをくり返す作業をすることで、「英語を英語で理解する」という理想の状態まで比較的容易にもっていくことができます。第4章の「音と意味の一体化」で、まさにその作業をしてもらうことになります。お楽しみに。

サイクル 1
K/Hシステム英語勉強法
英語力のインフラづくり

PART 2

第1章　総合的聞き取り
　　　　能力の現状把握

第2章　音をつかむ
　　　―聞き取り能力の個別強化―

2-1 「力試し」
2-2 「仕込み」
2-3 「体得」

第3章　意味をつかむ
　　　―聞き取り能力の個別強化―

3-1 「力試し」
3-2 「仕込み」
3-3 「体得」

第4章　音と意味の一体化
　　　―聞き取り能力の仕上げ―

第3章 意味をつかむ──聞き取り能力の個別強化

3 意味をつかむ「体得」

1 聞き取りの「正しいフォーム」の体得

さて、現場で実戦力になる英語の聞き取りの「正しいフォーム」とはどんなものなのか。それを頭で理解し、机上でできるようにしたのが、前のセクションでの「仕込み」作業でした。今度は、音を使った聞き取り練習で、「頭でわかった」聞き取り方が、実際に「できる」ところにまでもっていきます。これが「体得」作業です。

ここまでやってきて、「シャドーイングでいやというほど音もやったし、これで意味もすっかりわかったし、もういいよ。この教材、卒業！」と、正直、思った方もいらっしゃるかもしれませんね。音の方は、シャドーイングで英語の音とリズムの感覚の「体得」まで仕上げましたから、はじめての挑戦とはいえ、多少はその感覚がつかめてきたと思います。しかし、意味の方は「仕込み」をやっただけですから、ここで止めてしまっては、聞き取りの方法というものを「頭」で理解しただけに過ぎません。少々、知っている英語の表現は増えたかもしれませんが、それ以上の効果は期待できません。

英語を学ぶ場合、特に、「頭でわかればよい」と思ってしまう人が、なぜか多いようです。「実戦で使えるようになる」ための語学の学習とは、知的な作業であると同時に、極めてスポーツ系の作業でもあるのです。頭でわかったところで満足してしまっては、まるで、ゴルフを習うのに本を一生懸命読んだり、「ゴルフ上達法」のビデオを一本見て、「もう、いい」と言っているようなもの。実際にドライビングレンジに打ちっぱなしに行って、学んだことを実際にできるようにするのでなければ、これまでの投資が生きてきません。頭でわかるようになった教材の英語の「駒」を、音が勝負の現場で実際にさっと聞き取れる「駒」にまでレベルアップしましょう。せっかくわかってきた「英語の聞き取り方」を、自分のものにしてしまいましょう。

意味をつかむ――聞き取り能力の個別強化　第3章

それでは、下記の作業手順に沿って作業に挑戦してください。
それから、老婆心ながら、せっかく100パーセントまで仕上げたシャドーイングを忘れてしまわないように、意味の勉強と並行して、時々、練習しておいてくださいね。定期的に録音して、トランスクリプトと照らし合わせて厳しくチェックすることを忘れずに！　次の章の「音と意味の一体化」の作業の土台になります。

2　意味をつかむ力の「体得」

すでに意味を勉強した英語を使ったこれからの作業は、作業をやるにあたっての意識のもち方が大切です。毎回、必ず、「その英語を、はじめて聞き取っているつもり」で作業を行ってください。

だいたいできてくれば、この作業は細切れの時間を使ってできる作業です。通勤時間や洗濯物を干す時間などをうまく使って、気軽に何度もくり返し練習して自分のものにしてください。うまくいかない部分は、仕込みに戻って、もう一度、構文や理解の仕方を確認し、聞き取るための工夫をします。この弱点克服のサイクルを忘れずに。

ひとつひとつ、感覚を身につけていくのがポイントですから、手順どおりに確実に仕上げて積み上げていきましょう。それでは、頑張ってください。

体得作業　「英語の意味をつかむ力」

目的	英語の意味をつかむ「正しいフォーム」の体得
内容	CDを聞きながら、英語の聞き取り練習
範囲	第1パラグラフ～第4パラグラフ　CD 1-01　CD 1-04

作業手順

ステップ1　スラッシュ・リスニングで文の切れ目を見抜く
　1. ポーズ入りの CD 1-04 を使い、正確な「かたまり」の感覚をつかむ
　　「スラッシュ・リスニング（音でやるスラッシュ・リーディング）」で、文の切れ目の感覚をつかむ。まず、意味の切れ目ごとにポーズの入っているトラックを使い、意味の切れ目を味わいながら聞き進む。

第3章　意味をつかむ──聞き取り能力の個別強化

2. **CD 1-01** を使い、ポーズなしで「かたまり」を見抜く感覚をつかむ

ポーズの入っていないトラックを使い、自分で文の切れ目を見抜く。鉛筆をもち、文の切れ目ごとに鉛筆で机を「コツン」とたたくなどして練習し、文の中の「かたまり」の感覚をつかむ。自信がなくなったら、トランスクリプトで構文を確認し、納得して切れるようになるまでくり返す。

ステップ2　「かたまり」ごとに、やまと言葉やイメージでさっと意味をつかむ

3. **CD 1-04** を使い、「かたまり」ごとに意味を頭にこすりつける

切れ目の入っているトラックを使い、ポーズのところで、その「かたまり」の意味を頭にじっくりこすりつけて、聞き進む。CDのポーズの長さで足りない場合は、必ずその都度CDを止めて、しっかり意味をつかんで納得してから進む。CDのポーズの長さでできるようになったら、次のステップに。

ステップ3　構文を追って、「かたまり」同士を正確につなぎながら聞き取る

4. **CD 1-04** を使い、構文を追う練習をする

構文や「文のつくり」をしっかり追いながら、ポーズのところでは、あとに付け加わってくる情報を予想しながら聞き進む。

5. **CD 1-04** を使い、構文を追いつつ、「かたまり」の意味もつかむ練習をする

4と同じ感覚で、さらに「かたまり」ごとの意味も同時にしっかりつかみながら聞き進む。

6. **CD 1-01** を使い、構文を追いつつ、意味をつかんでいく

本番の聞き取りのように、ポーズのないトラックで、構文を追う意識を保ちつつ、文全体の意味を聞き取っていく練習をする。CDを止めずに、しっかり構文を把握している感覚とともに、意味もスムーズにつかんでいけるようになれば合格。

英語の運用能力の基礎がまだ不十分な人からよく出る質問に、すでに意味を勉強した教材で練習していると「意味を覚えてしまっているからわかるのか、本当に聞き取れているからわかるのかが、わからない」というのものがあります。覚えてしまっていて結構です。テニスの練習で、定位置にボールを打ってもらって、100本、200本と打ち返してフォームをかためるのと同じだと思ってください。「これやってても、本当に試合で打てるようになるのか不安です」とは言いませんよね。確かに、頭の中のことは、できているのかいないのかを判断するのは、本人でも難しい面があります。が、あまり神経質に心配せずに、とにかく最終的には、スピーカーの話すのと同じテンポで、構文を追えている感覚とともに、文頭から、余裕をもって意味が入ってくる感じになるまで仕上げます。意味をつかもうとするたびに、思い出そうとして「確かここの意味は……」という前置きが頭の中をかすめるようだと、まだ練習不足でしょう。また、一日二日あけて再挑戦して、できばえがぐっと落ちるようなら、それも、まだ身についていない証拠です。

意味をつかむ──聞き取り能力の個別強化　第3章

ここまで仕上がったら、次は、最後の仕上げの作業です。「音と意味の一体化」の作業で、さっと聞き取れ、さっと口をついて出る、本当に「使える」英語の「駒」のレベルに仕上げます。

K/Hシステム Q&A 05

Q こんな短い教材をしつこくやっていて、本当に英語力はつくの？

A 目的：実戦力のある英語を身につけるための勉強法と視点の習得

ただ「知っている」のでなく、本当に「使える」英語、つまり、実戦力のある英語を身につけるための勉強法と視点を習得してもらうのが、K/Hシステムの目的です。ある意味では、まず「英語のとらえ方と身につけ方」の意識改革をしてもらおうとしているのです。皆さんにK/Hシステム英語勉強法をはじめて体験してもらうサイクル1の解説がこれほど多いのもそのためです。まず、それを理解してください。実戦的な「英語のとらえ方と身につけ方」の体得後は、多読や多聴、ボキャビルなど他の勉強法とうまくサイクルを組んだり、K/Hシステムを他の学習法に応用したりすることで、効率的、効果的に英語力を強化していってもらえます。永久にこのやり方だけで勉強するのではありません。

英語の実戦力の基礎づくり──「体得」の重要性

何を学ぶにしても言えることですが、「確実な部分」「絶対大丈夫な部分」を少しずつ増やしていくことが、結局、実戦力と、力の大きな伸びの基盤をつくることになるのです。しっかり「かたまっている」ところが増えれば増えるほど、実戦的な力が高まり、また、そのバリエーションや変形や組み合わせなどを身につけるのがずっと速く、しかも容易になり、問題点の発見や矯正も容易になるのです。

さて、その「確実な部分」、どんなときでも正しい動きが反射的にできる「絶対大丈夫な部分」というのは、2、3度「なるほど」と頭で納得する程度でつくれるものではありません。頭で理解したあと、しっかり体の一部として身につけ、「体得」しなければなりません。よく理解した教材、つまり「正しい聞き取りの仕方がよくわかっている教材」でしつこく練習するのは、まさに、頭

で理解した「正しい聞き方のフォーム」を、きちっと「体得する」ところまで仕上げようとするからです。こうして身につけた正しいフォームというのは、ここで勉強した教材に限らず、今後の勉強の基盤となって常に力を発揮します。

実戦的「駒の身につけ方」――「パターン」として身につけることの重要性
「聞き取りの正しいフォーム」と同時に、英語の「駒」自体もある程度増やしていかなければ、実戦での聞き取り力の向上を実感するのが難しいのは確かです。しかし一方で重要なのは、同じ英語の「駒」を身につけるのにも、パターン表現［構文］にきちんとフォーカスし、表現や構文の受け皿を自分の中につくっていく視点と意識をもってやるかどうかで、実戦力と応用力に大きな差が出るということです。この視点と意識をもって取り組みさえすれば、本書のような限られた教材量でも、一般に考えられているよりもはるかに大きな実戦力と応用力につながる英語の身につけ方ができる、聞き取り力もスピーキング力もアップする、というのがK/Hシステムの考え方です。語句解説に、表現や文の直接的な意味の解説を超えた発展的な解説を多く入れているのも、この視点で「実戦力と応用力に直結する」英語の身につけ方をしてもらいたいというねらいからにほかなりません。同時に、この視点を体得してもらうことで、今後、皆さんが英語の「駒」を増やす勉強をされる際の、効率と効果を格段にあげてもらえると考えています。

以上をまとめると、英語の「駒」を増やすときに、その場かぎりの、ただそのコンテクストだけで使われている表現として覚えるのではなく、それをひとつのパターンとしてとらえ、応用の可能性を常に頭に思い描きながら身につける。しかも、常に実戦での聞き取りに生きるフォームで身につける。さらに、「頭の理解」で終わらずに、実戦力と応用力に確実に結びつくように、必ず「体得」するまで、仕上げる。この３つの視点と具体的な勉強法をK/Hシステムで身につければ、基本的な英語のとらえ方と、身につけ方の視点が変わり、今後、いろいろな教材を使って勉強するときにも、より効率的、効果的に英語の実戦力を伸ばしていくことができます。

☛ p.15［他の英語勉強法との関係］／☛ p.18［同じ教材でしつこく勉強することの意味］／
☛ p.277［これからの勉強のアドバイス］

PART 2

サイクル 1
K/Hシステム英語勉強法
英語力のインフラづくり

第1章　総合的聞き取り能力の現状把握

第2章　音をつかむ
　―聞き取り能力の個別強化―

　2-1「力試し」
　2-2「仕込み」
　2-3「体得」

第3章　意味をつかむ
　―聞き取り能力の個別強化―

　3-1「力試し」
　3-2「仕込み」
　3-3「体得」

第4章　音と意味の一体化
　―聞き取り能力の仕上げ―

④ 音と意味の一体化による仕上げ

1　聞き取り能力の総仕上げ

「音」と「意味」をそれぞれ別個に、「力試し」「仕込み」「体得」とステップを踏んで、ここまで仕上げてきました。この章の作業が、最後の仕上げになります。「音」の作業で、(1)英語の正しい音とリズムの感覚と (2)英語の「かたまり」感覚を身につけてもらいました。「意味」の方では、現場で実戦力になる「英語の聞き取りの正しいフォーム」を学んでもらいました。ポイントとしては、(1)常に構文を意識して、(2)英語をより大きな「かたまり」で、(3)やまと言葉（またはイメージ）にリンクさせて、(4)できるだけ文頭から、聞き取っていくのでしたね。

さて、この章での作業では、このようにして仕上げてきた「音」と「意味」の間に、しっかりとしたリンクをつくっていきます。英語の構文や「概→詳」とすすむ英語的な「文のつくり」の感覚と、やまと言葉によるイメージに近い意味の把握、そして英語的な音やリズムの感覚とを、しっかりと一体化します。この作業によって達成したい目標は、以下の3つです。

1. 実戦的な英語の聞き取りの「正しいフォーム」の、さらなる強化と体得
2. 教材の英語については、どこで出てきてもさっと聞き取れ、さっと口をついてくる「駒」になるまでレベルアップする
3. 教材の英語については「英語を英語で理解する」感覚に少しでも近づけ、さらに、そうした理想の聞き取りの感覚を少しでも体に覚えさせる

このセクションでの作業は、いたって簡単です。シャドーイングを使って、意味を考えながらのシャドーイングをします。この「音と意味の一体化」の作業では、シャドーイングの次のような効用を利用しています。

第4章　音と意味の一体化による仕上げ

効用3　構文力強化のツールとしてのシャドーイング

文の構造を味わいながらシャドーイングすることで、文のつくりを「リズムごと」、「体で」覚えることができます。机上で単に「頭で納得する」だけの場合より、はるかに実戦力になる構文の身につけ方ができます。英語の構文や「概→詳」とすすむ英語的な「文のつくり」の感覚が自分の体の一部になってくると、文頭から意味をとっていくのもずっと楽になってきます。同時に、スピーキングの際にも、文がさっとつくれる実戦的な力として生きてきます。

効用4　意味と音のリンク強化のツールとしてのシャドーイング

耳で英語の音を追い、口を動かし、意味を考えながら、自分でメッセージを伝えているつもりでシャドーイングをします。「音」と「口」と「意味」の間にリンクをつけるツールです。ヒアリングだけでなく、スピーキングにも生きる、実戦的な英語力をつけるための非常に有効な方法です。次第に「音」と「意味」が自分の中で結びついてくると、シャドーイングしながら意味が本当に実感されてきます。さらにくり返すことで、だんだん「言葉として」意味を考えている感覚が薄れて、「英語を英語で理解している」感覚に近づいてきます。

効用5　表現のアクティブ化のツールとしてのシャドーイング

「音」と「意味」のリンクが強まることに加え、このようにしてリンクがしっかりとできた英語の「駒」を、徹底的に口と、耳と、頭に覚えこませ、慣れさせることで、いつでもさっと聞き取れ、さっと口から出る「駒」にまで仕上げることができます。ここまでくれば、自分の発想になじんで、いつでも自在に使える、本当に実戦力のある「駒」として身につけられたと言えます。

- p.55　効用1［英語の音をつかむ力の現状把握のツールとしてのシャドーイング］
- p.66　効用2［「英語の正しい音とリズムの感覚」、さらには「英語の『かたまり』感覚」を身につけるツールとしての＜100％シャドーイング＞］

2 「音と意味の一体化」の作業

それでは、作業に入る前に確認です。しばらくシャドーイングをお休みしてしまったか、まだ徹底的にやりこんでいない人は、この作業に入る前にシャドーイングがきちんとできるように仕上げておいてください。シャドーイングがまだ中途半端な人は、シャドーイング自体の負荷が高すぎて、意味を考えながらのシャドーイングなどできません。また、不正確な英語に意味を結びつけてしまうのでは、ねらっている効果が得られません。すでに意味もしっかりやったあとですから、100パーセントを目指したシャドーイングもやりやすくなっているはずです。まず<100%シャドーイング>をしっかり仕上げて、シャドーイング自体の負荷を下げておいてから、この章の作業に取りかかるようにしましょう。それでははじめてください。

「音と意味の一体化」

目的	音と意味を一体化して、最終的には英語を英語で理解している感覚に近づける
内容	CDを聞いて、同時に意味も考えながらシャドーイングする
範囲	第1パラグラフ〜第4パラグラフ　**CD 1-01**
前提	「音」と「意味」の作業が、ともに「体得」まで仕上がっていること

作業手順

1. 構文を考えながらシャドーイング

文の構造、「文のつくり」をしっかり味わいながらシャドーイング。具体的には、「主語がきたな、修飾が節できたな、修飾節の中の主語と述部だな、それに詳しい情報が加わったな、また情報が加わったな、やっと本当の主節の述部がきたな、日本語じゃ言わない詳しい情報が加わったな」などと、文の構造を味わいながらシャドーイングを行う。

2. 意味を考えながらシャドーイング

構文を追いつつ、同時に意味をしっかりつかんで納得しながらシャドーイング。音や意味があやふやになる部分があれば、トランスクリプトと語句解説でしっかりと再確認して、部分練習や工夫によって弱点を克服してから「音と意味の一体化のシャドーイング」に戻る。

3. 自分で話しているつもりでシャドーイング

構文も意味も追いながらのシャドーイングがある程度できてきたら、今度は、自分が話している気持ち、自分がメッセージを他の人に伝えている気持ちで、必ず身ぶり手ぶりも加えながら、スピーカーと同じように表情豊かにシャドーイングすることを目指す。鏡を見ながらやるとよい。

第4章 音と意味の一体化による仕上げ

3 「音と意味の一体化」の作業達成の目安

この作業もまた、ある「感覚になる」ことを目指している性格上、実際に達成できているのかを確認するのが、本人にすら難しいという難点があります。いくつか、達成の目安となるポイントを挙げておきましょう。

ポイント1 日本語を介しているという意識があまりないのに、意味がわかっている気がする。

ポイント2 自分が本当にそのメッセージを伝えるために文をつくって話している感じでシャドーイングができる。しかも、意識が内向きになって目をつぶってしまったり、虚空をにらみつけてしまっているような状態ではなく、本当に人に語りかけているような、余裕をもった表情でシャドーイングできる。

ポイント3 リテンションで、文単位で英語が再生できる。

サイクル2の「音と意味の一体化」では、さらに進んだ達成確認の作業もしますが、ここではまだ第1回目であることもあり、上記のポイントのひとつでも該当すれば、一応よしとして進んでください。時々戻ってきてシャドーイングしてみて、音が不確かになったり、意味が不確かになったりしているようであれば、今一度、練習してできるところまで引き上げる。定期的にこの作業をくり返すことで、よりしっかりと身につきます。

ポイント3の「リテンションが、文単位でできる」というのは、かなり高度なレベルですが、スピーキング力強化の勉強法としても非常に有効なので、簡単に説明しておきましょう。今までの作業だけでも負荷が高すぎる人、早く先に進みたい人は、この作業をせずに進んで結構です。

第4章 音と意味の一体化による仕上げ

リテンション作業

やり方 ☞p.30［リテンション］

リテンションの作業には、シャドーイングと違って、ひとつの大きなリスクがあります。それは、音を聞き終わってから自分で英語を再現するために、英語の音とリズムをまったく無視した、昔の自己流の、日本語的な音とリズムに戻ってしまいがちな点です。この点には十分注意して、これまでの作業でせっかく身につけてきた「英語の正しい音とリズム」を、しっかり保って練習するようにしてください。

この点にさえ注意すれば、リテンションは文法や構文力の強化に最適な、非常に効果の高い練習ツールになります。余裕のある人は、自分のパフォーマンスを録音し、トランスクリプトと照らし合わせて確認すると、自分の問題点がわかって非常に勉強になります。問題のあったところは、まだ表現や構文が身についていないところですから、必要ならば、音や意味の「仕込み」に戻って問題点を克服して、「一体化のシャドーイング」で仕上げます。

作業手順

1. **CD 1-04** を使い、ポーズのところで、そこまで聞いた英語を自分で言ってみる。
   この作業で、「かたまり」単位で英語が身についたかがわかります。
2. **CD 1-01** を使って、一文、または大きな節くらいで止め、そこまで聞いた英語を自分で言ってみる。
   この作業で、文単位で英語が身についているかがわかります。

第4章　音と意味の一体化による仕上げ

4　サイクル1　完成にあたって

お疲れさまでした。これで、K/Hシステム英語勉強法での、はじめてのサイクルの終了です。ここまで続けられた方は、何らかの手応えや、その予感くらいは感じていただけたことを祈ります。スタートラインの英語力が高い方の場合には、このサイクルを仕上げた時点で、すでに英語の聞こえ方やアウトプットのスムーズさに変化を感じられていることと思います。実戦力のある「英語理解のフォーム」を自分のものとしてさらに確実なものにすべく、サイクル2にも真剣に取り組んで、仕上げてみてください。より高いレベルの英語力を身につける際の、確かな基盤となります。

英語の基礎力がまだあまりないレベルでスタートされた方の中には、このサイクルを仕上げるのがかなり大変で、しかも、まだ英語力の変化を実感できず、「疲れた〜!」というのが正直な感想だという方もいらっしゃると思います。ただ、一見、大変で遠回りに思えるやり方ですが、英語の「正しい音とリズム感覚」と正確で実戦力になる「正しい聞き取り方のフォーム」をきちんと身につけておくことは、本格的な英語力を最終的に目指すのであれば、結果的には近道になります。努力は絶対に無駄になりませんから、根気よく頑張ってみてください。サイクルを仕上げるたびに、少しずつ作業も楽になり、時間もかからなくなってきます。これまで教えてきた経験から言うと、スタート地点が低かった方（TOEIC500点程度）でも、このやり方で4サイクルほど仕上げたあたりから、確実に効果を感じられるようになるでしょう。ていねいに、ひとつひとつの作業を、きちんと仕上げることを重視して、引き続き挑戦してみてください。

本書では、約8分のスピーチを4分弱の2つのパートに分け、K/Hシステム英語勉強法で2サイクルを仕上げてもらう形になっています。2つ目のサイクルにこれから挑戦してもらいますが、PART3（第8章）には、この教本を仕上げたあとの、「K/Hシステム英語勉強法での継続の仕方」や「K/Hシステム英語勉強法『中・上級コース』」の視点」、さらに、多読・多聴・ボキャビルなどの「他の勉強法との組み合わせ」についてのアドバイスをまとめてあります。参考にしてください。

Great job, everyone!!!

サイクル 2

K/Hシステム英語勉強法
英語力のインフラがため

PART 2

第5章　音をつかむ
―聞き取り能力の個別強化―

- 5-1 「力試し」
- 5-2 自分にあった効率的な学習手順
- 5-3 「仕込み」
- 5-4 「体得」

第6章　意味をつかむ
―聞き取り能力の個別強化―

- 6-1 「力試し」
- 6-2 「仕込み」
- 6-3 「体得」

第7章　音と意味の一体化
―聞き取り能力の仕上げ―

第5章 音をつかむ―聞き取り能力の個別強化

5-1 音をつかむ「力試し」

1　サイクル2の「音をつかむ力の強化」──全体像

　4章までで仕上げたサイクル1で、K/Hシステム英語勉強法の具体的な勉強手順を体験するとともに、K/Hシステム英語勉強法の基本的な考え方とその枠組みも理解していただけたと思います。正確に、ていねいに作業をされてここまでこられた方だと、一日1時間程度の勉強で早くて2週間、遅くて1カ月程度かかったのではないでしょうか。もし、3日で終わった方がいたとしたら、やり方を間違ってしまった方か、TOEIC950以上ですでにかなりの英語力のある方でしょう。こうした英語力の高い方でも、K/Hシステムの勉強法の方法論や考え方などで、これからの勉強に生かしていただける視点やツールをつかんでいただけたことと思います。

　この第5章では、まず、シャドーイングの「力試し」をして、サイクル1で勉強した成果がどの程度出ているかを確認します。また、そこで出てきた弱点や問題点については、よりていねいにその原因を分析し、原因ごとの対策をアドバイスします。「仕込み」のセクションでは、サイクル1で説明した「英語の音とリズムの受け皿をつくる」ための勉強方法をさらに詳しく説明し、シャドーイングを利用した練習テクニックの効果をさらに高めてもらいます。

　また、サイクル2では、次のセクションの「自分にあった効率的な学習手順」で個人のレベルとニーズにあった学習の手順を選択していただき、それに沿った勉強をしてもらいます。それにより、「自分にあわせたK/Hシステムの使い方」を学んでもらうことが重要な目的のひとつになっています。

　この第5章で達成したい項目は3つあります。

音をつかむ―聞き取り能力の個別強化　第5章

1. シャドーイング力試しによる上達度合いのチェックと、問題点の分析
2. 自分の英語力にあった効率的な勉強手順の選択
3. 英語の「音とリズムの受け皿」をつくるための復習と新しい視点

それでは、さっそく音をつかむ力の「力試し」に取りかかりましょう。

2　シャドーイングによる力試し

サイクル1の練習の成果として、どの程度皆さんが英語の音とリズムがつかめるようになったかを、新しい教材（サイクル1のスピーチの続き）で診断します。

上達度把握作業　「英語の音をつかむ力」

目的	「音とリズムをつかむ」聞き取り能力の上達度の確認
内容	シャドーイング
範囲	第5パラグラフ〜第8パラグラフ　CD 1-02
使用テクニック	シャドーイング

作業手順　――シャドーイングに挑戦

1. **ウォーミングアップ**：CDの英文を聞きながら、2、3回シャドーイングをする。（トランスクリプトは見ない）
2. **事前予想**：自分がくり返せずにミスするだろうと思う単語の個数を予想し、次のページの表に記入。
3. **本番**：CDの英文を聞きながらシャドーイングし、それを必ず録音する。

作業手順　――シャドーイング成績確認

4. **チェック**：録音した自分のシャドーイングを聞き返して、付録のトランスクリプトまたは199ページからの「音とリズムの仕込み用ワークシート」のトランスクリプトのどちらかを使って、シャドーイングできなかった単語にマーカーなどでマークを入れる（正確にチェックすること）。

第5章 音をつかむ―聞き取り能力の個別強化

5. **数値管理**：シャドーイングできなかった個々の単語の数を数え、下の表に記入。その数と、サイクル1で行ったはじめのシャドーイング結果とを比較する。その差が、音とリズムをつかむ力の上達度。

上達度把握のためのシャドーイングの成績

	ミス単語数の事前予想	実際のミス 個数　　（%）	サイクル1の平均ミス(%)
第5パラグラフ（単語数 78）			
第6パラグラフ（単語数144）			
第7パラグラフ（単語数102）			
第8パラグラフ（単語数106）			

上達度把握のシャドーイング成績による勉強の視点

今までの英語の蓄積が多い方は、サイクル1をきちんと仕上げただけでも、新しい教材のシャドーイングに上達の手応えを感じられたのではないでしょうか。逆に、どんなに英語力があっても、じっくり時間をかけてサイクル1に取り組まなければ、当然のことながらK/Hシステムの学習効果を感じることは難しいでしょう。また、英語の基礎力の面でスタート地点が低い方（TOEIC600点以下程度）の場合、サイクル1をちゃんと仕上げたとしても、以前との変化が感じられず、「シャドーイングは難しいなあ」という思いの方が強いといった場合もあり得ます。でも安心してください。私たちが教えてきた今までの経験から言うと、K/Hシステムの方法論で、サイクル1程度の長さの教材を4つほどきちんと仕上げると、実戦力が強化されたと本当に実感できるようになります。実証済みです。頑張りましょう。

3 シャドーイングミスの自己分析〜原因によるグループ分け

このサイクル 2 では、各人のニーズにあった、よりきめ細かい勉強の視点や方法を理解し、体得してもらいます。そのために、「力試し」で出てきた問題点については、より細部まで踏み込んだ分析と対策をします。やみくもにシャドーイング練習していては、効果が感じられずに途中で挫折してしまうことにもなりかねません。自分のニーズにあった的確な勉強ができるよう、まずは、自分がシャドーイングできなかった部分の原因を種類分けして、整理してみましょう。自分の弱点が、特にどの分野にあるのかを理解し、プライオリティーをもって効果的な対策を打つためのベースにします。

シャドーイングミス個所の原因仕分け作業
「英語の音をつかむ力」

目的	学習の効果的な対策を立てるための視点を得る
内容	シャドーイングミスの原因を分類する
範囲	第5パラグラフ〜第8パラグラフ　CD1-02

作業手順　シャドーイングでミスした個所を原因別に分類する

1. 先ほどのシャドーイングの力試しでマーカーを入れた個所について、ミスの原因を以下のカテゴリーに従って分類する
   （生の音素材　CD1-02　を聞き返して参考にしながら、確認するとよい）

   > A　音が単語として聞こえず、単なる音の羅列に聞こえた
   > B　音は単語として聞こえた

2. Bの「音は単語として聞こえた」に当てはまる個所については、さらに詳しく次のように分類する。分類したら、次の表の該当欄に、「正」の字で数を加えていく
   （単語ではなく、問題個所で1個と数えればよい。また、だいたいの傾向を見るためなので、厳密に数えることにあまり神経質になる必要はない）

第5章 音をつかむ―聞き取り能力の個別強化

> <意味の問題>
> 1　その単語・表現自体をまったく知らなかった
> 2　単語・表現自体は知っていても、意味の理解が不十分であった
>
> <英語を口から出すアウトプット力の問題>
> 1　速くて口がまわらなかった
> 2　冠詞、前置詞、-ed、-s などの細かい部分ができなかった
>
> <その他>
> 上記の範疇に入らないシャドーイングミスを、「その他」として分類

シャドーイングミスの原因別分類

	分野		理由		該当チェック （正＝5）	合計数
A	音の羅列					
B	音はとれる	意味	1	単語を知らない		
			2	理解が中途半端		
		アウトプット	1	口がまわらない		
			2	細かい部分		
		その他				

音をつかむ―聞き取り能力の個別強化　第5章

advice 10

全然シャドーイングができなかったという方の場合

すでにサイクル2に入っていますので、全体のスピードが速すぎてまったく追いつけなかったという方はいらっしゃらないとは思いますが、全然だめだという方には、次ページから説明する解説はあまりに細かすぎて有効ではありません。このような方の場合は、この教材ではレベルが高すぎるのかもしれません。別にやさしい内容の教材を見つけて、K/Hシステムの方法論で勉強するのもひとつの手です。その場合、英語教材を選ぶポイントは、読めば少なくとも70パーセント程度は内容がつかめるレベルのもので、それも、前もって意味を調べておいてからシャドーイング練習するのがコツです。

もし、口が重いだけで追いつけない方は、スピードを遅くできるプレーヤーなどを使って、まずゆっくりしたスピードで練習してみてから、徐々に自然なスピードに慣れていくようにしましょう。

第5章 音をつかむ―聞き取り能力の個別強化

4　シャドーイングミスの種類とその対策

これまでの作業で、シャドーイングのミスを原因別に大まかに分類しました。この分類に沿って、＜100％シャドーイング＞ができるようになるために、それぞれの問題点にどう対策を打てばよいのかを解説しましょう。サイクル1ですでに概要は説明していますので、くり返しになる部分もありますが、その部分こそK/Hシステムの中での重要ポイントと認識して、倦まずに取り組み、体得してしまってください。

以下の解説に示した原因と対策のボックスの中で、下線つきの部分は、「音」ではなく、「意味をつかむ」の作業に特にかかわる部分です。

A 音が単語として聞こえず、単なる音の羅列に聞こえる場合

この理由でシャドーイングができなかった場合、原因は2つ考えられます。

原因		対策
その単語や表現を知らない	→	その単語・表現を知ることと、その意味をよく理解しておくこと
自分が思っていた音とリズムと実際の英語の音とリズムに大きなズレ	→	英語の正しい音とリズムで単語や表現を身につける

どちらも英語学習の初期段階にはよくあることですが、この問題は英語をかなり勉強した方にも時々見られます。

> **原因1** その単語や英語表現の存在を知らなかった
> **原因2** その単語や表現の実際の音とリズムが、自分の今までの理解と大きく違っている

音をつかむ—聞き取り能力の個別強化　第5章

原因1の問題点は自明なので、原因2について見てみましょう。サイクル1でもすでにふれていますが、大切な点なので簡単な例を挙げてより詳しく説明しましょう。

テキストからの例として、Whether that allows for a job sharing kind of activity, where two people... というところを見てみましょう。まず、allows は最後の音節 -lows にストレスが強く入るので、その前の音節は極めて弱くなります。「allows は『アラウズ』だ！」と思い込んでいると、「ラウズって何だ？」ということになり、知っているはずの単語が聞き取れないという、最も「もったいない」現象になります。同じ理由から、activity も、日本語的に「アクティビティー」と思い込んでいると、聞こえるのは「*ティビティ」で、「ティビティって何だ？」ということになってしまいます。単語間の関係でも、似たようなことが起こります。where は、次にくる単語の two のストレスが強いために、拍の直前の弱い溜めの部分になり、聞こえても「ウェ」としか聞こえないような弱い音になります。そのため、where は必ず「ホエアー」と発音されると思い込んで聞いていると、聞こえてきません。文の最初の部分を長めに見てみると、Wheth* th* *lows f* ... といった具合になり、「*」の部分はかすれたような、はっきりしない、こもった息の音が聞こえるだけになってしまいます。こういう英語の自然な音とリズムに慣れずに、日本語式に「すべての音節をはっきり発音してくれるもの」と思い込んだアンテナで聞いているかぎり、自然な英語は聞き取れません。

また、英単語が半ば日本語のように使われるようになって、発音とアクセントの位置が本来の英語のものと異なってしまっている場合にも、聞き取りで問題が生じます。日本語的な発音とアクセントの位置に慣れてしまっている人には、本来の発音が聞き取りにくくなってしまうからです。本文中の代表的な例としては、challenge, managers, America, operate, manage, different, background（色字の部分を爆発させるように強く読み、他の部分はあいまい母音で大変弱く、短く発音するのが英語的）などがあります。

最後に、レベルは高度になりますが、参考までにもうひとつお話しましょう。日本の英語学習者にとっては難しいのですが、英語では本当にニュアンス豊かによく使われるものに仮定法過去完了があります。例えば、I would have...（…したのになあ）、I could have...（…できたのになあ）、I should have...（…するべきだったなあ）などの表現がありますが、この would have, could have, should have の部分の発音を「ウド・ハブ」、「クド・ハブ」、「シュ

5-1 力試し **177**

第5章 音をつかむ—聞き取り能力の個別強化

ド・ハブ」と期待していると決して聞こえてきません。現実の世界では、この表現は、あえてカタカナ表記すれば「ウダブ」、「クダブ」、「シュダブ」と、まるで一単語のように発音されるからです。

原因1の対策　　意味を理解しておく

まったく知らない単語や表現がシャドーイングできないのは、ある程度、仕方のない部分です。知らなかった単語を身につければよいことです。ただ、勉強法としては、シャドーイングにとりかかる前に、こうした知らない単語や表現はまず確認し、意味を調べて、どのような使われ方をするかを少なくとも知識レベルでは頭の中に仕込んでおく方が効率的です。次のセクションの「自分にあった効率的な学習手順」で、この点についてアドバイスをしますので参考にしてください。

原因2の対策　　英語の正しい音とリズムで単語や表現を身につける

すでに間違って身についてしまっている単語や表現については、自分の音とリズムの理解と感覚を調節し直さねばなりません。まずは、トランスクリプトをよく見ながら、CDで音を聞いて、ゆっくりでもいいですから聞こえたとおりに何度もくり返し、感覚に刷り込んでいきましょう。今までの思い込みを一切捨てて、聞こえたままをくり返すことが大切です。自分の思っていた発音やリズムと違っていたら、謙虚にCDのスピーカーの発音どおりに直して、シャドーイングをくり返すべきでしょう。

正しい音とリズムの感覚をつくるためのシャドーイング練習のチェックポイントは、ビートが入らず「弱くなる音節部分」です。サイクル1でも述べましたが、その部分は、母音はあいまい母音になり、非常に軽く、速く発音されます。また、語尾の子音は、舌や唇をその子音を発音するための適切な位置にもっていきさえすればよいのです。わざわざ音を出す必要はありません。これで、きちんと発音されているという感覚をネイティブは持つのです。逆に、日本語的に、語尾の子音までひとつひとつをきちんと発音しようとすると、リズムが狂ってしまい、本当の英語の音とリズムは体得できませんので気をつけましょう。

B 音が単語として聞こえる場合

＜意味の問題＞

① 単語・表現自体を知らなかった場合
② 単語・表現自体は知っていても、意味の理解が**不十分**だった場合

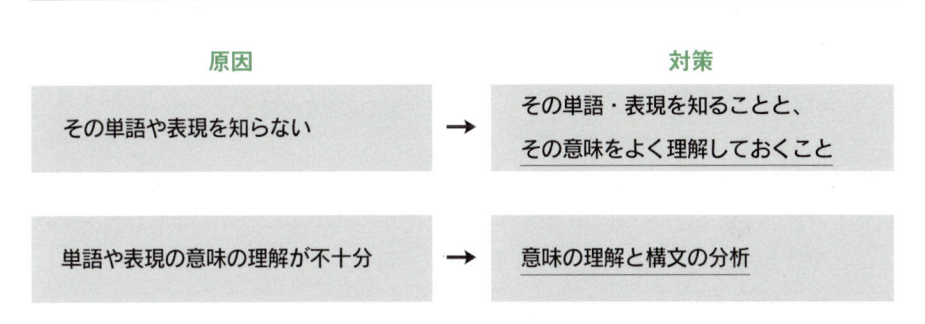

原因		対策
その単語や表現を知らない	→	その単語・表現を知ることと、その意味をよく理解しておくこと
単語や表現の意味の理解が不十分	→	意味の理解と構文の分析

単語や表現自体を知らなかった場合は、すでに述べましたが、対策はいたって簡単です。その単語や表現を身につけておけばよいわけです。ただし、正しい音とリズムで身につけるのがポイントでしたね。

さて、問題は、単語や表現自体は知っていても、意味の理解が十分でなかった場合です。この場合には、その単語自体は聞き取れたとしても、シャドーイングをする段階ではくり返せないことがよくあります。その原因は、速いスピードで口がまわるほどには、そうした単語や表現が自分の中で十分になじんでないからでしょう。自分の中でなじんだ単語や表現にするには、その単語や表現の意味を十分理解しておくことが必須です。意味までしっかりなじんでくれば、何回シャドーイングしてもミスをしない、安定した「駒」になってきます。

原因の対策　　意味の理解と構文分析

まず、意味を調べて理解すること。できれば、やまと言葉的な理解レベルまで深く理解しておきます。また、単語や表現だけでなく、それが組み込まれている文の構造も分析しておくとよいでしょう。さらには、全体の話の流れもつかんでおけば理想的です。このような仕込み作業をしておけば、シャドーイングができるようになるのも早く、また、体得のシャドーイングですぐに実戦力のレベルまで高めることができます。

第5章 音をつかむ―聞き取り能力の個別強化

＜英語を口から出すアウトプット力の問題＞

① 速くて口がまわらなかった場合

原因		対策
単語単位で発音しようとしている	→	1.「かたまり」表現を一単語感覚で部分練習 2.「かたまり」表現をやまと言葉落としして、深く意味を把握

意味もわかっているのだけれど、速くて口がまわらない表現は、「かたまり」表現であることがほとんどです。これまでの「単語単位で発音しようとする感覚」が、災いしているはずです。

対策1　「かたまり」表現を一単語感覚で部分練習

複数の単語から成っていても、それ全体で一単語のつもりで、なめらかに言えるようになるまで練習をします。そのときに、リエゾンに注意してください。例えば、as an engineer であれば、アズ・アン・エンジニアと単語ごとに切りながら発音していたのでは、いくら早く口がまわったところで英語的な音とリズムにはならず、間違った方向に進んでしまいます。As an engineer と音が必ずリエゾンします。あえてカタカナ表記すれば「ァズア　ヌエンジ　ニァ」となります。

対策2　「かたまり」表現を「やまと言葉落とし」して、深く意味を把握

「かたまり」表現は一単語のつもりで口慣らし練習をするわけですが、それを効果的に行うコツは、この「かたまり」表現の意味を深いレベルまで理解しておくことです。例えば、次のような「かたまり」表現があります。If you think that I will marry you because you are rich, you are nuts. この文構造全体（色の違う部分）でひとつの「かたまり」表現なのですが、「かたまり」表現ゆえに、すごい勢いで話されます。この表現を辞書的、英文解釈的に、「もし、あなたが、…と考えるのならば、あなたは狂人である」と理解して口慣らし練習をしたとしても、口がまわるようになるにはかなりの時間がかかってしまうか、それどころか自分のものになった表現として素早く言える感

じには一生ならないでしょう。より効果的に、早く表現を身につける方法は、その表現を自分にとって最もしっくりくるような日本語でまず理解しておくこと。例えば、「あんた、…なんて思ったら、大間違いよ」などという感覚だな、と理解の仕込みをしておいて、そのあとで、この意味を意識しながら「かたまり」表現の口慣らし練習をします。身につき方が、格段に違います。

② 冠詞、前置詞、-ed、-s などの細かい部分ができなかった場合

原因

冠詞、時制、複数形、前置詞の感覚欠如

→

対策

1. 意味を理解し、感覚を養う
2. 弱く発音される部分なので、自分でも軽く発音できるように、前後の単語と一緒に口慣らし練習

この部分をミスするのは、多くの場合、今まで英語の冠詞や過去形、複数形、前置詞などの重要性についての意識が薄く、「なぜ、そこでそれが使われているのか」という知的理解も不足していることが大きな原因と考えられます。＜100％シャドーイング＞の練習でミス個数が少なくなってきても、このような細かい部分だけはできずに最後まで残ってしまいます。ただ、このレベルまでミスが減ってきたら、あとひと踏ん張りで＜100％シャドーイング＞も完成です。

対策1　冠詞、時制、単数・複数形、前置詞などの感覚を養う

冠詞や単数形・複数形、時制などは、それぞれ文章の中で意味とニュアンスにかかわる重要な役割を担っています。それをトランスクリプト上で少し考えてみるとよいでしょう。例えば、「ここに冠詞がある場合とない場合では、意味がどのように異なる可能性があるかな？」など自問自答してみるのです。自分だけでは、必ずしもいつも答えが出せるわけではないでしょうが、それでもよいのです。このように自問自答することによって、そこに冠詞などが「ある」という強い認識ができれば、それだけでも大いにプラスなのです。なぜならば、その認識をしっかりもってシャドーイングで体

第5章 音をつかむ―聞き取り能力の個別強化

得練習を重ねることで、冠詞に対する意識が研ぎ澄まされ、たくさんの英文にふれるうちに帰納的に冠詞の感覚がわかってくることが多いからです。時制も然り。前置詞も然りです。ここでも、知的理解のための「仕込み」と、くり返し作業の「体得」の両方が大事なことがわかりますね。

対策2　弱い発音に慣れる

こうした細かい部分の多くは機能語なので、強く発音されません。学校で学んだときは、強く意識しないと感覚として入ってこないために、読むときなどは、こうした語にもすべて力を込めて発音していたかもしれません。これが癖になっている場合、自然な英語のスピードの教材をシャドーイングすると、こうした細かい機能語の部分の音は耳に入ってこないか、聞き取れても同じように軽く発音できないために、必ずシャドーイングで落としてしまうことになります。機能語のような、こうした極めて弱くしか発音されない部分については、注意して何度も聞いて正しい音に慣れておくことが大切です。同時に、その音を自分で発音できるように、前後の単語と一緒にして口慣らし練習するとよいでしょう。

＜その他のケース＞

> 実はミスした部分の問題ではなく、その前の部分に原因がある場合

ミスした部分に問題があるというよりも、その前の部分のシャドーイングが苦手なために、そこに負荷がかかりすぎて遅れてしまい、次に続く部分のシャドーイングができなかったという場合もよくあります。

> **対策**　苦手な部分の部分練習と、より大きな単位での全体練習

まずは、苦手な部分を、今までのアドバイスを参考にして克服してしまうしかないでしょう。それができてきたら、問題の部分の前後を含めたより大きな単位でも必ず口慣らし練習をして、全体の流れの中で、問題の表現を自分のものにしておきます。裏ワザとしては、仕込みの段階で、苦手な部分を英語の音とリズムで丸暗記してしまうことや、少し遅れても追いつくように、それ以降の部分を意味の「かたまり」の単位で2、3個分覚えてしまうということもできます。「え、そんなことしてもいいの？」といぶかしがる方もいるでしょうね。実は、中間段階では、まずはそれでもいいのです。最終の体得段階の練習で、きちんと身につけばよいわけですから。

5　＜100％シャドーイング＞達成には、テキストの意味の理解が不可欠

いかがでしたか？　自分のミスの特徴が認識できたのではないでしょうか。＜対策＞の項を読まれてお気づきかもしれませんが、100パーセント正確にシャドーイングができるようになるには、音とリズムだけの視点でシャドーイングをくり返し練習しているだけでは、非常に難しいのです。実は、シャドーイングするテキストの意味を、きちんと先に押さえておくことがコツなのです。すでに、このポイントに気づかれていた方もいらっしゃるかもしれませんね。サイクル1の「意味と音の一体化」のシャドーイングをやってみて、意味を勉強したあとのシャドーイングが、音だけを追っていたときよりもずっと容易に感じられたのではないでしょうか。

この教本の最初のサイクル1では、いくつかの理由から、画一的に、「音」をまず仕上げてもらってから「意味」に入る形で全員に勉強してもらいました。まずひとつに、最初から意味の「仕込み」の作業をすると、学校の英文解釈の授業のような感じになってしまい、取り組みへの意欲が損なわれる恐れがあったこと。また、それ以上に重要な点として、実戦的な聞き取りのための「正しいフォーム」の重要性を認識してもらうために、かなり「音」に慣れた英文であっても「意味」の聞き取りは容易ではな

第5章 音をつかむ―聞き取り能力の個別強化

いのだということを、体験的に知ってもらう必要があったのです。そのために、「音」をできるかぎり仕上げてもらってから、そのうえで「意味をとる」ことの難しさを体験してもらいました。その視点をもって、実戦的な聞き取りのための「正しいフォーム」の重要性と具体的なポイントを納得していただきたかったのです。少々、遠回りに感じられるかもしれませんが、まさに「意識改革」を起こしていただくためのサイクルだったのです。

サイクル1では、「音」をとることの難しさと、「意味」をとることの難しさとを、それぞれしっかりと認識していただきました。そのうえで、「音」をとるために必要な力とその強化のための視点と、「意味」をとるために必要な力とその強化のための視点も、それぞれ明確に理解していただけたと思います。この視点をしっかりもっていただいたうえで、サイクル2では、各人の力とニーズにあわせた学習の手順を、より詳しくアドバイスしていきたいと思います。

サイクル 2
K/Hシステム英語勉強法
英語力のインフラがため

PART 2

第5章　音をつかむ
―聞き取り能力の個別強化―

5-1 「力試し」
5-2 自分にあった効率的な学習手順
5-3 「仕込み」
5-4 「体得」

第6章　意味をつかむ
―聞き取り能力の個別強化―

6-1 「力試し」
6-2 「仕込み」
6-3 「体得」

第7章　音と意味の一体化
―聞き取り能力の仕上げ―

第5章 音をつかむ―聞き取り能力の個別強化

5-2 音をつかむ 自分にあった効率的な学習手順

1　K/Hシステムの2つの学習手順

サイクル1では、K/Hシステムの方法論として、音と意味を別々に勉強し、そのあとで音と意味の一体化の練習をするという基本的哲学を紹介しました。同時に、「シャドーイング」、「スラッシュ・リーディング／スラッシュ・リスニング」、「やまと言葉落とし」、「文頭からの理解の仕方」、「リテンション」などの、K/Hシステムで使う勉強テクニックについても、だいたいやり方をわかっていただけたと思います。また、「音」や「意味」を身につける作業には、それぞれ「力試し」、「仕込み」、「体得」という段階的な練習ステップがあることも説明し、それを実体験していただきました。その体験の中で、同じシャドーイングという学習テクニックでも、それぞれのステップで異なる視点や目的で利用する、というK/Hシステムの考え方も理解していただけたと思います。

このセクションでは、以上のようなK/Hシステムの基本的な考え方と枠組みを理解したうえで、各自の英語力のレベルに応じた最も効率のよい学習ステップを説明します。

学習者のレベルとニーズにあわせた、K/Hシステムの2つの学習手順

■一般学習者（TOEIC600～900）

前のセクションでやった「力試し」の対策の解説で気づいていただけたと思いますが、「音とリズムの受け皿をつくる」ためのシャドーイングや、「英語表現を自分のものにしてしまう」ためのシャドーイング練習を効果的かつ効率的に行うためには、まずは、シャドーイングする英語の意味をわかっていることが重要です。そのため、このレベルの人は、シャドーイングにかかる前に、まず意味の「仕込み」と「体得」作業を先

に行います。こうして、「意味」をしっかりと仕上げたあとで「音」の作業に移り、シャドーイングの仕込みと体得の作業をします。意味を理解しているために「かたまり」での口慣らし練習もずっとやりやすく、シャドーイングを100パーセント仕上げるのもずっと容易になることがわかります。最後に「音と意味の一体化」のシャドーイングで総仕上げをしますが、「意味」をあと回しにしたときよりも、出てきた表現もはるかにしっかりと自分のものになった気がするはずです。

K/Hシステム英語勉強法　基本学習手順
一般学習者（TOEIC600〜900）用

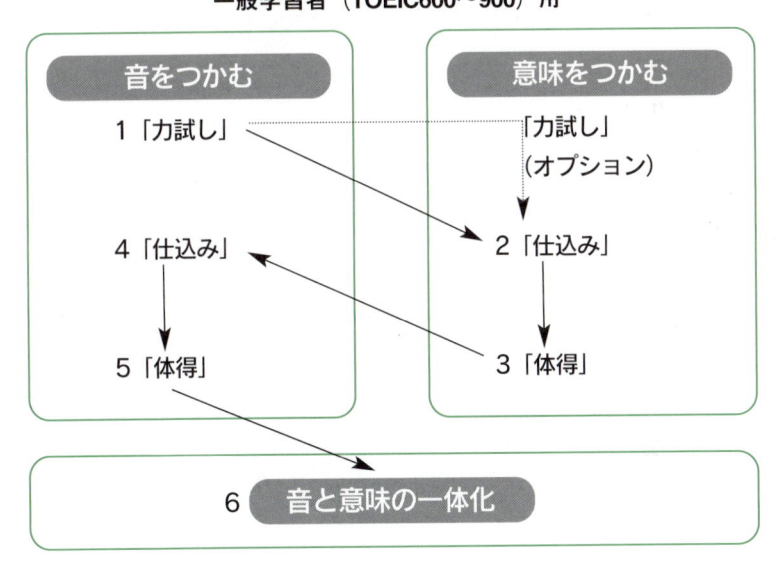

音をつかむ
1「力試し」
4「仕込み」
5「体得」

意味をつかむ
「力試し」
（オプション）
2「仕込み」
3「体得」

6 **音と意味の一体化**

☞ 一般向け勉強手順チャート（p.274）

高い英語力を持つ学習者（TOEIC900以上）

一方で、英語力が高い方は、サイクル1と同じ順序の勉強ステップで大丈夫でしょう。その人の性格にもよりますが、たぶん多くの方は生の聞き取りなどで、自分の力を試したいのではないでしょうか。そうであれば、まずは、力試し的なシャドーイングをやって、自分がどのくらいできないかを認識し、自己の向上心をあおります。テキストをちょっと見れば意味のだいたいの理解は問題なくできるでしょうから、力試しシ

第5章 音をつかむ―聞き取り能力の個別強化

ャドーイングのあと、一応、テキストに目を通して意味を確認したら、音をつかむ「仕込み」作業を行いましょう。特に、「かたまり」表現の口慣らし練習や、a、the、-s、-ed といった、冠詞や複数形、時制などの細かいミスへの対応に注意して行います。このあとで<100%シャドーイング>を目指す「体得」作業を仕上げてから、意味をつかむための作業を行います。「意味」の勉強は、細かいニュアンスや、時制や冠詞の感覚、パターン表現やパターン構文を「かたまり」として身につけることなどに特に注意して行います。このレベルの方は、前出の「一般学習者向け」の勉強手順でも一向に問題ありませんので、自分の性格にあわせて選ばれるとよいでしょう。このレベルの人のポイントは、自己チェックを厳しく行うことで、自分の意識になかった弱点や問題点を確実に発見し、面倒くさがらずにひとつひとつ克服する姿勢で取り組むことでしょう。

K/Hシステム英語勉強法　上級学習手順
高い英語力をもつ学習者（TOEIC900以上）用

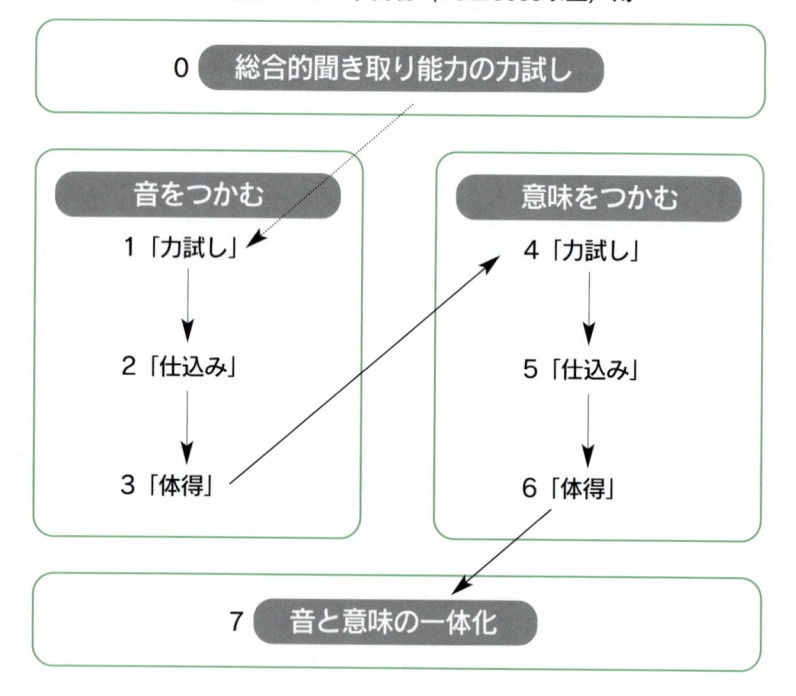

0　総合的聞き取り能力の力試し

音をつかむ
1「力試し」
↓
2「仕込み」
↓
3「体得」

意味をつかむ
4「力試し」
↓
5「仕込み」
↓
6「体得」

7　音と意味の一体化

☞ 上級向け勉強手順チャート（p.275）

advice 11

初歩の学習者（TOEIC600以下）へのアドバイス

TOEIC600未満の初歩レベルの方は、音の「力試し（シャドーイング）」から入っても、できない部分が余りにも多くて嫌気がさしてしまう可能性もあるため、まずは机上で単語の意味と構文を正確に分析し、少なくとも英文解釈的にきちんと英文の意味を理解します。それから、K/Hシステムの意味の「仕込み」と「体得」の作業に進み、そのあとで、シャドーイング中心の「音」をつかむ作業に入ることが賢明でしょう。ただし、教材の難易度にもよります。簡単な教材ならば、上記の一般学習者の勉強手順でも大丈夫でしょう。このレベルの方のポイントは、難しすぎて嫌気がさして続かなくなることがないように、教材のレベルと手順を工夫することです。

第5章 音をつかむ—聞き取り能力の個別強化

2　これ以降の本書の使い方

それでは、ここまでの解説を参考に、各自のレベルとニーズに応じてこれ以降の勉強手順を選んでください。

ほとんどの方は、一般学習者レベルの学習手順（一般コース）になると思います。274ページの「一般向け勉強手順チャート」に従って、第6章の「意味の仕込み」（230ページ）から作業をはじめてください。ただし、聞き取りの力試しをしておきたい方は、「意味の力試し」（226ページ）で自分の理解を録音してから、「意味の仕込み」に進んでください。「仕込み」の作業で、力試しの結果の確認も同時に行うことができます。チャートに従い、意味の「仕込み」と「体得」を仕上げたら、「音」の作業に移ります。音の「仕込み」と「体得」でシャドーイングが100パーセント仕上がったら、最後に「意味と音の一体化」のシャドーイングで総仕上げをしてください。

高い英語力をもっている方や、テキストを読めば、ある程度、意味がつかめる方は、275ページの「上級向け勉強手順チャート」に従い、このまま、本章のシャドーイングの「音の仕込み」作業からページ順に勉強してください。

では、解散。「音と意味の一体化」作業で再集合しましょう。

```
一般コース　　→　230ページ「意味の仕込み」
　　　　　　　　　または
　　　　　　　　　226ページ「意味の力試し」

上級者コース　→　192ページ「音の仕込み」
```

サイクル 2
K/Hシステム英語勉強法
英語力のインフラがため

PART 2

第5章　音をつかむ
―聞き取り能力の個別強化―

5-1 「力試し」
5-2 自分にあった効率的な学習手順
5-3 「仕込み」
5-4 「体得」

第6章　意味をつかむ
―聞き取り能力の個別強化―

6-1 「力試し」
6-2 「仕込み」
6-3 「体得」

第7章　音と意味の一体化
―聞き取り能力の仕上げ―

第5章 音をつかむ―聞き取り能力の個別強化

5-3 「仕込み」

音をつかむ

1　サイクル2のシャドーイングの視点

サイクル1では、「英語の音とリズムの感覚」を身につけてもらうための、最も重要な基本的視点を紹介すると同時に、そのための訓練作業である<100%シャドーイング>を体験していただきました。くり返しになりますが、「100パーセント正確」を目指す視点で練習をしないと、現状の英語力の壁を打ち破れません。その心構えで、サイクル1でのシャドーイングに取り組んでいただけましたか？

「音とリズムの受け皿をつくる」ためのシャドーイングとしては、サイクル1の視点できちんとシャドーイングできるようになれば十分です。サイクル2でも、同じ視点でシャドーイング練習を行ってください。以下に紹介するサイクル2の視点は、今まで皆さんが行ってきた「音とリズムの受け皿をつくるシャドーイング」がさらに上手にできるようになるためのコツのようなものだと考えて、気軽に取り組んでください。そこまで余裕のない方は、サイクル1の基本的視点でさらに力をつけることをまず第一に考えて、サイクル2の教材のシャドーイングに取り組んでくださされば結構です。ここで、<100%シャドーイング>の目的と視点について、もう一度おさらいをしておきましょう。

<100%シャドーイング>の目的と視点

目的1　**英語の正しい音とリズムの体得**
1．必要のないところに、拍（ビート）を入れない！
2．拍の入るところは、音節のはじめの子音からストレスを入れる！
3．拍の入るところの母音は、たっぷりめに発音する！
4．拍の入らない母音は、あいまい母音になる！

目的 2	英語の「かたまり」の感覚の体得

　　1．意味の「かたまり」は、途中で切らずに一息で！
　　2．ひとつのメロディーのように、なめらかに音をつなげて！

　＜100％シャドーイング＞を目標にした勉強をすると、どうしても「ミスをしない」ことに重点をおいてしまいやすいので、単語を落とさずに追いかけられるようになることだけにとらわれて、近道をしてしまいがちです。皆さんはいかがでしたか？　その結果、スタッカートの「機関銃撃ち」のようなシャドーイングになってしまってはいませんか？　これでは、英語の音とリズムを身につけるというシャドーイングの目的のひとつが達成されません。また、スタッカートのようなシャドーイングにまではなっていなくとも、日本語的な英語に聞こえる方もいらっしゃるでしょう。そのような方のために、サイクル2では、英語的なスムーズな話し方を身につけるためのコツを紹介します。

　具体的には、サイクル1ではふれなかったネイティブスピーカーの「息つぎの頻度」を視点として、一歩進んだシャドーイングに挑戦していただこうと思います。また、息つぎとも関連して、すでにサイクル1でも少しふれましたが、ビートの入る音節の母音の相対的な長さについてももう少し詳しい説明をして、英語的なスムーズさの原点を理解していただこうと思います。以上の説明を行ったあとに、その注意点を書き入れたトランスクリプトを掲載しますので、それを参考にして、＜100％シャドーイング＞のための「仕込み」作業を行いましょう。

> **サイクル1で紹介した基本的視点でのシャドーイング練習を徹底したい方**
> このような方は、次の「英語的スムーズさを身につけるための、『息つぎ』の視点」を飛ばして、3の「仕込み作業」(p.197)に進み、「＜100％シャドーイング＞のための仕込み」にとりかかってください。もし、基本的視点でこのサイクル2のシャドーイングを仕上げたあとで、まだ余裕があると感じられたら、「息つぎの視点」を意識したシャドーイングにも挑戦してみましょう。

第5章 音をつかむ─聞き取り能力の個別強化

2　英語的なスムーズさを身につけるための「息つぎ」の視点

日本人英語学習者のシャドーイングにスムーズさがない原因のひとつは、「息つぎ」の頻度にあるようです。ネイティブのスピーチを分析してみると、かなり息が長く話されているのがわかります。「かたまり」意識があり、かつ、どんな構文をつくるかが先まで読めてしまっているので、息が長く話せるのです。われわれ日本人が思っているより、息つぎの回数がずっと少ないです。私たちも、今よりも少しは「息を長く」話すように意識して訓練をすると、「かたまり」で話す意識が非常に強化され、大きな構文パターンで文をとらえる感覚も強化されます。同時に、英語のビートやスムーズさの感覚がより身につきますので、少し余裕のある方は、ネイティブの「息の長さ」を意識したシャドーイングをしてみましょう。

まず、こうしたネイティブスピーカーの「息つぎの少ない」話し方と、自分のシャドーイングのリズムとの違いを実際に比較してみるため、次の作業をしてください。英語的な息の長いスムーズなリズムと比べることで、自分のシャドーイングの特徴と課題が、より明確に認識できると思います。

自分のシャドーイングの「息つぎ」頻度の認識

目的　　ネイティブと比べた、自分の「息つぎ」の現状認識

作業　　自分が行ったサイクル2のシャドーイング「力試し」の録音をもう一度聞いて、自分が「息つぎ」をしている個所を、202ページからの「音とリズムの仕込み用ワークシート」のトランスクリプトに書き込み、スピーカーの「息つぎ（vマーク）」の頻度と比較してみる。

息つぎの頻度を少なくすると、英語がスムーズになりやすい理由

1. ビートの数がより少なくなってくる

日本の英語学習者は、あまりにも頻繁に息つぎをしてしまうが故に、英語のリズムに乗ることができなくなってしまいます。英語のリズムとは、ビートの入る強い音節と、それに続く弱い音節群（母音があいまい母音で発音されてしまう音節群）を1ユニットとして、それがいくつも連なって構成されるものです。息つぎをしすぎると、常に息に余裕があるため、すべての音節に力を入れる日本語的なクセが出やすくなってしまいます。一息でより長く話すようにすると、息に前ほど余裕がありませんから、すべての音節に力を入れていられなくなってきます。ビートの入らない音節の力を抜かざるを得なくなるわけです。その結果、日本人が最も感覚をつかみにくい「力を抜く感覚」が、いやおうなしに身について、英語的なスムーズさが出てきます。ネイティブ・スピーカーのリズムや「かたまり」の感覚を知るうえでも、息つぎに注目してみるのは非常に参考になります。

2. ビートの入らない音節の長さが、自然に短くなってくる

サイクル1でも述べましたが、ビートの入る強い音節の長さと、それに続く弱い音節群の長さは、均等な長さではないのです。ストレスの入る音節は、母音をたっぷりめに発音するのでしたね。したがって、音節が長めになります。

☛ p.72 ［英語のビートは日本語よりもはるかに少ない］

ビートの入る強い音節は、月面で「タン！」と足で強く地面を蹴って（🦶）ピョ〜ンと飛び上がる感じでビートが入り、その音節の音を「たっぷ〜り」味わいながらそのまま空中を飛んでいる感じです。重力で落ちはじめた頃からビートの入らない後続の音節群が、「力が抜けた形でさらっさらっと」話されるのです。したがって、ビートの入る音節の方が、それに後続する音節群全体よりも相対的にたっぷり時間をとって発音されます。これが英語らしいリズムの大きな特徴です。息つぎの頻度を多くしてしまうと、どうしても息に余裕が出てしまうので、すべての音節を同等にたっぷりと発音してしまい、音節すべてが同じような長さと強さの日本語的リズムになってしまいがちです。息つぎの頻度を減らしてスピーカーにあわせると、息の余力があまりない

第5章 音をつかむ―聞き取り能力の個別強化

ので、ビートの入るたっぷりとした音節のあとの弱い音節群は、素早くさらっと発音せざるを得なくなります。こうすると、真に英語的な、スムーズな強弱のリズムと音に近づきます。

英語のビートの入る強い音節と、それ以外の音節の相対的長さの例
（I have to believe that this is quite challenging and frustrating...,）

I **ha**ve to be **lie**ve that this is **qui**te **cha**llenging and **fru**strating

COFFEE BREAK 05

超高度な英語力への飛躍
比較級や仮定法などのニュアンス豊かな英語表現を使いこなそう

多くの人にとって、比較級は単に「〜より…である」という杓子定規の理解で終わっていることが多いようです。実際は、遠回しに自分の意見を言ったり、言い切りを避けたり、カドがたたないように相手への配慮を示したりするときなどを含めて、非常によく使われる、ニュアンス豊かな表現なのです。比較級を有効に使えるかどうかは、仮定法（特に if 節を伴わない仮定法）の would、could、should などを上手に使えるかどうかと同様に、超高度な英語力の使い手となるための試金石のようです。一般論でのアドバイスになりますが、まずは、シャドーイングで、比較級や仮定法の存在に気づきましょう。その次に、なぜ、わざわざ、比較級や仮定法が使われているのかを考える作業をしてみるとよいでしょう。

3 仕込み作業

それでは＜100％シャドーイング＞のための「仕込み」作業に入りましょう。サイクル1の基本的視点で取り組む方は、「息つぎの視点」に関連する部分は無視して結構です。一般コースで、「意味」を仕上げた方は、意味の「かたまり」をしっかり意識して、できるだけ大きな「かたまり」で口がまわるようにリズムごと口慣らし練習をしておきます。上級者コースの方は「息つぎの視点」にも取り組む余裕がある人が多いでしょうから、スピーカーの息つぎ頻度も参考にして、できるだけ息長く複数の意味の「かたまり」を一息で言えるように、口慣らし練習をしておきます。

シャドーイングの「仕込み」作業

最終目標　100パーセント正確で、英語の音とリズムにも忠実なシャドーイングの基礎づくり

具体的目的

■英語の音とリズムの感覚を体得するための基本的視点（必須）

意味の側面（上級者コースのみ）
1. 英文を英文解釈的に正確に理解しておく

音の側面（一般コース／上級者コース）
2. 正しい音とビートをつかんで、慣れておく
3. 単語単位で切れ切れに話されるのではなく、「かたまり」でひとつの単語のように発音される感覚をつかんで、慣れておく

■英語的スムーズさを体得するための「息つぎ」の視点（オプション）

「息の長さ」をスピーカーに近づける

スピーカーの個性の部分もあるので、必ずしも息つぎの位置を合わせる必要はないが、少なくとも、大きな意味の「かたまり」は必ず一息でシャドーイングできるようにし、「息の長さ」を近づけるようにする。

範囲　第5パラグラフ〜第8パラグラフ　　CD 1-02

参照資料　238ページ「聞き取り用語句解説」／
199ページ「音とリズムの仕込み用ワークシート」

第5章 音をつかむ―聞き取り能力の個別強化

> **作業手順**

意味の側面　☛238ページ「聞き取り用語句解説」参照　（上級者コースのみ）

1. **語句解説の英文トランスクリプトの部分を見て、意味のわからない単語や表現があれば、訳や解説を見て確認しておく**
2. **構文を分析し、文の意味の「かたまり」を理解しておく**
   語句解説の英文に、意味の区切れを示す斜線(/)が入っているので、参考にするとよい。

音とリズムの側面　☛199ページ「音とリズムの仕込み用ワークシート」参照〔一般コース／上級者コース〕

3. **音とリズムの確認**
   次ページからのワークシートの解説を読んで、それらを頭に入れて、202ページからのトランスクリプトを見ながらCDを数回聞き、英語の音とビートの感覚を味わう。特に、ビートの数が日本語的な発音よりも少ないことを認識すること。

4. **「息つぎ」の工夫**
   ワークシートのスピーカーの息つぎのマークを参考に、自分も同じくらいの息の長さでシャドーイングができるよう、どこまでの「かたまり」を一息で言えるようにするかを決める。意味の「かたまり」としての区切りや組み合わせから見て、矛盾がないようにする。

5. **口慣らし部分練習**
   ワークシートの解説を参考にシャドーイングの力試しで落としてしまったところに特に重点をおいて、シャドーイングの下準備として口がまわるように部分練習する。CDもくり返し聞き、音やリズムを確かめながら練習する。192ページの「＜100%シャドーイング＞の目的と視点」のポイントを頭に入れて、特に、「かたまり」で一単語のようになっている部分を、自分でも一息で話せるようになるまで練習し、シャドーイングに備える。「息つぎ」の視点でも取り組んでいる人は、一息で言う目標のところまで、英語らしいリズムで、息つぎをせずにスムーズに言えるように、徹底的に口慣らし練習をする。

4　テキストでの音とリズムの仕込み

音とリズムの仕込み用ワークシート

202ページからのトランスクリプトと解説を参考に、英語の正しい音とリズムで<100%シャドーイング>ができるように、下準備として口慣らし練習をしてください。「力試し」で自分ができなかったところはもちろんのこと、特にスピーカーが「かたまり」で一息で言っているところは、自分も英語らしいリズムでスムーズに言えるまで、しっかりと部分練習しておきます。「息つぎ」の視点でも練習する方は、息を長く、複数の「かたまり」を一息でスムーズに言えるように練習します。CDもくり返し聞き、スピーカーの音とリズムをまねしながら練習しましょう。

CD1-02

基本ポイント

ポイント 1　「かたまり」把握　　　スラッシュ（／）　　下線

斜線（／）までが、それぞれ意味の「かたまり」で、一単語のように続けて発音される部分です。少なくとも斜線までの「かたまり」が一息で言えるように、口慣らし練習をしましょう。下線の入っているところは特に慣用的な表現です。一単語のつもりで覚えてしまえば、スピーキングにも生きてくるので、一石二鳥です。

ポイント 2　音のリエゾン

「かたまり」表現の中の単語同士は、語尾の子音と次の単語がリエゾン（連結）するので、それも意識して練習してみましょう。語尾の子音は、その音の「形」を舌と口で一瞬味わったら、音を出す責任はないのでしたね。その「形」から、そのまま次の音にいけばいいのです。

ポイント 3　部分練習　　　　　　　　　　　　　　　　　網かけ

シャドーイングできない単語は、必ず、それが含まれる意味の「かたまり」全体でビートをまねしながら口慣らし練習し、次に一文全体の練習をします。音の弱いところは、自分も上手に力を抜いて言えるとリズムがまねしやすくなります。

第5章 音をつかむ―聞き取り能力の個別強化

ポイント 4　細かい重要ポイント　　　　　　　　　　　　　　　　　網かけ

上級者は、細かい部分（音の弱い前置詞、冠詞、語尾など）に特に注意します。前述のように、こうした部分はニュアンスの面でもとても重要です。上級者は、こういう部分に注意することで、高度な英語感覚と聞き取り能力を目指します。

高度なポイント

ポイント 5　息つぎの間隔の長さに注目　　　　　　　　　　　　　　　　　V

スピーカーが息つぎしている個所にVのブレスマークを入れましたので、ネイティブの息つぎの頻度（息の長さ）を参考にして、「息つぎ」の少ないシャドーイングを目指してみましょう。

K/Hシステム Q&A 06

超高度な視点

Q スピーカーのスピーチの「息つぎ」の場所を分析してみると、K/Hシステムで意味の「かたまり」としてスラッシュの入っている区切りと違うところで入っていることがあるのですが、スピーカーの息つぎの場所までまねしてシャドーイングした方がよいでしょうか。

A すでに基本的な意味の「かたまり」感覚がついている方であれば、「このスピーカーが、どの部分で区切ったり、止まったりしながら話しているか」まで完璧にまねしてみると、より生の英語の感覚がつくでしょう。ただし、ここまで詳しくまねするとなると、スピーカーの個人差やその話の状況ゆえに、「意味の区切り」とずれて変則的に切っている部分までまねすることになるので、十分な注意も必要です。スピーカーは、根本的に意味の「かたまり」や構文などをすでに十分に把握しているわけで、非常に「大きな『かたまり』」で文をとらえています。その大きな「かたまり」の中で、ふと言葉を選ぶために立ち止まったりするため、意味の「かたまり」とズレたところで区切れたりする部分があるわけです。それをきちんと理解せずに、スピーカーの区切りだけをまねてシャドーイングすると、練習で養成しようとしている意味の「かたまり」の意識と食い違うところもあるために、混乱を招くことにもなります。超高度な英語力をもっていれば、なぜそこで区切ったかを理解できるので大丈夫でしょうが、そこまで英語力のない方の場合、基本的な意味の「かたまり」の意識に迷いが生じてしまうので逆にマイナスなこともあります。これを理解したうえで、超高度な視点として興味があれば分析して、まねしてみるとよいでしょう。それ以外は、ネイティブの人の「息の長さ」を学ぶ気持ちで参考にしていただければ十分です。

第5章 音をつかむ―聞き取り能力の個別強化

右のページのコメントを参考にしながら、口慣らしの練習をしてみましょう。

I have to believe that this is quite challenging and frustrating for human resource personnel from Japan who are trying to build and manage an American company.

This is why many American companies spend so much energy and effort in teaching managers how to manage people.

And this is also why they communicate the programs within that company that are benefits to (that...) that individual, and try to create a work environment that (is...) meets the needs of those people.

音をつかむ―聞き取り能力の個別強化　第5章

I have to believe that...

■ スピーカーは、that までをひとかたまりとして区切っていますが、that の前で区切ることもよくあります。

personnel

■ このアクセントの位置に注意。 per・son・nel となります。human resource personnel（人事担当者）で口慣らし練習をしておきます。

companies spend

■ ここは、語尾と次の s がリエゾンでひとつになる感じです。ただし、最初の s の形を「味わう」ぶん、-nie の音とspend の s の音が長めになる感じです。これで、ネイティブは複数の s が存在することを聞き取ります。

spend so much energy and effort

■ energy と effort は、セットで並ぶことが頻繁にある表現ですので、ひと「かたまり」で覚えましょう。その他、time and energy などがあります。

managers

■ 社内一般の話なので、複数形で話されていることに注意して、複数形の -sを落とさないように。

within that company / that are...

■ 特に、最後の that are を落としやすいので要注意。

individual

■ [i] の発音は、イとエの中間の音ですので、CDをよく聞いてネイティブと同じような音で発音するようにします。

create a work environment

■ 不定冠詞の a が、[ei] と発音されています。最近のアメリカでは、このように発音するのが普通であると感じている人も多いようです。

That can include things such as flexible time, whether that's a flexible lunch hour that allows a person to go and do their grocery shopping at lunchtime and take two hours, so that they don't have to do that in the evening when they go pick up their children.

Whether that allows for childcare facilities at their workplace. Whether that allows for a job-sharing kind of activity, where two people do one job and share that job.

For example, two people may want to work only part-time, and so they will both work 25 hours a week, and trade off after 25 hours.

can

■ 母音があいまい母音で話されるので、大変軽く［カヌ］のように発音されます。ただし、can が否定形で can't になると、この単語にアクセントがくるために can の本来の［æ］の発音になります。

whether that's a flexible lunch hour that allows a person to go and do their grocery shopping at lunchtime and take two hours,

■ この網かけ部分は、ほとんど息つぎもなく一気にしゃべっていますので、何回も部分練習しておくことが必要でしょう。まずは、「かたまり」ごとに仕上げて、それから長い「かたまり」で練習しましょう。

pick up ■ リエゾンすることに注意。

---

allows

■ ［アロウズ］と発音している人が、10人中8人はいますので注意。録音した自分のシャドーイングを聞いてみてください。正しくは、［アラウズ］です。

activity

■ 英語の activity の実際の音は、私たちが思っている音とかなりズレがあるようで、この単語を聞き取れない人が多いようです。[i] の発音が続くので難しいのかもしれませんね。この音は、日本語の［イ］と［エ］の中間の音でしたね。また、ビートの入らない母音はあいまい母音になるんでしたね。ですから、はじめの母音（activity）を、日本語的な［ア］で待っていると聞こえません。ストレスの入る音節の直前の母音なので、あいまい母音でもほとんど聞こえない感じの音になってしまいます。この説明をもとに、もう一度CDを聞きながら正しい発音を身につけてください。音の受け皿が正しくつくられていれば、英語の生の音を正しく聞き取れます。

where

■ where の前の単語を見てみると、ごく大まかに activity とだけ言っており、英語では「どんな activity のこと？」と、具体的な情報を待つのが「英語の文のつくり」としてごく自然な流れとなります。それを受けて、where（その activity の中では、どんなことが起こるかというと）となって説明が入るわけで、これはよく見られるパターンです。「英語のつくり」の発想順序からするとごく自然な感覚ですので、この側面（意味の側面のひとつ）を体得していると、この where は聞こえてくるでしょうし、シャドーイングでも落とすことは少ないでしょう。

■ only や both などの割り込みに慣れていないと、リズムが崩れてついていけなくなります。よく慣れて、一息で長く、スムーズにできるまで練習します。

That requires a lot of coordination. It's a lot of extra effort by the company to accommodate that.

But if you don't do that, then those people will leave and go to a place that does provide that type of accommodation.

And so it is changing dramatically in our country as well, but one of the key words currently being used a lot is the word "diversity."

And diversity primarily means that we are made up, in our companies, of a large number of people, with a large number of tastes, a large number of preferences, and we need to be sensitive to those and work within those requirements and still run a business. It's quite challenging.

■ この文は、最後の coordination だけしかシャドーイングできない人が多いようですが、これも文全体で「パターン表現」なので、リズムごと覚えてしまいましょう。

■ 余裕のある人は、母音発音の練習として［ɑ］の感覚をここで身につけてしまいましょう。lot、accommodate の［ɑ］の発音に注意して、同じ音でくり返して身につけます。口の力を抜いて、［オ］と言いながら、下あごをたっぷりと縦に開けて落とすと、たっぷりとした「ア」に近い音になります。problem、coffee、top、John、Tom、cop などすべてこの発音です。

But

■ 聞こえにくいようです。大変軽く発音されるのが普通です。新たな認識で but の発音を身につけてください。

if you don't do that, then

■ 慣用句で非常にリズミカルに言われるこのフレーズは、苦もなくできた人と全然できない人に分かれる傾向にあります。自分の現状の英語レベルを知るうえでよい指標になります。

■ 下線部は、よく使えるパターン表現ですので、一息で言えるようにしましょう。

diversity primarily means that...

■ 前述のものを受けてThis［That］means that...とくるのが基本形ですので、これも同時に覚えておくとよいでしょう。

a large number of people〔tastes; preferences〕

■ 単に a large number of ... で覚えるよりも、必ず後ろに名詞をつけて身につけるのがコツ。そうすれば、「後ろには複数形がきて -s がつく」という感覚まで自然と身につきます。ちなみに、感覚を身につけるというのは、それ以外の形で話したり、言われたりすると違和感を感じてしまう感覚になることです。

run a business

■ これは決まった言い方です。この組み合わせでなじんでいないために、てこずる人が多いようです。慣れておきましょう。

It's much easier to say, "You must be like this, this, this," and just run a business the way that you want to run a business.

So it is a challenge for managers in North America, to continue to operate and manage people who have so many different (uh) backgrounds. But it's also part of what our strength is. To have different perspectives, to have different input allows us to be able to make products that appeal to a larger number of people.

And in our business, we're trying to appeal to all of the United States, to a large number of people, so we take the diversity issue very seriously, and need to adjust our ways so that we can include all kinds of people in our planning and in our products.

音をつかむ―聞き取り能力の個別強化　第5章

■ このスピーカーは、こんなに長く息つぎをせずに話していますね。困りましたね……

(do something) the way that you want to ...

■ これも決まった表現ですので、速く話されています。多くの人がシャドーイングにてこずるところです。

■ 日本語的な発音になりやすい単語群がたくさんありますので要注意です。特に、ストレスの入る場所が違うので、日本語的な発音に慣れてしまっている人は英語の音を聞いて別の単語だと思ってしまうようです。177ページで例として挙げた challenge、managers、America、operate、manage、different、background がここに集まっています。ていねいに単語、「かたまり」、節、文単位で正しい発音とリズムで口がまわるように練習しましょう（子音から爆発するように強くストレスを入れ、他の部分はあいまい母音で弱く、速く発音するのでしたね）。

what our strength is

■ what X is は決まった言い方ですが、多くの人が慣れていないようです。また、what our や strength is の子音と母音のリエゾンがある点でもチャレンジングなのでしょう。

ブレスの個所　■　主語が長くなると、主語が終わり、動詞がはじまるところで息をつぐのもよくある現象です。

a larger number

■ 高度な英語力の持ち主でも、この比較級が正確にシャドーイングできないようです。

---

in our ...

■ our の前の in の [n] の発音に注意してみてください。リエゾンして、スピーカーのようななめらかな発音になっていますか？

第5章　音をつかむ―聞き取り能力の個別強化

COFFEE BREAK

06

子音の [n] の発音と
日本語の［ン］の大きな違い

多くの方のシャドーイングを聞いていて、英語らしく聞こえない典型的な理由のひとつは、英語の [n] の発音が、日本語の［ン］の発音になってしまっていることです。正しい英語の [n] の発音ができているか、それとも日本語の［ン］になっているかのチェックは簡単で、例えば、サイクル2の最後の部分の以下の英語を読んでみてください。

in our planning and in our products

in our の部分が、「インアワ」になっていますか。なっていたら、間違いですよ。正解は、「イ(ン)ナワ」のような感じで、こうなっていれば n が正しく発音されていることになります。[n] の音は、舌の先が上あごにつくことによって出る音です。舌の位置は、日本語の「ヌ」の音を出したときとほぼ同じです。そのため、その位置から次の単語の頭の母音を発音しようとすると、必ずリエゾンします。それゆえに、「インアワ」と発音されていたら、[n] の発音が正しく行われていないことが明白にわかるのです。

なぜ、[n] の発音に特にこだわるかと言いますと、この音は単語の語尾にくることが多く、そのため、n と次の単語とがリエゾンする場合が非常に多いからです。また、one of ～ のような決まった言いまわしなどにも多く含まれているので、英語の聞き取りや、スムーズなスピーキングのためにはとても重要です。

サイクル 2

K/Hシステム英語勉強法
英語力のインフラがため

PART 2

第5章　音をつかむ
―聞き取り能力の個別強化―

5-1 「力試し」
5-2 自分にあった効率的な学習手順
5-3 「仕込み」
5-4 「体得」

第6章　意味をつかむ
―聞き取り能力の個別強化―

6-1 「力試し」
6-2 「仕込み」
6-3 「体得」

第7章　音と意味の一体化
―聞き取り能力の仕上げ―

第5章 音をつかむ―聞き取り能力の個別強化

5-4 音をつかむ「体得」

1 ＜100%シャドーイング＞による「体得」作業

前セクションの「仕込み」作業で、シャドーイングの準備として口がまわらない表現の部分練習をしました。その結果、ひとかたまりで一挙に落としてしまう部分はなくなっていると思います。また、一般コースの方はもちろんのこと、上級者コースの方もすでにテキストの英文の意味は把握されていますね。この2つを土台に、このセクションでは「体得」のためのシャドーイング作業を行います。ここで＜100%シャドーイング＞による音の「体得」作業の目標を、もう一度おさらいしておきます。

＜100%シャドーイング＞の目標
1. 英語の音とリズムの正しい「受け皿」ができてきて、英語らしいリズムと音でスムーズにシャドーイングができる
2. 英語の「かたまり」の感覚がついてきて、英語が自然に「かたまり」で口から出てくるようになる

また、この作業で＜100%シャドーイング＞をしっかり仕上げて、負荷なくシャドーイングができる状態にしておくことが、最後の「音と意味の一体化」の作業を効果的に行うために不可欠でしたね。ぜひ、ていねいに取り組んで仕上げてください。

この「体得」作業で本当に効果を上げていただくための確認項目を、次のページにリストしました。これらの点に常に注意し、作業の目的と自分の改善課題をしっかりと意識して「体得」練習に取り組んでください。「体得」の作業は、明確な目的意識がないと、非常に退屈になってしまいがちです。セミナーでは、私たち講師が受講者に直接話せるので、正しい視点で作業するプレッシャーをかけやすいのですが、独りで本

に向かう自習の場合、どうしても「面倒くさく」なったり、「いい加減」になったりしてしまいがちです。例外もありますが、これが人間の性（さが）かもしれません。ということで、本当に皆さんに効果を感じてもらえるように、大切な点は何度も確認しますので、嫌がらないでくださいね。

体得作業を進めるうえでの確認項目

☐ **通勤・通学時間などを利用して、継続的に練習していますか？**
　身につける練習なので、継続して、最低3週間程度は練習します。一夜漬けで100パーセントできるようになっただけでは、身についたとは言えません。

☐ **練習だけでなく、少なくとも週に1回は自分のシャドーイングを録音して、どこができないかをチェックしていますか？**
　やりっぱなしの練習ではいけません。自分の英語の質を高めるには、ビジネス現場で言われる「PDCA ＝ Plan（計画）、Do（実行）、Check（課題の洗い出し）、Action（対策）」のサイクルで、確実に改善していくことが重要です。

☐ **チェックは、トランスクリプトと照らし合わせて厳密にしていますか？チェックが甘くなっていませんか？**
　厳密なチェックができること自体、意識して身につけなければならない能力です。しかし、これができるようになると、英語をていねいに見る姿勢が培われて、英語力強化の大きなバネになります。

☐ **ミスした部分を確実に改善できるように、部分練習をしていますか？**
　毎回、全体のシャドーイングばかりくり返していては、ミスはなかなか減らず、自分の弱点も矯正されません。課題の部分をていねいに克服することで、はじめて現在の自分の英語力の壁をブレイクスルーできます。

☐ **最後に、100パーセント正確にシャドーイングができるようになることに対してのコミットメント（何が何でも達成するという気持ち）をもってシャドーイングの「体得」練習をしていますか？**
　「シャドーイングをやっているのですが、効果があがらなくて……」と、私たちに質問にこられる方の中には、今までの「だいたいできれば、それでいい」という意識がどこか抜けないままK/Hシステムの勉強法に取り組んでしまっている方が多いようですよ。残念ながら、これではブレイクスルーは起こりにくいのですね。少ない量の教材でもいいのです。上記の4つのポイントを確実に行い、まずは「きちんと仕上げる」ことが大切です。

第5章 音をつかむ―聞き取り能力の個別強化

2 「体得」作業

このセクションでは、「ミスの個数」を減らす目標だけでなく、「音とリズムの感覚」についても目標を設定して上達の記録をつけてもらえるようにしました。これを利用して、ミスの個数だけにとらわれるのでなく、英語の自然な音とリズムの面での上達も味わいながら、楽しんで＜100％シャドーイング＞に取り組んでください。

継続のためのルール

（☞ 216ページ「プログレスシートによる『体得』練習の進度チェック」参照）
217ページの「進度チェックチャート」の項目に従って、「ミスの個数」と「音とリズムの感覚」の２つの観点から週に一度はシャドーイングのチェックを行い、結果を折込付録の「プログレスシート」に記録する。

それでは、実際の作業に入りましょう。

シャドーイングによる「体得」作業

目標	英語の正しい音とリズムの受け皿をつくり、英語の「かたまり」の感覚を身につけるために、テキストの英語を、正しい音とリズムで、なめらかにシャドーイングできるまで徹底練習
内容	＜100％シャドーイング＞ （シャドーイングのミスを9個以下に抑える）
範囲	第5パラグラフ～第8パラグラフ　CD 1-02
参照資料	220ページ「シャドーイング練習用トランスクリプト」

作業手順
■部分練習
1. まだできない部分は、抜き出して部分練習する
   できない部分こそ、英語力飛躍の種なのですから、少々できなくともあきらめずに。
   ［前セクションの「仕込み」の手順とポイントを参考に］

音をつかむ—聞き取り能力の個別強化　第5章

■ポイント練習

☞ [220ページ「シャドーイング練習用トランスクリプト」利用]
（＊詳しくは「シャドーイング練習用トランスクリプト」の解説を参照）

2. **英語のビート（拍）を強調しながら、シャドーイング**
   ① トランスクリプトのリズム波形を見ながら（3回）
   ② 何も見ずに、ビートを意識してシャドーイング練習（3回以上）

3. **拍の入る音節のはじめの子音から、強くストレスを入れる**
   ① トランスクリプトの太文字を参考にシャドーイング（3回）
   ② 何も見ずに、ビートの入る音節の子音からストレスを強く入れることを意識してシャドーイング練習（3回以上）

4. **拍の入る音節の母音を、正確に、かつたっぷりめに発音する**
   ① トランスクリプトの網かけ文字を参考にシャドーイング（3回）
   ② 何も見ずに、ビートの入る音節の母音をたっぷりめに発音する意識でシャドーイング練習（3回以上）

5. **拍の入らない音節の母音を、力を抜いてあいまい母音で発音する**
   ① トランスクリプトを見ながらシャドーイング（3回）
   ② 何も見ずに、ビートの入らない音節の母音は、すべて軽くあいまい母音で発音する意識でシャドーイング練習（3回以上）

6. **単語間の音のリエゾンに注意して、スムーズにシャドーイング**
   ① トランスクリプトのリエゾン記号を参考にシャドーイング（3回）
   ② 何も見ずに、リエゾンの部分をスムーズにつなげる意識でシャドーイング（3回以上）
   ＊全体シャドーイングで自然にできてくるので、こればかりをむきになってやる必要はない。

7. **意味の「かたまり」を意識して、そこまでをスムーズに一息で発音する**
   ① トランスクリプトのスラッシュを参考にシャドーイング（3回）
   ② 何も見ずに、意味の「かたまり」を、スムーズに一息で言う意識でシャドーイング練習（3回以上）
   ＊「息つぎ」の視点で練習している人は、できるだけ息を長く。

■仕上げ練習

☞ [220ページ「シャドーイング練習用トランスクリプト」利用]

8. **上記の各ポイントに注意し、ミスが9個以下になるまで徹底練習**

第5章 音をつかむ―聞き取り能力の個別強化

3 プログレスシートによる「体得」練習の進度チェック

作業の手順
サイクル1と同様に、まずポイント練習で、英語の音とリズムの特徴にひとつずつフォーカスして練習します。それぞれのポイントがかたまってきたら、仕上げ練習として、普通のシャドーイングで100パーセント正確にできるようになるまで何十回、何百回とくり返し練習します。これが、くり返しによる「体得」です。できない部分は、何度でも部分練習やポイント練習に戻って対策を打つことを忘れずに。

「体得」練習 進度チェックチャートの利用法
より総合的に上達が確認できるよう、「個数」と「音とリズムの感覚」の両面での総合的な上達を記録できる進度チェックチャートを次ページに用意しました。項目1～4の「ミスの個数」では、自分のミスがどこまで絞り込めてきたかをチェックしてください。項目5～10の「音とリズムの感覚」の課題項目は、ミスの個数とともに折込付録のプログレスシートにも上達を記録できるようにしてあります。週に一度はシャドーイングを録音して、下記の「記入方法」に従って、記録してください。

記入方法： プログレスシートの右上の小さなボックスに、シャドーイングの総合力を記録します。縦軸には、シャドーイングでミスした単語の個数を取ります。横軸には、「シャドーイングの音とリズムのチェック項目」(項目5～10) でまだうまくできない項目の個数をとります。その2つをプロット（座標上で交差）した位置が、その時点でのシャドーイングの総合力です。3週間、同じボックスに毎週シャドーイング結果をプロットしてみてください。次第に左下に近づけば、「個数、質ともに」力がついている証拠です。

K/Hシステム「体得」練習　進度チェックチャート

<100%シャドーイング>のチェック項目		Week 1	Week 2	Week 3
1	文字を見ればわかるが、音として聞き分けられない [英語の音感の基礎]			
2	「かたまり」でスポッと落としてしまう [英語の基礎体力]			
3	in などの前置詞や、and / or などの接続詞を落としやすい [英語の「構文力」]			
4	the や a などの冠詞や、複数形と三単現の -s、過去形の -ed などを落としやすい [語感・ニュアンスをつかむ力]			
シャドーイングの音とリズムのチェック項目		Week 1	Week 2	Week 3
5	英語のビート（拍）を強調しながら、シャドーイングできている			
6	拍の入る音節のはじめの子音から、強くストレスを入れている			
7	拍の入る音節の母音を、正確にかつたっぷりめに発音している			
8	拍の入らない母音を、力を抜いてあいまい母音で発音している			
9	単語間のリエゾン、特に子音と母音のリエゾンができている			
10	意味の「かたまり」をスムーズに一息で発音している			

毎週一度、シャドーイングをチェックして、よくできたところには○、もう少しの場合は△、まだまだの場合は×のマークを記入してください。

100パーセント正確で、かつ、音とリズムの正しいシャドーイングができるように、このチェックチャートを参考にしてシャドーイングの総合的な上達を確認し、プログレスシートに記録してください。

第5章 音をつかむ―聞き取り能力の個別強化

4 ＜100％シャドーイング＞のポイント練習

シャドーイング練習用トランスクリプト

サイクル1と同様、英語の正しい音とリズムの感覚と、英語の「かたまり」の感覚を身につけるために、各練習ポイントに別個に焦点を当てた強化練習をします。勉強手順に従って、トランスクリプト上の該当する印とアドバイスを参考に、ポイント攻略のシャドーイング練習を行ってください。

該当するトランスクリプト上の印と、ポイント攻略のためのアドバイス

■英語のビートを強調しながら、シャドーイング

ビートがくるところで机を手でたたきながらやってみましょう。ビート（拍）の入るべきでないところにまですべてビートが入って、日本語のような単調なリズムになってしまわないようにすることがポイントです。

■拍の入る音節の最初の子音から、強くストレスを入れる

太文字

英語のリズムに「切れ味」が出るようになる、最も大切な練習でしたね。子音から強くストレスを入れるときに、机を手でたたいたり、体をリズムにあわせて動かすなどして、少々大げさなくらいにリズミカルに練習します。

■拍の入る音節の母音を、正確に、かつたっぷりめに発音する

網かけ文字

母音に力を入れるのではありません。子音から強く爆発した音節の母音の余韻を、少したっぷりめに楽しむ感じです。母音をたっぷりめに味わいながら発音するためには、その直後に速く話される単語群をすらっと発音できる余裕が必要です。その余裕がないと、後ろが追いつけなくなるという心理的プレッシャーから、たっぷりめに発音すべき母音をどうしても慌てて短く発音してしまいがちになります。これでは、英語的なリズムと発音にはいつまでたってもなりません。

■拍の入らない音節の母音を、力を抜いてあいまい母音で発音する

マークなし

ストレスを強く入れることも大切ですが、いかに拍のないところの力を抜いて発音できるかが大切でしたね。「機関銃撃ち」のシャドーイングになってしまわないように、拍の入らない音節は上手に力を抜いて、なめらかにさっと素早く発音します。

■「かたまり」の中で単語の間がリエゾンするところは、なめらかにつなぐ

特に、子音と母音がリエゾンするものについては、ここで体得しておきましょう。語尾の子音は、その音の口の形をすれば、あとは音を出す必要はないのでしたね。その口の形を一瞬味わったら、その形からそのまま次の単語を発音すればよいのです。リエゾンの感覚がついてくると、聞き取りでの聞き間違えや勘違いが減ってきます。
☛ より詳しい説明は、223ページ「K/HシステムQ&A―07」も参照

■意味の「かたまり」を意識して、そこまでをスムーズに一息で発音する

スラッシュ（／）

スピーカーが考えながら話しているために、意味の「かたまり」の途中でポーズが入っているところもありますが、基本的には意味の「かたまり」は一息でなめらかに言えるようにします。「息つぎ」の視点でも練習する人は、できるだけ複数の意味の「かたまり」を単位として一息でできるように、少しずつ息つぎを減らして、英語をより大きくとらえて息を長くシャドーイングできるように練習します。

＜100％シャドーイング＞ができるようになるまで、何度もシャドーイングの自己チェックをします。そのため、シャドーイング練習用トランスクリプトは、自分で何枚もコピーをつくっておくことをお勧めします。

第5章 音をつかむ―聞き取り能力の個別強化

サイクル2 Transcript　シャドーイング練習用トランスクリプト

I have to believe that this is quite challenging and frustrating for human resource personnel from Japan who are trying to build and manage an American company. This is why many American companies spend so much energy and effort in teaching managers how to manage people. And this is also why they communicate the programs within that company that are benefits to (that...) that individual, and try to create a work environment that (is...) meets the needs of those people.

That can include things such as flexible time, whether that's a flexible lunch hour that allows a person to go and do their grocery shopping at lunchtime and take two hours, so that they don't have to do that in the evening when they go pick up their children. Whether that allows for childcare facilities at their workplace. Whether that allows for a job-sharing kind of activity, where two people do one job and share that job. For example, two people may want to work only part-time, and so they will both work 25 hours a week, and trade off after 25 hours. That requires a lot of coordination. It's a lot of extra effort by the company to accommodate that. But if you don't do that, then those people will leave and go to a place that does provide that type of accommodation.

And so it is changing dramatically in our country as well, but one of the key words currently being used a lot is the word "diversity." And diversity primarily means that we are made up, in our companies, of a large number of people, with a large number of tastes, a large number of preferences, and we need to be sensitive to those and work within those requirements and still run a business. It's quite challenging. It's much easier to say, "You must be like this, this, this," and just run a business the way that you want to run a business.

So it is a challenge for managers in North America to continue to operate and manage people who have so many different (uh)

第5章 音をつかむ―聞き取り能力の個別強化

backgrounds. // But it's also part of / what our strength is. // To have different perspectives, / to have different input / allows us to be able to make products / that appeal to a larger number of people. // And in our business, / we're trying to appeal to all of the United States, / to a large number of people, / so we take the diversity issue very seriously, / and need to adjust our ways / so that we can include all kinds of people / in our planning and in our products. //

K/Hシステム Q&A 07

Q シャドーイングをしていて、どうしても単語ごとにブチブチと切れた感じになってスムーズにいきません。そのためか、リズムにも乗れず、スピーカーに追いつけません。何がいけないのでしょう。

A 単語ごとにブチブチと切れる感じになる人の多くは、語尾の子音の発音の仕方に問題があるようです。単語ごとに、語尾の子音まで力を入れてはっきり音が聞こえるように発音していませんか？ 語尾の子音については、以下のように考えてください。

> 単語の語尾の子音は、舌をその子音を発音する正しい位置にきちんともっていけば、それで責任は終わり。音としてしっかり発音する必要はありません。

後ろにすぐに他の単語がこないときには、自然に息がもれて音が「出てしまう」感じで音が聞こえます。しかし、他の単語が後ろにつながってきているときには、特に強調しているのでないかぎり、語尾の子音をわざわざ発音する責任はありません。ただし、音は出さなくとも、必ず、舌と口の位置は正しい位置にもっていく必要があります。正しい位置にもってきて、そこでほんの一瞬止めて味わう感じです。その位置から、そのまま次の音にいくと自然にリエゾンが生じます。これが語尾の子音の発音なのです。

人によっては、日本語の音感覚で、子音の後ろに母音らしきものをつけないと、その子音を言った気になれないと感じるようです。特に過去形の -ed や and などは、「……ドォ」と力をこめて言ってしまう人が多いですね。これを続けていては大きなハンディキャップになってしまいます。そんな英語の音韻は存在しないのですから、自分の英語の音のクセを直すしかありません。ただ、あまり気にしすぎると逆に身動きがとれなくなるように感じるかもしれません。まずは自分がシャドーイングで特に苦労しているところに絞って挑戦するなどして、少しずつ、気長に感覚をつかんでいってください。シャドーイングをやりこんでいくことで、自然にできてくるところも多いはずです。

語尾の子音の発音が正しくできるようになると、次のような面で話す英語がスムーズになり、かつ、音の聞き取りも正確になります。

1. あとにくる単語が母音ではじまる場合に、自然とリエゾンしてしまう

次の単語が母音ではじまる場合、語尾の子音の口の形からそのまま次の母音の発音に移るわけです。したがって、自然に、語尾の子音とあとの単語の母音とが結びついて、ひとつの音節のように発音されてしまいます。

「かたまり」表現の中であれば、一息で話されているので、ほぼ間違いなくこのリエゾンが起こります。例えば、That requires a lot of coordination. であれば、requires a や lot of などが、requires a lot of のように 部分でリエゾンして、「requireズア」や「lo(t) トアヴ」となり、「ザ」や「タブ」のように聞こえることになります。もし、シャドーイングを聞いてみて自分の音がそうなっていなければ、語尾の子音の発音の仕方を練習してみてください。

2. あとにくる単語が子音ではじまる場合は、語尾の子音の正しい口の形にして、そのままあとにくる子音を発音する

大切な点は、聞こえなくとも、きちんと舌と口を正しい位置にもっていくことです。そのときのほんの少しのポーズで、「聞こえない」音をネイティブは感じるのです。その子音が発音されたような感覚でネイティブは聞き取っているのです。逆に言うと、自分でこの感じで発音ができるようになると、聞き取りのときにこの微妙な部分がわかってくるので、複数形の -s、過去形の -ed、冠詞の a や the などが明確に聞き分けられるようになります。

この発音の中でも特に難しいのが、同じ子音が重なったときです。例えば、But if for some reasons、may want to などですが、これも、まずはじめの子音のために、きちんと舌と口を正しい位置にもっていき、ほんの一瞬その形を味わい、それから次の同じ子音を発音するのです。決して、はじめの子音で、息を強く出して音を出そうとしてはなりません。それをしてしまうと、ほぼ間違いなく英語のリズムが狂ってしまいます。

サイクル 2

K/Hシステム英語勉強法
英語力のインフラがため

PART 2

第5章　音をつかむ
―聞き取り能力の個別強化―

5-1 「力試し」
5-2 自分にあった効率的な学習手順
5-3 「仕込み」
5-4 「体得」

第6章　意味をつかむ
―聞き取り能力の個別強化―

6-1 「力試し」
6-2 「仕込み」
6-3 「体得」

第7章　音と意味の一体化
―聞き取り能力の仕上げ―

第6章 意味をつかむ——聞き取り能力の個別強化

6-1 意味をつかむ「力試し」

英語の意味をつかむ力

それでは、英語の「意味をつかむ力」に焦点を当てた「力試し」の作業に入ります。

一般コースの方は、この作業はオプションです。特に「力試し」をしてみたいというのでなければ、意味の「仕込み」に進んでください。語句解説を参考にして、しっかりと英語の意味を把握して、「体得」まで仕上げたうえで、<100%シャドーイング>に取り組んでください。

上級者コースの方は、ここで一度自分の理解を確認しておくことをお勧めします。特にニュアンスや時制など、細かいポイントについての理解は、本人でも間違いに気づかないことが多いものです。きちんと録音して理解をていねいに確認し、自分の弱点を知ることが、大きな飛躍のきっかけになる場合がよくあります。

現状把握作業「英語の意味をつかむ力」

目的	「英語の意味をつかむ」聞き取り能力の現状分析
内容	CDを聞き、自分の理解した意味を確認
範囲	第5パラグラフ〜第8パラグラフ　**CD 1-02**

作業手順　意味とりに挑戦
1. CDの英文を1、2文聞いたら、そこで止める
2. 聞いて理解したことを、2、3秒で一度、頭の中で整理する
3. 自分なりに整理した内容を、自分の言葉で口に出して説明してみる
4. この作業を各文ごとにくり返す（自分の声を必ず録音しておく）

意味をつかむ──聞き取り能力の個別強化　第6章

第2サイクルでは、「現状把握のチェック」と「意味の仕込み」を、同時に行う形で進みます。このまま次のセクションに進み、自分の意味の理解を確認しながら、語句解説を参考に、より正確で実戦的な意味のとらえ方を学んでください。

COFFEE BREAK 07

自己チェックの難しさと、英語力の伸びについて

前にもふれましたが、自分のパフォーマンスを「厳しく」チェックするのは、実は、大変難しいことです。私たちのセミナーや通信講座でも、各参加者の自己チェックの結果と私どもスタッフによるチェックを比較すると、自己チェックによるミスの個数より、実際のミスの個数が1.5倍から2倍程度多いのが一般的だというのは、前述のとおり。

おそらく、その原因は、例えば、過去形や現在形といった「時制の概念」や、単数複数などの「数の概念」、日本語にはなじまない「冠詞の概念」などについて、ほとんど意識しないまま英語にふれてきていたために、シャドーイングのチェックの際にも、その視点が欠けてしまうといったことがあると思います。「意味」についても同様で、自分の意識になかった視点については、チェックが甘くなりがちです。例えば、時制は何か、どこまでが台詞の引用カッコの中か、または、thought や discovered などの主節の動詞が長い目的節をとるような場合、どこまでが目的節か、などについての意識は特に希薄になりがちです。自分の意識にあまりなかった視点というのは、逆に今後の英語力の飛躍のための大切なポイントになる可能性があるので、「しっかり見つけるぞ！」という前向きな視点で厳しく探してみましょう。

また、言うまでもないのですが、自己チェックは飛躍のためのきっかけ探しなのですから、パフォーマンスの善しあしにこだわり過ぎて自分に甘くならないように。「改善へのきっかけ探し」の視点で、「見つけ得！」と考えて、「あいまいなところ」や「中途半端なところ」はどんどん積極的にひろっていきましょう。

ていねいに、厳しい視点で自己チェックができる力は、英語を正確に身につけ、問題点を確実に克服し、着実に力を伸ばすための大切な牽引力のひとつになります。

サイクル 2

K/Hシステム英語勉強法
英語力のインフラがため

PART 2

第5章　音をつかむ
―聞き取り能力の個別強化―

5-1「力試し」
5-2　自分にあった効率的な学習手順
5-3「仕込み」
5-4「体得」

第6章　意味をつかむ
―聞き取り能力の個別強化―

6-1「力試し」
6-2「仕込み」
6-3「体得」

第7章　音と意味の一体化
―聞き取り能力の仕上げ―

6-2 意味をつかむ「仕込み」

1　聞き取りの「正しいフォーム」の強化

サイクル2では、サイクル1で学んだ実戦で生きる「正しい聞き取りのフォーム」が、さらによく身につくように練習します。まず、もう一度重要ポイントの復習をしておきましょう。実戦的な「聞き取りのフォーム」の4つのポイントを覚えていますか？「構文を常に追いながら、文の切れ目を見抜き、文頭から意味の『かたまり』ごとに、意味を正確につなぎながら、自分になじんだ言葉やイメージで聞き取っていく」というのが、聞き取りの「正しいフォーム」でした。

実戦的な「聞き取りのフォーム」の4つのポイント

ポイント1	常に構文を意識しながら、
ポイント2	英語をより大きな「かたまり」で、
ポイント3	やまと言葉（またはイメージ）にリンクさせて、
ポイント4	できるだけ文頭から、聞き取っていく

すでに実感されている方も多いかと思いますが、そうした理想の聞き方が楽にできるようになるうえで重要な力となるのが、英語の文のつくりに慣れ、構文パターンの受け皿をたくさん身につけることです。この力がつけばつくほど、文全体の流れをある程度読みながら聞き進むことができるため、文頭から意味をつかみながら、余裕をもって文全体の意味を理解できるようになってきます。

そこで、このサイクル2では、英語の文のつくりに慣れ、文頭から意味をつかんでいく感覚をより強化していただくために、新たに、「合いの手（あいのて）入り聞き取り法」という作業も加えました。

合いの手入り聞き取り法

この方法は、「概→詳」へと情報が加わっていく、日本語と異なる英語の「文のつくり」を感覚としてつかむために、文の区切りごとに「合いの手」を入れて聞き進む方法です。「『合いの手』っていったい何のこと？」と思われたかもしれませんね。まさにこの「疑問の投げかけ」が、構文聞き取りの「合いの手」のことです。前にも述べたように、英語には、「より詳しい情報が後ろから付け加わっていく」という特徴があります。第3章で出てきた、以下の文を覚えていますか？ 下の例で、カラーの文字で入っている日本語が、次に加わる情報を先読みした「合いの手」になっています。見ていただけるとわかりますが、「相手の言っていることには簡単には納得しないぞ」といった具合で、なんだかちょっと性悪になって、「何がぁ？」「いつぅ？」「なんでぇ？」「で、それがどうしたってんだい？」とつっこむと、「答えてくれる」といった感じなんですね、英語の文というのは。

Let me talk
　何について？　　　about the confusion that happens
　　何についての confusion ?　　with regards to Americans
　　　どういうアメリカ人？　　　going from one company to another company.

And the idea
　どういう idea ?　　that you could ─ go to work for one company
　　　　　　　　　　　　　　　　└ and stay there
　　　　　　　　　　　　どれだけ？　　for an entire work lifetime
　で、この idea がどうした？　continued to be a popular notion.

もちろん、いろいろな構文があり、すべてがこれで割り切れるわけではありませんが、この感覚を基本としてもっておいて英文を聞き、英文に慣れておくと、かなり聞き取りが楽になってきます。

第6章　意味をつかむ──聞き取り能力の個別強化

こうした感覚に慣れていただくために、英文トランスクリプトに前頁のような「合いの手」を入れたもの（「合いの手入り立体トランスクリプト」）を語句解説に追加して入れましたので、参考にして、英文のつくりを味わってください。そして、次のセクションの「体得」作業では、文の「かたまり」ごとに「合いの手」を入れたCDトラックを使って、聞き取りでも同様の練習をします。

---

advice 12

英語の文のつくりの感覚

日本人でも、知らずに「英語の語順」で話す場面があるものです。なんだか焦っていたり、無我夢中で相手に何かを伝えようと慌てているようなときです。とにかく結論から言ってしまって、説明があと回しになって、「逆順」のように話しているときがあります。例えば、前頁の2つの文なら、「ちょっと説明したいのが、あの、ほら、よくどうしてかな、ってわからなくなることあるじゃないですか、アメリカ人ってさ、どうしてあんなに会社転々とするのかなってね」とか、「で、考え方としてですね、ひとつの会社に入ってそこにいられるっていうのはですねえ、しかも社会人として働いてる間ずっといられるっていうのはですねえ、これ、結構、ず〜っと人気のある考え方だったわけですよ」といった感じでしょうか。そういうときってありますよね、だれしも、こういう話し方っていうか、まあ、日本語としては「正しくない」話し方に、なってしまっているときって！

意味をつかむ——聞き取り能力の個別強化　第6章

2　実戦的な聞き取りのポイントとステップ

サイクル1で学んだ、聞き取りの正しいフォームの4つのポイントと、聞き取り練習のステップをもう一度思い出してくださいね。

ステップ1　まず、文の大きな切れ目（意味の「かたまり」）を見抜く。

　　ポイント1　構文を常に意識して、
　　ポイント2　英語を大きな「かたまり」で、

―――――/―――/―――/―――――.//

ステップ2　それぞれの「かたまり」の意味を、やまと言葉でさっとつかむ。

　　ポイント3　やまと言葉にリンクさせて、

◯◯◯◯◯/◯◯◯/◯◯◯/◯◯◯◯◯.//

ステップ3　構文を見抜き、それぞれの「かたまり」の関係を正確につなぐ。

　　ポイント4　できるだけ文頭から聞き取っていく。

◯◯◯◯◯/◯◯◯/◯◯◯/◯◯◯◯◯.//

それでは、サイクル1のコツを思い出して、実際の仕込み作業に挑戦してください。英文はサイクル1の続きです。サイクル1の話の流れをおさらいしておくとよいですよ。

第6章 意味をつかむ──聞き取り能力の個別強化

3　意味をつかむ力の仕込み

上級者コースの方は、前のセクションでやった「力試し」のチェックから入ります。
一般コースの方で「力試し」をやらなかった方は、「力試し」のチェックの手順は飛ばして、実際の「仕込み」作業から入ってください。

仕込み作業「英語の意味をつかむ力」

目的	「正しいフォーム」で英語の意味をつかむための仕込み作業
内容	語句解説を参考に、机上で、英語の聞き取り方を工夫
範囲	第5パラグラフ～第8パラグラフ
参照資料	235ページ「聞き取り用トランスクリプト」／238ページ「聞き取り用語句解説」

「力試し」チェック 作業手順

1. **自分の理解を録音したものを聞き、語句解説を見て確認**
   語句解説を読み、ニュアンスまで正しく理解していたか確認。「合いの手入り立体トランスクリプト」で、文の構造が、聞きながら、正確につかめていたかも確認。

「仕込み」作業手順

2. **ステップ1**
   スラッシュ・リーディングで文の意味の切れ目を見抜く
   トランスクリプトを見て、文の意味の切れ目で斜線を入れる。そのあとで、語句解説の「合いの手入り立体トランスクリプト」で文の構造（構文）を確認。

3. **ステップ2**
   「かたまり」ごとに、やまと言葉でさっと意味がつかめるように工夫
   語句解説を参考に、できるかぎり「やまと言葉」で、文頭から意味をつかんでいけるように、自分なりの工夫をしておく。

4. **ステップ3**
   「かたまり」を正確につなぎながら文全体を聞き取れるように工夫
   「合いの手入り立体トランスクリプト」なども参考に構文をもう一度確認して、音で流れてきたときに、「かたまり」の関係を正しくつなぎながら、文頭からスムーズに意味をつかんでいけるように、最終的な確認と工夫をする。

サイクル2 Transcript　聞き取り用トランスクリプト

I have to believe that this is quite challenging and frustrating for human resource personnel from Japan who are trying to build and manage an American company. This is why many American companies spend so much energy and effort in teaching managers how to manage people. And this is also why they communicate the programs within that company that are benefits to (that...) that individual, and try to create a work environment that (is...) meets the needs of those people.

That can include things such as flexible time, whether that's a flexible lunch hour that allows a person to go and do their grocery shopping at lunchtime and take two hours, so that they don't have to do that in the evening when they go pick up their children. Whether that allows for childcare facilities at their workplace. Whether that allows for a job-sharing kind of activity, where two people do one job and share that job. For example, two people may want to work only part-time, and so they will both work 25 hours a week, and trade off after 25 hours. That requires a lot of coordination. It's a lot of extra effort by the company to accommodate that. But if you don't do that, then those people will leave and go to a place that does provide that type of accommodation.

And so it is changing dramatically in our country as well, but one of the key words currently being used a lot is the word "diversity." And diversity primarily means that we are made up, in our companies, of a large number of people, with a large number of tastes, a large number of preferences, and we need to be sensitive to those and work within those requirements and still run a business. It's quite challenging. It's much easier to say, "You must be like this, this, this," and just run a business the way that you want to run a business.

So it is a challenge for managers in North America to continue to operate and manage people who have so many different (uh) backgrounds. But it's also part of what our strength is. To have different perspectives, to have different input allows us to be able to make products that appeal to a larger number of people. And in our business, we're trying to appeal to all of the United States, to a large number of people, so we take the diversity issue very seriously, and need to adjust our ways so that we can include all kinds of people in our planning and in our products.

第6章 意味をつかむ──聞き取り能力の個別強化

サイクル2　聞き取り用語句解説

やまと言葉	さっと意味がとれてイメージが頭に残るためには、やまと言葉的理解ができるように。
パターン表現	この表現は一種のパターンで、似たようなバリエーションでたくさん使われています。リズムごと覚えてしまうと、特に効果的です。
パターン構文	文の構造自体が一種のパターンで、似たような構造の文にたくさん出会います。
4つのポイント	囲みの中の英文について、「正しい聞き取りの4つのポイント」（構文の意識、「かたまり」意識、やまと言葉落とし、文頭からの理解）が、それぞれできるようになったかを確認してチェックを入れながら進んでいきましょう。

I have to believe / that this is quite challenging and frustrating / for human resource personnel from Japan / who are trying to build and manage an American company. //

ですから、これはかなり大変でイライラすることだろうと思いますね。日本からきた人事担当の方で、アメリカで会社を設立し、経営していこうとしている人にとっては、きっと大変でイライラさせられることでしょうね。

```
I have to believe
    何て？   that 『 this is quite ─ challenging
                              └ and frustrating
            だれにとって？  for human resource personnel
                                    どこの？   from Japan
        どういう HR personnel ?  who are trying to ─ build
                                                  └ and manage
                                    何を？   an American company. 』
```

意味をつかむ――聞き取り能力の個別強化　第6章

4つのポイント　　□構文意識　□「かたまり」意識　□やまと言葉　□文頭から

I have to believe that ...　…と思わざるを得ない

やまと言葉　直訳的には「…と信じなければならない」という意味ですね。have to の語感は、「自分の好き嫌い、カン、そうしたいかどうか、などに一切無関係に、…しないとならない」というものです。そのため、この文脈では「せざるを得ない」という意味になります。ここでは、I strongly believe ... と同じように理解して大丈夫でしょう。または、日本語の自然な言いまわしだと「きっと…に違いないと思う」という感じに相当します。

frustrating　イライラさせられる、焦燥感をいだかせられる

辞書を引くとなぜか「挫折感を与える」となっていたりしますが、「挫折感」よりは「(何度やっても事がうまくいかないときに感じるような) 欲求不満やイライラや焦燥感」の方が当たっているでしょう。つまり、まだあきらめていない感じです。自分がイライラしている場合は、受け身形で I am frustrated となりますので、注意してください。

human resource personnel　人的資源担当者、人事担当者

personnel（社員）は personal（個人的な）と混同しないように。personnel と personal と、発音もはっきり区別して身につけておきましょう。

昔はいわゆる人事部を Personnel Department と言っていましたが、人事の問題をより広く認識して、社員を「会社の資源（human resources）」と考え、いわゆる人事管理（個々の社員についての個別管理――採用・配置・人事考課その他）に加えて、労務管理（社員の集団的管理――賃金・労働時間などの労働条件一般、労使関係、福利厚生など）、さらには人材開発（教育訓練、キャリア開発など）なども含めて総合的に扱っていこうという考え方が一般的になって、Human Resources Department という語が定着しています。アメリカの会社では、人事部門を略称でHRと呼んだりします。human resources と単独で使うときは -s を付けます。

第6章 意味をつかむ──聞き取り能力の個別強化

This is why / many American companies spend so much energy and effort / in teaching managers / how to manage people. // And this is also why / they communicate the programs within that company / that are benefits to (that...) that individual, / and try to create a work environment / that (is...) meets the needs of those people. //

だからこそ、アメリカの企業もあれほどのエネルギーと努力を費やして、マネジャーたちに社員の管理の仕方を教育しているんですね。また、同じ理由から、社員個人にとって有益な社内の制度の情報を提供したり、こうした社員たちのニーズに対応できる職場環境を確立しようとしているわけです。

This is why
「それが理由で」、何なの？
『 many American companies
　が、どうするの？　spend so much ─ energy
　　　　　　　　　　　　　　　　　 └ and effort
　　何をするのに？　in teaching managers
　　　　「教える」って、何を？　「 how to manage people 」. 』

And this is also why
「同じ理由で」、何なの？
『 they ─ communicate
　　　　何を？　the programs within that company
　　　　　具体的に、どんな？　that are benefits to that individual
　　　└ and try to create a work environment
　　　　　具体的に、どんな？　that meets the needs of those people. 』

４つのポイント　　□構文意識　□「かたまり」意識　□やまと言葉　□文頭から

This is why ... まさにそれゆえに…、だからこそ、それが理由で

　　　　パターン表現　　前述（p.148）のThat's why ... と同様、前に述べたことを

that で受けて、「だからこそ…なんですよ」と言うときの決まった表現です。さらに言うと、ここでのように、This is why ... ときたあとで、And this is also why ～ と追っかけて、同じ理由から出てきている現象をさらに説明することがよくあります。これも、ひとつのパターンのようなものですね。

so much energy and effort　あれだけのエネルギーと努力

パターン表現　so much ... は「それだけ、あれだけの…」と強調するのによく使われる表現です。ここでは This is why ... と組み合わせて使われることで「だからこそ」がより強調される感じになり、とても表情豊かな発言になっています。スピーカーが SO MUCH をゆっくり強調して言っているリズムも含めて、感覚をつかんで身につけましょう。

how to manage people　社員の管理の仕方

パターン表現　how to ... で「…の仕方」という名詞句にするこの言いまわしは、大変便利でよく使われます。聞き取りの場合もそうですが、逆にアウトプットのときに「…の仕方、…のやり方、…の方法、…法」などといった日本語の発想が浮かんで英語にする場合に、さっとこれが使えるようにしておくと強いです。

　　上手な会議の運営方法　how to conduct an effective meeting
　　社員間の争いの対処法　how to manage conflicts among employees

to communicate the programs within that company
社内の制度について伝える、情報を流す

　　to communicate は「伝える」ですね。職場などで情報の伝達が行われるとき、それが口頭であれ、文書であれ、Eメールであれ、communicate という単語が頻繁に使われます。

a work environment　職場環境

to meet the needs of ～　～のニーズに応える

パターン表現　the needs は「必要なこと、要求、需要」という意味ですが、日本語でも「ニーズ」という言い方が定着してきましたね。ニーズに「応える」はこの動詞 (= to meet) が最も一般的。こうした相性のよい動詞と名詞のセットを意識して覚えていきましょう。この他、to meet が使われる組み合わせで覚えておくとよいものには、以下のようなものがあります。

　　to meet the requirements of ～　　～の要件を満たす
　　to meet the standards of ～　　～の基準を満たす、基準に適合する

第6章 意味をつかむ——聞き取り能力の個別強化

> That can include things / such as flexible time, / whether that's a flexible lunch hour / that allows a person / to go and do their grocery shopping at lunchtime / and take two hours, / so that they don't have to do that in the evening / when they go pick up their children. //
>
> 具体的には、例えばフレックス・タイムなどがあります。例えば、フレックス・ランチタイムなどだと、昼休みを2時間とって、その間に食料品の買い物をすませたりできるので、夕方子どもを迎えに行くときに買い物をしなくてもよくなります。

```
This can include things
    例えば？    such as flexible time,
      それって、具体的に例えば？
            whether that's a flexible lunch hour
    内容は？    that allows a person
「させてくれる」って、何を？ to ┌─ go and do their grocery shopping at lunchtime
                            └─ and take two hours,
    それって、なんのために？  so that they don't have to do that in the evening
        「夕方」って、どういうとき？  when they go pick up their children.
```

4つのポイント　　□構文意識　□「かたまり」意識　□やまと言葉　□文頭から

That can include ～　　例えば～などがあります／具体的な例としては～

> **パターン表現**　That (can) include(s) ～ は、具体例を挙げて説明するときに大変よく使われる、便利な表現です。この他、具体例を挙げていくときの表現としては以下のようなものがあります。
>
> > For example, ～
> > That could mean ～
> > Whether that is ～
> > That could involve ～

flexible time　フレックスタイム
> 各従業員が、それぞれ自分のライフスタイルにあわせて、規定の範囲内で出社時間と退社時間を自由に選べるシステム。

whether that's ～

例えば～などがあります／具体的には～かもしれないし（…かもしれないし）

パターン表現　That can include ～ と同様、この表現も、いくつかの例を並べるときによく使われます。whether は、「～か、または…か」という意味ですが、このようにいくつかの例を並べて、「具体的には、～かもしれないし、また、…かもしれないし」のように使われます。このあとも同じ表現を使って、さらに2つの例が続きます。

Whether that allows for / childcare facilities at their workplace. // Whether that allows for / a job-sharing kind of activity, / where two people do one job / and share that job. //　For example, / two people may want to work only part-time, / and so / they will both work 25 hours a week, / and trade off after 25 hours. //

また、職場に託児施設を設ける、というのもあります。ジョブシェアリングのような制度を設け、2人の人間がひとつの仕事を一緒に担当するというのもあります。これは例えば、2人の人間がパートで働きたいと考えている場合、それぞれ週25時間ずつ働き、25時間以上働くときは話し合いで調整をするというものです。

他に、具体的には？
　　　　　　Whether that allows for
　何ができるの？　childcare facilities at their workplace.
他に、具体的には？
　　　　　　Whether that allows for
　何ができるの？　a job-sharing kind of activity,
　　　それって、どんなの？　where two people ─ do one job
　　　　　　　　　　　　　　　　　　　　└ and share that job.
へえ、具体的に説明してくれる？
　　　　　　For example,
　　　　　　　two people may want to work only part-time,
うん、で、そのとき、どうするわけ？
　　　　　　and so they will ─ both work 25 hours a week,
　　　　　　　　　　　　　　　└ and trade off after 25 hours.

第6章　意味をつかむ──聞き取り能力の個別強化

4つのポイント　　□構文意識　　□「かたまり」意識　　□やまと言葉　　□文頭から

childcare facilities　託児施設

この他、care を使ったよく使われる表現には以下のものがあります。

 elder(ly) care　　（老人看護、老人介護）
 family care　　　（家族看護、家族介護）
 a day-care center（昼間保育の託児所）
 an adult day-care center（看護・介護の必要な老人などを昼間預かる施設）

a job-sharing kind of activity　ジョブシェアリングみたいな活動

ジョブシェアリングをactivity（活動）としているのは、アメリカ人が聞いてもちょっと不自然なようです。このように選択的に提供されるような社内制度の仕組みを表現するには、system ではちょっと大げさすぎる感じで、一般的には arrangement がよく使われるようです。

パターン表現　　... kind of ～ は「…みたいな～、…のような種類の～、…的な～」というときに使われる非常に口語的な表現。これすべてでひとつの長い名詞のような感じです。

 a manufacturing kind of work　「製造」的な仕事
 Tom Cruise kind of looks　　トム・クルーズ的ルックス
 a "Not-in-my-backyard" kind of attitude
 「ウチの近所じゃお断り（住民エゴ）」的態度

～, where ...　～、つまり具体的には…

パターン表現　　直前に言ったものが具体的にはどういうものなのかを説明するときのパターンです。where のあとはゆっくりと文で説明します。

to work (only) part-time　パートで働く、パートとして働く

パターン表現　　part-time が「パートタイムの形で」の意味で副詞的に使われています。「正社員として」なら、to work full-time となります。

to trade off after 25 hours
25時間を超えた分は2人の間の話し合いで配分を調整する

after ～ でこのように「～を超えた分」のように使われることがよくあります。after ～ のかわりに over and above ～ なども使えます。

 We will pay you overtime after eight hours.
 （8時間を超えた分については、残業代をお支払いします）

意味をつかむ――聞き取り能力の個別強化　第6章

Your income after $25,000 will be taxed at a higher rate.
（2万5000ドルを超える収入分については、課税率はこれより高くなります）

trade off は「交換する」ですが、ここでは、働くことになっている「時間」を2人の間でトレード（やりとり）するわけですから、「話し合いで調整する、分担する」という感じで解釈してよいでしょう。

That requires a lot of coordination. // It's a lot of extra effort by the company / to accommodate that. // But if you don't do that, / then those people will leave / and go to a place / that does provide that type of accommodation. //

これには、かなりの調整が必要ですよね。こういう対応をすることは、会社にとっては相当な余分の努力を意味します。けれどもこれをやらないと、こうした人たちは、そういった対応をしている会社に行ってしまうわけです。

That requires
　　　　何が要るの？　　a lot of coordination.
つまり？
　It's a lot of extra effort
　　　　　だれの？　　by the company
　　　　　何するのが？　to accommodate that.
　But if you don't do that,
　　　うん、どうなるの？
　　　　　then those people will ┬ leave
　　　　　　　　　　　　　　　　└ and go to a place,
　　　　　　どういうところ？　　that does provide
　　　　　　　「ちゃんとくれる」って、何を？　that type of accommodation.

6-2 仕込み　245

第6章 意味をつかむ──聞き取り能力の個別強化

4つのポイント　　□構文意識　□「かたまり」意識　□やまと言葉　□文頭から

That requires a lot of coordination. これって大変な調整が必要なんですね。

　　　　　　　パターン表現　　前述のように、直前に説明したことを that や this（主語）で受けて、「で、それって～なんですよね」と話を展開するパターンです。That requires ～（それって、～がいるのよね、～がかかるんだよね）は、非常によく使われる表現です。coordination の他に、time、effort、patience、practice、concentration などがよく組み合わさります。

It's a lot of extra effort by ～
～にとってはこれは大変、余分な努力を要することです
to accommodate that　それに対応すること、それを許すこと

　　　　　　to accommodate の意味のエッセンスは「自分の方を調整することで、相手のニーズや要求などを受け入れること」です。ですから、to accommodate someone だと「だれかを泊めてあげる」の意味になるし、to accommodate someone's request だと「だれかの要求を（なんとか調整して）聞き入れてあげる」になります。

And so it is changing dramatically in our country as well, / but one of the key words currently being used a lot / is the word "diversity." //

ですから、この国でも相当、変わってきていますね。でも、最近よく使われているキーワードに、「多様性」という言葉があるんです。

　　And so it is changing dramatically
　　　　　　どこで？　in our country as well,
　　but one of the key words
　　　　　　　どういう？　currently being used a lot
　　で、そのキーワードって何なの？　is the word "diversity."

246 | 6-2 仕込み

意味をつかむ——聞き取り能力の個別強化　第6章

4つのポイント　　□構文意識　□「かたまり」意識　□やまと言葉　□文頭から

to be changing dramatically　相当変わってきている、大きく変わってきている

パターン表現　「to change（変わる）」とセットでよく使われる副詞にいくつか慣れておきましょう。最初の3つは、日常的にはほぼ同義で、「かなり、すごく」の意味で使われます。

 dramatically（すごく）
 remarkably（すごく）
 significantly（すごく）
 steadily（着実に）

one of the key words　キーワードのひとつ

パターン表現　日本語だと「複数のうちのひとつ」と、わざわざていねいに言わないことが多いのですが、英語では非常に多く見られるパターンですね。

 One of the things that I noticed was that ...（気づいたことのひとつ）
 One of the things that I discovered was that ...（わかったことのひとつ）
 One of the first things that I did was to ...（最初にやったことのひとつ）
 One of the important things we should keep in mind is that ...
 （覚えておくべき大事なことのひとつ／頭に入れておくべき大事なことのひとつ）

～ currently being used a lot　このところ、よく使われる～

パターン表現　**パターン構文**　one of the key words (that are) currently being used a lot というひとまとまりで、似たようなバリエーションがよく出てくるパターン構文です。この文のように、one of the ...s という表現には、(that are) currently being used a lot などのような詳しい情報がくっつくことが非常に多いということです。慣れておくと、戸惑いません。

 One of the things (that are) currently being looked at is ...
 （今、検討していることのひとつが……）
 One of the possibilities (that are) currently being discussed is ...
 （現在、検討、討議している手のひとつが……）

diversity　多様性

アメリカの文化を語るときのキーワードのひとつです。社会一般や会社などの枠組みで「多様性」という言葉を使う場合、主に人種的多様性を言いますが、広義には「文化」「背景」「性別」「経験」など、あらゆる面で「さまざまな考え方や背景をもったさまざまな人々」という広い意味での多様性を言

第6章 意味をつかむ——聞き取り能力の個別強化

います。ここでは、この広い意味での多様性を指しているようですね。

狭義の「人種や性別の多様性」の面では、法により差別が厳しく禁止されているという背景から、米国企業は、社内教育で sensitivity training や diversity training などの名のもとに、こうした異なる人種的、文化的背景の人たちに対する理解や配慮を強化するプログラムを多く行っています。

このテキストでポイントになっている広義の「多様性」の面で言うと、いつまで続くかは別として現在は労働市場が逼迫していることもあって、米国企業ではここで言われているように、人々の多様性から出てくる個々人のさまざまなニーズや要請に柔軟に対応できる社内体制が、よい人材を確保し、長くいてもらうための重要なカギになってきています。そのため、企業は、生き残りをかけて、こうした「多様な社員」の「多様なニーズ」に対応できる仕組みを取り入れるべく、試行錯誤しているわけです。

このスピーカーは、また、多様性への対応は、人材管理の面での死活問題であるだけでなく、同時に、ビジネス上の強みにもなるのだと話を進めています。アメリカの強みと言われる、この「多様性」の生み出す「視点の多様さ」「アイディアの多様さ」が、ビジネスの面でも強みになるのだと説明しています。

And diversity primarily means / that we are made up, in our companies, / of a large number of people, / with a large number of tastes, / a large number of preferences, / and we need to be sensitive to those / and work within those requirements / and still run a business. //

多様性というのは、主にどういう意味かというと、アメリカの会社には、たくさんの人たちがいて、皆、さまざまな嗜好や好みをもっているということです。そして私たちは、そうしたことに配慮して、そうした要件の制約の中で物事を進めていくようにし、なおかつ、しっかりと日々の仕事をやっていかなきゃならないということなのです。

意味をつかむ──聞き取り能力の個別強化　第6章

```
And diversity primarily means
    うん、何を意味するの？
        that 「 we are made up,
            ちょっと脱線して、どこでの話？  [ in our companies, ]
        OK、じゃ戻って、「成り立ってる」って、何から？
              of a large number of people,
            どういう人たち？─ with a large number of tastes,
                            ─ a large number of preferences, 」
    and we need to ─ be sensitive to those
                   ─ and work within those requirements
                   ─ and still
        「それでもなおかつ」、何をやらなきゃならないの？  run a business.
```

4つのポイント　　□構文意識　□「かたまり」意識　□やまと言葉　□文頭から

primarily まず何よりも、主に

～ means that ... ～は何を意味するかというと…

　　　　パターン表現　　これは非常によく使われるパターンです。ここでは diversity という言葉の意味する内容を that 以降の文で説明していますね。また、ほかにも、そこまで話してきた事柄が、結果としてどういう影響をもつのか、どういう現象を生み出すのかなどを説明する場合がよくあります。

　　He won't be able to work for another six weeks. That means (that) he will probably be let go from his company.
　　（彼は、あと6週間は働けないんだ。だとすると、おそらく会社にはクビにされることになるだろうってことだよ）

tastes and preferences 好みと嗜好

　　特にここでは、両者の違いは重要ではないようです。とにかく「いろいろな好みをもった人たち」、すなわち「いろいろなタイプの人たち」が会社にいると言っていると考えてください。この2つの厳密な違いを一応見てみると、taste の方は、「趣味がいい、悪い」の意味での「趣味」。preference は、いくつかの選択肢の中で、どれが好きか、という意味での「好み」の意味です。

第6章 意味をつかむ──聞き取り能力の個別強化

to be sensitive to ～　～によく気づき、理解する／～にちゃんと配慮をする

「感受性が高い」というのがもとの意味です。さらに進んで、「理解したうえで、必要な対応をする、配慮する」ことまで入ることもあります。

to work within the requirements　必要要件の範囲内、制約内でやる

この場合の to work は、「仕事をする」という意味よりも、より広い意味で「やるべきことを、うまく工夫してやる」という意味で使われています。似た使い方でよく聞く表現には以下のようなものがあります。

> to work within the system
> (何か権威のあるシステムや組織に真っ向から反抗するより、そのシステムの中で、システムそのものを変える努力をすることで、物事をよりよい方向に変えること)
> to work with people
> (人々と意見が違っても、真っ向からぶつかりながら事を成すのではなく、協力して事を成す)

and still run a business　それでもなお、日々の業務を行う〔運営する〕

やまと言葉　この still は、時間的な意味での「まだ」の意味ではなく、「それでもなお」という意味の方です。still は、このように、「(直前に述べた状況)にもかかわらず」とか、「(直前に述べた状況はあるのだが) それでも、やっぱり～」といった具合でよく使われます。ニュアンス豊かな表現ですから、しっかり慣れておきましょう。以下の例文も still を「まだ」と理解すると、意味が変ですね。

> He had to work all through school to pay for the tuition, and still graduated top of the class.
> (彼は在学中、授業料を払うためにずっと働かなきゃならなかったんだけど、それでもクラスでトップの成績で卒業したんだよ)
> I know you don't want me to go. But I'm still going.
> (行ってほしくないっていう君の気持ちはわかってる。でも、ボクはそれでも行く)

to run a business は、一般的には、「事業や会社を経営する」の意味ですが、この場合は文脈から、主語が会社の中で働いている人たちなので「自分が責任として与えられている仕事をきちんと進める」の意味になります。

意味をつかむ──聞き取り能力の個別強化　第6章

> It's quite challenging. // It's much easier to say, "You must be like this, this, this," / and just run a business / the way that you want to run a business. //
>
> ですから、かなり大変なことなんですね。そりゃ、はるかに簡単なんですよ、「こう、こうしなきゃだめ」と言って、自分の好きなやり方で経営をした方が。

```
It's quite challenging.
    It's much easier to ─ say,          "You must be
       何て言う方が 簡単なの？              like this, this, this,"
       どうでなきゃいけないの？
                    └─ and just run a business
       どんなふうに？                       the way
                    うん、どんなやり方？   that you want to run a business.
```

| 4つのポイント | □構文意識 | □「かたまり」意識 | □やまと言葉 | □文頭から |

It's much easier to say, "～," and just ...
～と言って…してしまう方が簡単

パターン表現　この大きな「かたまり」で、よく聞く言いまわしです。

It's much easier to say, "It doesn't concern me," and just walk away.
（そりゃ、「自分に関係ないから」と言って背を向けてしまう方が、簡単は簡単なんです）

to ... the way that you want (to ...)
自分のしたいやり方で…する、自分のやりたいように…する

パターン表現　「好きなように」という意味にもなります。

It's my life! I'm going to live it the way I want!
（私の人生なんだから、勝手にさせてよ！）

第6章　意味をつかむ――聞き取り能力の個別強化

> So it is <u>a challenge</u> for managers in North America / <u>to continue</u> to <u>operate</u> and manage people / who have so many different (uh) backgrounds. //
>
> ですから、北米のマネジャーの人たちにとっては大変なことなんです。仕事をこなし、本当にさまざまな背景をもつ人々を管理していくのは、なかなか大変なことなのです。

```
So it is a challenge
   だれにとって？ for managers in North America
   何をするのが？ to continue to ─ operate
                              └ and manage people
                 どういう人たち？ who have so many different
                                              (uh) backgrounds.
```

4つのポイント　　□構文意識　□「かたまり」意識　□やまと言葉　□文頭から

a challenge　難しいこと

　　　サイクル1に続いて、また出ましたね。この表現は、「この困難さを乗り越えると自分の能力が高まる、自己証明ができる」などの、プラスの響きを含んだ表現です。

to continue to ...　ずっと…する／引き続き…する

　　　やまと言葉　後ろから「…し続ける」と聞くと、途中で忘れてしまいそうですね。係り結び的に「ずっと」や「引き続き」とここで頭に入れてしまいます。すると、自然に「…し続ける」の感じが頭に残りますね。ここでは、「いろいろと状況が変わって、難しくなってきているにもかかわらず、変わらず…し続ける」という意味で、continue が使われています。

to operate　やるべき仕事をする、やっていく

　　　やまと言葉　to operate は、「自分のやるべき仕事をする、責任を果たす、業務を遂行する」という意味です。機械が同じことをすれば、「きちんと動く、機能する」の意味になりますね。

意味をつかむ──聞き取り能力の個別強化　第6章

> But it's also part of / what our strength is. // To have different perspectives, / to have different input / allows us to be able to make products / that appeal to a larger number of people. //
>
> でも、これは、私たちの強みのひとつでもあるのですね。異なる視点をもつこと、いろいろな意見を得ること、これによってより多くの人に気に入ってもらえる商品をつくることが可能になるのです。

```
But it's also part of
    何の一部？  what our strength is.
つまり  ┌─ To have different perspectives,
それと？ └─ to have different input
        これがどうしたの？  allows us to be able to
「できるようにしてくれる」って、何を？  make products
            どういう商品？  that appeal to a larger number of people.
```

4つのポイント　□構文意識　□「かたまり」意識　□やまと言葉　□文頭から

it's also part of what ～ is　～のひとつでもある、～の一部でもある

　　　やまと言葉　what our strength is は、これ全体で、「私たちの強みであるところのもの」という大きな名詞の「かたまり」のようになっています。したがって、意味からは「(今の)私たちの強み (= our strength)」と同じようにとってよいでしょう。what our strength was なら、「当時の私たちの強み」ですね。似たものに、why A is B があります。これは、「なぜAがBであるかということ」という大きな名詞の「かたまり」になっているもので、「AがBである理由」という感じで聞き取るとよいでしょう。

　　　パターン表現　it's part of what ～ is〔why ～ is〕のパターンで、よく使われる言い回しです。

　　It's part of what makes this country great.
　　（それは、この国の偉大さのひとつですね〔偉大にしているもののひとつだ〕）
　　It's part of why I like talking to him.
　　（そういうのもあって、彼と話すのが好きなんだよね〔理由のひとつだ〕）

6-2　仕込み　253

第6章　意味をつかむ――聞き取り能力の個別強化

to have different perspectives　いろいろな視点をもつ、いろいろな視点がある

> **やまと言葉**　perspective は、英語では非常によく出てくる単語ですが、辞書を見ると「遠近法、透視図、見通す力、眺望」などとなっていて、なんとなく意味がすっきりつかみにくいかもしれません。この語義を見渡してもわかるように、この単語のエッセンスは「どこかに自分なりの立つ場所を決めて、そこから見渡すこと、見渡して見えるもの」といった感じです。したがって、日常的に会話で使われるほとんどの場合、「(その人なりの)視点、見方」と理解して大丈夫です。

input　意見やアイディア

> **やまと言葉**　意見やアイディアとは「出すもの」なのだから output ではないかと疑問をもつ人もいますが、英語の場合は視点が違うのです。この表現は「場」を中心に考えるため、その場(例えばミーティングやプロジェクト、皆で考えている思考のプロセスなど)に「(意見やアイディアなどを)入れる」という感覚から、input となります。

And in our business, / we're trying to appeal to all of the United States, / to a large number of people, / so we take the diversity issue very seriously, / and need to adjust our ways / so that we can include all kinds of people / in our planning and in our products. //

で、私たちの仕事では、アメリカのすべての人に魅力を感じてもらおうとしているわけです。つまり、大量の人に。ですから、私たちはこの「多様性」の問題は、非常に真剣に受け止めています。自分たちの仕事のやり方を調整して、本当にいろいろなタイプの人々の意見を、企画や商品に反映させなければならないと考えています。

And in our business,
　どうしたの？　we're trying to appeal
　　　　だれに？ ─ to all of the United States,
　　　　　　　└ to a large number of people,
　so we ┬ take the diversity issue very seriously,
　　　　└ and need to adjust our ways
　　何のために？　so that we can include all kinds of people
　　　　　　何に？ ─ in our planning
　　　　　　　　　└ and in our products.

意味をつかむ——聞き取り能力の個別強化　第6章

4つのポイント　　□構文意識　□「かたまり」意識　□やまと言葉　□文頭から

to take ～ seriously　～を真剣に受け止める、～を本気で受け止める

　　　やまと言葉　　パターン表現　　to take ～ seriously は非常によく使われる、ニュアンス豊かな表現です。serious（真剣な、本気な、まじめな、深刻な）の意味のエッセンスは、イメージで言うと「空っぽではなく、意味があって重い」という感じでしょうか。この場合のように、[to take ＋ 物事 ＋ seriously] では、「物事を大切な、重大なこととしてとらえる」になります。[to take ＋ 人 ＋ seriously] で「人に一目おく」の意味で、否定形なら「人を軽く見る」になります。[to take ＋ 人の言葉 ＋ seriously] では、「人の言ったことを信じる、本気にする」になります。

the diversity issue　多様性の問題

　　　やまと言葉　　「問題」という日本語を聞くと、まず problem が頭に浮かんでしまうものですが、日本語でいう「問題」には issue の方が適切な場合が多いのです。「多様性の問題」などという場合のように、それ自体、もしくは、それにまつわるマイナスの悪い面だけを言っているわけではない場合でも、日本語では「問題」という言葉を使うことがあります。つまり、単に「それにまつわるいろいろなこと」という意味で言っていて、ときによってはその重要性やプラスの側面まで含まれていたりする場合が多いですね。それなら英語では、issue が最適です。

　problem というのは、「困ったもの／取り除くべき事柄」という意味での「問題」です。つまり、「それ自体が非常に悪いもの」か、または「それにまつわる悪いこと」というニュアンスの言葉です。例えば、実際に人種迫害主義の問題を抱える国で racial problem と言ってしまうと、意味的には「他の人種そのものが困りもの、他の人種の人がいることが困りもの」という解釈も成り立ち得るわけです。「まさか、そういう意味で言っているのではないだろう」と、良心的に解釈してくれるでしょうが、それでもやはり何となく相手の心に落ち着かないものをいだかせることになります。ここは、racial issues とすべきところです。特に人種、民族、文化などにかかわる分野では、problem の使い方には非常に注意する必要があります。

　例えば、quality problem のように、プラスの概念である quality という語と problem が組み合わせて使われることも確かにあります。その場合は、「クオリティー自体が困りもの」では、当然ないわけです。この組み合わせが大丈夫なのは、quality が、ほぼ間違いなく万人に共通して「よいもの」ととらえられる概念であることが前提としてあるからで、聞いた人が「ああ、これは quality にまつわる困った問題、つまり不良品などの問

第6章 意味をつかむ──聞き取り能力の個別強化

題について言っているんだな」とすっきり思えるから安心なのです。しかし、この場合でも quality issues として話を持ち出す方が、聞き手はオープンに聞いてくれます。相手にもかかわりのある件で problem を使うと、どうしても「責任追求」や「非難」の側面が見え隠れする響きが出てしまうのです。とにかく、細かい判断が不安な場合、「problem は、だれが聞いても、悪いこと、避けなきゃいけない『深刻、あるいは緊急な困ったこと』について話すときにだけ使う」と考えておくのが無難です。

our ways　（物事の）やり方

やまと言葉　何のやり方かは言っていませんし、複数になっていることから、「いろいろなことの」「物事の」やり方、といった感じですね。何のやり方かを限定する場合のパターン表現は、[〜's way of ...ing] になります。

　　our way of doing business　　　（私たちのビジネスのやり方、仕事の仕方）
　　our ways of thinking　　　　　　（私たちの、いろいろなものの考え方）
　　my way of dealing with stress　　（私のストレス対処法）

to include all kinds of people　いろいろな人を含める、参加させる

やまと言葉　この include は「何かの中に入れる、一部にする」ですが、そこから派生して「参加させる」、または「意見を反映させる」の意味でもよく使われます。to include all kinds of people in our planning は両方を含んでいる感じのようですね。to include in our products は、「参加させる」では変ですから、「（いろいろな人たちの）意見を商品に反映させる、織り込む」という感じでしょう。

お疲れさまでした。テキストの英語が、少し立体的に、構造が見える感じでとらえられるようになってきたでしょうか。細かい意味も納得して、いろいろな表現に親しみが感じられるようになり、そうした表現のいろいろな場面での使い道にも想像が広がってきたようであれば、しめたものです。そうした視点や、親しみが、表現を自分の身につけるための「強い糊」になり、「応用力の強さ」につながるのです。

それでは、机上で理解したこのテキストを、次のセクションで、実際の音で聞き取れるようにする練習をしましょう。実戦的な「聞き取りのフォーム」を、この２度目のサイクルで、より自分のものとして確実なものにできるよう、徹底的に練習してみましょう。**CD1-32** には、聞き取りのくり返し練習に便利なように、一文ごとにトラック分けされた［サイクル２　全体ストレート（小さなピー音入り）］が入れてあります。練習に活用してください。

サイクル 2
K/Hシステム英語勉強法
英語力のインフラがため

PART 2

第5章　音をつかむ
―聞き取り能力の個別強化―

5-1 「力試し」
5-2 自分にあった効率的な学習手順
5-3 「仕込み」
5-4 「体得」

第6章　意味をつかむ
―聞き取り能力の個別強化―

6-1 「力試し」
6-2 「仕込み」
6-3 「体得」

第7章　音と意味の一体化
―聞き取り能力の仕上げ―

第6章 意味をつかむ——聞き取り能力の個別強化

6-3 意味をつかむ「体得」

意味をつかむ力の体得作業

さあ、それでは音でしっかりと意味をつかんでいけるように、音を使った聞き取り練習に入りましょう。すでに意味を勉強した英語を使ったこれからの作業は、毎回、「その英語を、はじめて聞き取っているつもり」で行うことが大切でした。必ず、この点に注意して作業を行ってくださいね。

サイクル1で行った作業に加えて、このサイクル2では、「合いの手」の入ったCDトラックを使った練習も加わります。英語の構文、英文の「つくり」に対する感覚を強化するのに、ぜひ、活用してください。

＊「合いの手」の入ったCDトラックは、サイクル1の英文についても入れてあります。サイクル2の作業が終わって余裕のある方は、これを使ってサイクル1の英文でも「合いの手入り聞き取り法」の練習をしてみましょう。　　　　　　　　　　　　　　➡ CD1-06 ［サイクル1　合いの手入り］

上級者コースの方たちは、再び老婆心ながら、せっかく100パーセントまで仕上げたシャドーイングを忘れてしまわないように、意味の勉強と並行して、時々、練習しましょう。定期的に録音して、トランスクリプトと照らし合わせて厳しくチェックすることを忘れずに！

それでははじめましょう。ひとつひとつ、感覚を身につけていくのがポイントですから、それぞれの作業を確実に仕上げて積み上げていってください。

体得作業　「英語の意味をつかむ力」

目的	英語の意味をつかむ「正しいフォーム」の体得
内容	CDを聞きながら、英語の聞き取り練習

| 意味をつかむ──聞き取り能力の個別強化 | 第6章 |

範囲	第5パラグラフ〜第8パラグラフ
	CD 1-02　　CD1-05　　CD1-07

作業手順

ステップ1　スラッシュ・リスニングで文の切れ目を見抜く

1. **ポーズ入りの CD1-05 を使い、正確な「かたまり」の感覚をつかむ**
「スラッシュ・リスニング（音でやるスラッシュ・リーディング）」で、文の切れ目の感覚をつかむ。まず、意味の切れ目ごとにポーズの入っている CD1-05 を使い、意味の切れ目を味わいながら聞き進む。

2. **CD1-02 を使い、ポーズなしで「かたまり」を見抜く感覚をつかむ**
ポーズの入っていない CD1-02 を使い、自分で文の切れ目を見抜く。鉛筆をもち、文の切れ目ごとに鉛筆で机を「コツン」とたたくなどして練習し、文の中の「かたまり」の感覚をつかむ。自信がなくなったら、トランスクリプトで構文を確認し、納得して切れるようになるまでくり返す。

ステップ2　「かたまり」ごとに、やまと言葉やイメージでサッと意味をつかむ

3. **CD1-05 を使い、「かたまり」ごとに意味を頭にこすりつける**
切れ目の入っている CD1-05 を使い、ポーズのところで、その「かたまり」の意味を頭にじっくりこすりつけて、聞き進む。CDのポーズの長さで足りない場合は、必ずその都度CDを止めて、しっかり意味をつかんで納得してから進む。
CDのポーズの長さでできるようになったら、次のステップに。

ステップ3　構文を追って、「かたまり」同士を正確につなぎながら聞き取る

4. **CD1-07 （「合いの手」入り）を使い、構文を追う練習をする**
英文の切れ目に続いて入っている「合いの手」で、あとにつけ加わってくる情報を予想しながら聞き進む感覚を味わう。構文や「文のつくり」の感覚の体得を目指す。

5. **CD1-07 を使い、構文を追いつつ、「かたまり」の意味もつかむ**
4．と同じ感覚で、「合いの手」をヒントに、さらに「かたまり」ごとの意味も同時にしっかりつかみながら聞き進む。

6. **CD1-05 を使い、構文を追いつつ、意味をつかむ練習をする**
今度はポーズに「合いの手」が入っていないトラックを使うが、それでも「合いの手」感覚で構文を追いつつ、かつ「かたまり」ごとに意味もつかみながら聞き進む。

7. **CD1-02 を使い、構文を追いつつ、意味をつかんでいく**
本番の聞き取りのように、ポーズのない CD1-02 で、構文を追う意識を保ちつつ、文全体の意味を聞き取っていく練習をする。CDを止めずに、しっかり構文を把握している感覚とともに、意味もスムーズにつかんでいけるようになれば合格。

第6章　意味をつかむ──聞き取り能力の個別強化

スピーカーが話すのと同じテンポで、構文も追えている感覚とともに、文頭から、余裕をもって意味が入ってくる感じになるところまで仕上がりましたか？　意味をつかもうとするたびに思い出そうとして「確かここの意味は……」という前置きが頭の中をかすめるのでなく、きちんと英語を聞き取って、意味をつかんで自分の中で納得している感覚になるように、はじめて聞く感覚で「しっかりと英文を聞き取って」、意味をつかんでください。また、一日二日あけて再挑戦して、できばえの変化を見てみるのも、身につき具合を測るのによい方法だということでしたね。一日二日あくと、できばえがぐっと落ちるようだと、もうひと頑張り必要です。

さあ、ここまで仕上がったら、一般コースの方は「音をつかむ力」強化の作業です。それが仕上がれば、今度は音と意味を一体化します。ゴールまで、もう一息。頑張ってください！

advice 13

文の先を読む力

「合いの手」入りのCDでの練習では、「文のつくり」に慣れ、文の先を読みながら聞き取る感覚をつかんでもらいました。知っている文、つまり、「文のつくり」もわかってしまっている文でこの作業をすることが本当に「文の先を読む」練習になるのかと、疑問を感じる方がいらっしゃったかもしれません。くり返しになりますが、このように「頭で」正しくわかっているものを使って、「からだ」に正しいフォームを覚えさせる、というのがここでのポイントですよ。確実な基本形を自分の中につくっていく。それによって、そのバリエーション、変形、組み合わせが、ずっと容易に見抜けるようになり、身につけるのも格段に速くなります。

はじめての文を聞く場合、もちろんあとからあとからとつけ加わっていく情報の内容を、正確に読めるとはかぎりません。ただ、こうした練習をくり返し、パターン構文［表現］で「文のつくり」の受け皿をたくさんもつようになってくると、いくつかの選択肢を頭に入れながら、だいたいの文の流れを読めるようになります。構文をしっかり勉強した人や、英語をベースに育った人たちの強みは、そこにあります。大きな単位のパターンを大量に知っているため、だいたいの流れのパターンの可能性の中で、「どれかな」「どっちに行くかな」と余裕をもって、文の先を読みながら聞けるのです。今やっていることは、まずはその意識と基礎をつくる作業であり、同時に、受け皿のストックを増やしていく最初のステップを踏み出したということになるわけです。

サイクル 2
K/Hシステム英語勉強法
英語力のインフラがため

PART 2

第5章　音をつかむ
―聞き取り能力の個別強化―

5-1 「力試し」
5-2 自分にあった効率的な学習手順
5-3 「仕込み」
5-4 「体得」

第6章　意味をつかむ
―聞き取り能力の個別強化―

6-1 「力試し」
6-2 「仕込み」
6-3 「体得」

第7章　音と意味の一体化
―聞き取り能力の仕上げ―

第7章 音と意味の一体化による仕上げ

７ 音と意味の一体化による仕上げ

１　聞き取り能力の総仕上げ

　この章の作業が、本書での最後の仕上げになります。一般コースの方も、上級者コースの方も、＜100％シャドーイング＞を仕上げて、英語の音やリズムの感覚、「かたまり」でさっと流れる英語の息づかいなどを少しでも体得していただけたかと思います。意味の方では、英語の「文のつくり」の感覚をさらにしっかりと身につけるために、「合いの手」の入った立体トランスクリプトを使って、文の構造を立体的に、先読みしてとらえる視点を学んでもらいました。

　さて、この章での作業では、このようにして仕上げてきた「音」と「意味」の間に、しっかりとしたリンクをつくっていくのでしたね。英語の構文や「概→詳」とすすむ英語的な「文のつくり」の感覚と、やまと言葉によるイメージに近い意味の把握、そして英語的な音やリズムの感覚とを、しっかりと一体化します。

　この作業が、本当の意味で「実戦的な」英語力をつけることになる作業です。どんなときに出てきても、さっと意味がとれ、さっと口をついて出てくる英語の駒を増やし、そうした駒については、日本語を介している感覚があまりなく「英語を英語で理解している」感覚にまで近づけます。また、実戦的な「英語の聞き取りのフォーム」をしっかり自分の中にたたき込み、同時に、実戦力に不可欠な、大きな単位の「表現や文のつくりの受け皿」を自分の中にしっかりとつくり込んでいくというのも、この作業の大切な目的でしたね。しかもすべてについて、自分の「頭」の理解でとどめず、「体の一部」にしてしまうのがポイントでしたね。

音と意味の一体化による仕上げ 第7章

さて、それでは最後の仕上げの作業にかかりましょう。このサイクル2では、「音と意味の一体化」の目標達成の目安になる作業として、新しく「同時通訳風・意味の落とし込み」と「英語戻し」の作業を最後に入れます。楽しみにしていてくださいね。まずは、一体化の作業をしっかりと仕上げましょう。

「音と意味の一体化」

目的	音と意味を一体化して、最終的には英語を英語で理解している感覚に近づける
内容	CDを聞きながら、同時に意味も考えながらシャドーイングする
範囲	第5パラグラフ～第8パラグラフ　CD 1-02
前提	「音」と「意味」の作業が、ともに「体得」まで仕上がっていること

作業手順

1. **構文を考えながらシャドーイング**
   文の構造、「文のつくり」をしっかり味わいながらシャドーイング。具体的には、「主語がきたな、修飾が節できたな、修飾節の中の主部と述部だな、それに詳しい情報が加わったな、また情報が加わったな、やっと本当の主節の述部がきたな、日本語じゃ言わない詳しい情報が加わったな」などと、文の構造を味わいながらシャドーイングを行う。あるいは、頭の中で「合いの手」風に先を読みながらやる。

2. **意味を考えながらシャドーイング**
   構文を追いつつ、同時に意味もしっかりつかんで納得しながらシャドーイング。音や意味があやふやになる部分があれば、トランスクリプトと語句解説でしっかりと再確認して、部分練習や工夫によって弱点を克服してから「意味と音の一体化のシャドーイング」に戻る。

3. **自分で話しているつもりでシャドーイング**
   構文も意味も追いながらのシャドーイングがある程度できてきたら、今度は、自分が話している気持ち、自分がメッセージを他の人に伝えている気持ちで、必ず身ぶり手ぶりも加えながら、スピーカーと同じように表情豊かにシャドーイングすることを目指す。鏡を見ながらやってみるとよい。

第7章 音と意味の一体化による仕上げ

2　「音と意味の一体化」の作業達成の目安

この「一体化」の作業が、ある「感覚になる」ことを目指しているという性格上、実際に達成できているかどうかが本人にすらわかりづらいという難点があるということを、サイクル1でも述べました。達成の目安となるポイントとしてサイクル1で挙げた3つのポイントに加えて、このサイクル2では、ポイント4「同時通訳風・意味の落とし込みがスムーズにできる」とポイント5「英語戻しがスムーズにできる」という、2つのポイントをさらに紹介します。

サイクル1で、ポイント3として紹介した「リテンション」に挑戦された方もいらっしゃると思います。英語らしい音とリズムを失わないように注意すれば、リテンションはスピーキング力の強化にもつながり、勉強法としても非常に有効だと説明しました。今回紹介する「同時通訳風・意味の落とし込み」と「英語戻し」も、非常によい勉強法になるので、余裕のある方は気軽に挑戦してみてください。

これまでの作業ですでに「負荷が高いな」と感じられている方は、無理に挑戦する必要はありません。ポイント1やポイント2の基準で、意味をすんなりと味わいながらシャドーイングできたり、自分で話しているような気分でシャドーイングできるようになったら、ゴールインです。

ポイント1　日本語を介しているという意識があまりないのに、意味がわかっている気がする。

ポイント2　自分が本当にそのメッセージを伝えるために文をつくって話している感じでシャドーイングができる。しかも、意識が内向きになって目をつぶってしまったり、虚空をにらみつけてしまっているような状態ではなく、本当に人に語りかけているような、余裕をもった表情でシャドーイングできる。

ポイント3　リテンションで、文単位で英語が再生できる。

ポイント4　「同時通訳風・意味の落とし込み」がスムーズにできる。

ポイント5　「英語戻し」がスムーズにできる。

「同時通訳風・意味の落とし込み」練習

名前が示すとおり、言ってしまえば「同時通訳」をするのです。「意味の落とし込み」という表現は、「英語の意味が自分の中にストンと落ちてくる」感覚を称して、この練習法の名前として使っています。同時通訳といっても「通訳」がポイントではないので、目標はとにかく「ポイントをつかむ」感覚で要領よく意味を聞き取り（頭の中で意味を落とし込んで）、「なるほど、と納得したこと」をポンポンと日本語で言いながら進むことです。きれいな日本語である必要はまったくなく、くり返しがあっても構いません。大阪の人なら大阪弁で、「〜するんや。それで、〜のときは、〜したらええと思ってるんや。せやから〜」といった具合で結構ですよ。

とにかく、ここでは、「いかに素早く意味のエッセンスを頭の中に落とし込めるか」ということを確認するのです。頭の中でやっているときとは違った負荷と、緊張感と、楽しさがあります。また、口に出さなければならない負荷が高い分、より必死に文を追い、エッセンスをさっとつかもうとする意識が強まります。そのため、勉強法としても非常に効果の高い方法なのです。

この作業がある程度スムーズにできれば、音と意味のリンクはかなりかたまってきており、出てきた英語の駒は、さっと意味のとれる駒にまでなってきていると思っていいでしょう。逆に、つまってしまうところや、意味がひっかかってこないところは、まだ理解が不十分か、聞き取りの体得が不十分なところです。もう一度仕込みに戻って理解の仕方を確認し、聞き取りの体得作業を仕上げて、克服しておきましょう。

☞ **CD2-16** ［同時通訳風・意味の落とし込み練習見本］

作業手順

CD 1-02 を使い、聞き取った意味を自分のこなれた日本語で口にしながら進む

第7章 音と意味の一体化による仕上げ

英語戻し練習

これも、同時通訳風の作業になります。英文テキストの日本語訳がCDに入っています（ CD1-08 CD1-09 ）。この日本語を、話の筋を思い出す手がかり、もしくはペースメーカーとして利用しつつ、どんどん英語に戻しながらCDを追いかける作業です。

「同時通訳風・意味の落とし込み作業」の方では、CDの英語をしっかり聞き取ることが何よりも大切なポイントでしたが、この「英語戻し」の作業では、CDの日本語はただのペースメーカーと地図の代わり、と思ってください。「日本語でまだ言っていない部分や単語は言ってはいけない」などと思わずに、とにかく、ちらっと日本語を聞いて、何の話のところか思い出したら、どんどんと英語に戻してください。

日本語があることの利点は2つあります。まず、話の筋をすべて覚えておく必要がないこと。それから、日本語のペースに遅れないようにすることで、ある程度のスピードで英語を話さねばならなくなり、「さっと口をついて出る」ところまで自分の身についているかが試されることです。この意味では、英語戻し練習は「音と意味の一体化」の達成度のひとつの目安として使えるだけでなく、勉強法としても、とても楽しくできる効果的な方法と言えます。

この作業が、ある程度スムーズにできるということは、それだけ英語の表現や構文が、自分のさっと使える実戦的な駒になってきたということです。テープに自分のパフォーマンスを録音して、トランスクリプトと照らし合わせて確認するのも、非常に有効です。時制や冠詞や複数形など、自分の弱点のパターンが見えるかもしれません。また、うまく戻らなかったり不正確だったりするところは、まだ構文や表現が完全に身についていないところ。仕込みや体得の作業に今一度戻って、弱点を克服してしまいます。

> **作業手順**
>
> CD 1-09 を使い、日本語をヒントとペースメーカーにしながら、英語に戻していく。 CD1-08 にサイクル1の日本語もあるので、余裕があれば復習のつもりで挑戦してみる。

3　サイクル2　完成にあたって

お疲れさまでした。これで、K/Hシステム英語勉強法で、教本を一冊仕上げられたことになります。おめでとうございます！　ここまで仕上げられた方は、英語に本気で取り組む気持ちのある方々だと思います。英語の基礎力がまだあまりないレベルでスタートされた方は、特に大変だったでしょう。お疲れさまでした。少しでも、英語をとらえる感覚や、英語を身につける視点に改革があったか、少なくともその予感をしっかり感じてもらえたことを祈ります。

K/Hシステム英語勉強法は、まず「英語のとらえ方と身につけ方」の意識改革をしてもらうのが目的のひとつでした。はじめてこの勉強法を経験する最初の2サイクルは、まさにこの「意識改革」の性質上、かなり負荷が高い作業であったと思います。いったん「英語のとらえ方や身につけ方」の新しい視点を体得すれば、あとは、K/Hシステムの視点と具体的な勉強法のステップを使って、いろいろな教材で効率よく勉強することができます。また、多読や多聴、ボキャビルなどの他の作業とも、上手に組み合わせて相乗効果を得られます。

K/Hシステム英語勉強法をはじめて体験した本書では、サイクル1と2を仕上げるだけでも、かなり大変で時間もかかったでしょう。しかし、同じ程度の分量の英語をこの勉強法で仕上げる際の負荷の高さと、それに要する時間は、継続して回を重ねるごとに確実に下がっていきます。私たちの提供している通信講座でも、それは実証済みです。

「難しいのは、英語ではなくて『継続』だ」とは、なかなか的をついた言葉。これから、いかにして楽しく、着実に、継続的に勉強して英語力を伸ばしていけるかが、やはり何よりも大切です。次のPART 3（第8章）では、今後の英語学習のためにK/Hシステム英語勉強法の考え方と具体的な勉強ステップをどのように有効に生かしてもらえばよいかについて、できるだけ詳しく解説してみたいと思います。

　　　　　　　　　　　　You did it, everyone!　Congratulations!!

付録　シャドーイング練習用トランスクリプト（全体ストレート）

（サイクル1）

Let me talk about the confusion that happens with regards to Americans going from one company to another company. Since World War II, Japan has built itself up as a country, and many, many companies started their operations and became successful. And the idea that you could go to work for one company and stay there for an entire work lifetime (was a popular, ...uh...) continued to be a popular notion.

That used to be the case in the United States. But about 20 years ago, things began to change. And frankly this may not be (uh...) a good characteristic of Americans, but Americans are not loyal to their company like Japanese are loyal to their company. And part of that is because many times the companies have not been loyal to the Americans or to the workers. But it is a challenge for many Japanese companies working in the United States to hire and to retain Americans. And the reason, (within the...) at least within the engineering field right now.... Many Americans will come to work at our company knowing that it's a good company, knowing that they can learn a lot, and knowing that if they are successful, they can have a good career. But they also think (that) "If it is not successful or if I don't like it, I can always go somewhere else." That is the mentality of most Americans who are coming to work.

Part of the reason they can operate that way is because there are many options. As an engineer, almost weekly they receive solicitation or calls from different companies or headhunters, saying, "Would you be interested in considering working for another company?" As long as (the team associate,) the American team associate is happy with the work that they are doing, they will say no to those solicitations. But if for some reason things are not going well, they will begin to listen to those options. And if things continue to not go well, they will try to exercise some of those options. And that's why it is not unusual for a person to go and work for a competitor, even after three or four years at our company.

This is very challenging, I think, for the Japanese person who is trying to build a company, trying to retain people and to build on the collective knowledge (of...) of the people that you have. Within most Japanese companies, a person will go to work, and do not have the calls from outside people, saying, "Would you come to work with us?" or "We'll give you a 10 percent or 20 percent increase in salary, and we'll give you this type of, (uh,) job responsibility." Most people do not have that option, and therefore, when they go to work, they think only about their company. And they'll think about, "If something isn't going well, how can I make it better?" "How long will I have to be in this department before things will get better?" And so the focus becomes : "How can we make it work better within our own company," instead of the mentality of escaping to go work somewhere else.

(サイクル2)

I have to believe that this is quite challenging and frustrating for human resource personnel from Japan who are trying to build and manage an American company. This is why many American companies spend so much energy and effort in teaching managers how to manage people. And this is also why they communicate the programs within that company that are benefits to (that...) that individual, and try to create a work environment that (is...) meets the needs of those people.

That can include things such as flexible time, whether that's a flexible lunch hour that allows a person to go and do their grocery shopping at lunchtime and take two hours, so that they don't have to do that in the evening when they go pick up their children. Whether that allows for childcare facilities at their workplace. Whether that allows for a job-sharing kind of activity, where two people do one job and share that job. For example, two people may want to work only part-time, and so they will both work 25 hours a week, and trade off after 25 hours. That requires a lot of coordination. It's a lot of extra effort by the company to accommodate that. But if you don't do that, then those people will leave and go to a place that does provide that type of accommodation.

And so it is changing dramatically in our country as well, but one of the key words currently being used a lot is the word "diversity." And diversity primarily means that we are made up, in our companies, of a large number of people, with a large number of tastes, a large number of preferences, and we need to be sensitive to those and work within those requirements and still run a business. It's quite challenging. It's much easier to say, "You must be like this, this, this," and just run a business the way that you want to run a business.

So it is a challenge for managers in North America to continue to operate and manage people who have so many different (uh) backgrounds. But it's also part of what our strength is. To have different perspectives, to have different input allows us to be able to make products that appeal to a larger number of people. And in our business, we're trying to appeal to all of the United States, to a large number of people, so we take the diversity issue very seriously, and need to adjust our ways so that we can include all kinds of people in our planning and in our products.

K/Hシステム英語勉強法 一般向け勉強手順チャート

	手順	ポイント
	1　テキストのシャドーイング力試し	✔ 英語の音とリズム、および「かたまり」表現がどのくらい聞き取れているかをチェック
意味	2　「仕込み」トランスクリプトを見て意味確認 　　（1）スラッシュ・リーディング 　　（2）英文解釈的にきっちりと構文理解と原文の意味そのものの理解	✔ 正確に英語の文の構造と意味を理解しておくことで、英語の発想を理解したうえで、表現を正確に身につけることができ、アウトプットの際にも生きてきます。
	3　「結局、日本語の発想だとどういう意味？」 　　● やまと言葉（イメージ）に 　　● ある程度文頭からとれるように工夫	✔ ここでの工夫が、聞き取りの速さ、記憶への残りやすさ、英語でのアウトプットの力の差になって生きてきます。
	4　トランスクリプトを見ながら聞く	✔ （1）紙の上では簡単でも、音でできるかが勝負。鉛筆をもって机をコツンとやりながら。
	5　「体得」聞き取り力アップの作業！ 　　（1）スラッシュ・リスニング 　　（2）かたまりごとにCDを止めて、意味のこすりつけ 　　（3）文の構造を考えながら 　　（4）スピードアップ	（2）かたまりごとのCDの合間に、自分なりに意味を納得したらCDを進めます。 （3）「合いの手」を入れて、文の構造を意識しながら進みます。 （4）素早くサッと意味をとりながら、最後には止めずに意味がとれるまで。
	6　パラグラフ全体を、CDを止めずに意味をこすりつけながら聞けるところまで	✔ 毎回、はじめて聞くつもりで取り組みます。
音	7　「力試し」できない部分を見つける 8　「仕込み」トランスクリプトを見ながらシャドーイング 　　● リズム 　　● ビート 　　● ビートのあるところの子音と母音	✔ 意味がわかっていても、英語の音が聞き取れない部分を確認 ✔ トランスクリプトを見てはいても、ここでのポイントは英語のリズムと拍を体得することにあるのを忘れずに。よ〜く音を聞きながら。
	9　できないところを部分練習 　　● リズムや拍（うねり）を忘れずに 　　● 意味の「かたまり」感覚も忘れずに	✔ ここでも同様。リズムや拍を含めて身につけるのです。忘れずに。
	10　「体得」シャドーイングミスを5個以下に 　　● 音やビートもまねをして	✔ いったん身につければ一生ものの資産です。ぜひ、がんばって！
意味と音の一体化	11　意味を考えながらシャドーイング 　　● イメージをつくりながら 　　● 自分の言葉で人とコミュニケートしている気持ちで 　　● 同時通訳風・意味の落とし込み練習（オプショナル）	✔ 構文を追いながらイメージをつくることを心がけるのがポイントです。あき時間などを使って徹底的に英語の音と意味をリンクさせましょう。同じ物がほかで出てきたときにはサッと瞬間的に意味がわかるようにしようとの視点で取り組みましょう。

K/Hシステム英語勉強法　上級向け勉強手順チャート

実力試しと現状把握

1. シャドーイングに挑戦
   - 録音して、落とした単語の個数をチェック
2. 意味とりに挑戦
   - 録音して見本訳で問題点をチェック

意味確認

3. トランスクリプトを見て意味確認
   - 英文解釈的にきっちりと構文解釈
   - 原文の意味そのものの理解

音

4. 「力試し」シャドーイング現状把握
   - ほぼ意味がわかったもので、どれだけできるかチェック
5. 「仕込み」シャドーイング徹底練習
   - リズム
   - 拍
   - 拍のところの子音と母音
6. できないところの強化
   - トランスクリプトを見ながら部分練習
   - リテンションも役立つ
7. 「体得」シャドーイングのミスを5個以下に
   - 音とリズムも完璧にまねながら

> これ以降、週に一度は、シャドーイングで達成度を把握

意味とり

8. 意味の理解の「力試し」
   - 音がとれても、意味がサッと正確にとれない部分をチェック
9. サッと意味の入ってこないところの「仕込み」作業
   - やまと言葉（イメージ）に
   - ある程度文頭からとれるように工夫
   - シャドーイングをせずに意味に集中
10. すべての意味が、スピーカーのスピードでサッと入ってくるように「体得」練習

> 意味もとれて、ミスも5個以下の〈100％シャドーイング〉の実現

意味と音の一体化練習

11. シャドーイングをしながら、意味がしっかり頭に入ってきて残るようになるまで意味と音の一体化練習
    - イメージをつくりながらシャドーイング
    - 同時通訳風・意味の落とし込み練習
    - 英語戻し練習

テーマ別徹底シャドーイング

12. 特定能力強化のため、テーマ別に徹底的シャドーイング
    - リズム・拍・発音を意識したシャドーイング
    - 構文を意識したシャドーイング
    - できるだけ遅らせて負荷を高くしたシャドーイング
    - その他

© Kunii／Hashimoto

第8章　これからの勉強のアドバイス

PART 3

1. K/Hシステム英語勉強法での継続の仕方
2. 他の勉強法との組み合わせ
3. K/Hシステムでの勉強のための教材選び
4. K/Hシステム英語勉強法「中・上級コース」の視点
5. レベル別勉強法
6. K/Hシステム英語勉強法 入門編修了式

第8章 これからの勉強のアドバイス

1 K/Hシステム英語勉強法での継続の仕方

この教材を仕上げて、K/Hシステム英語勉強法の基本的な考え方と方法論、そしてその効果についても理解していただけたと思います。この方法論で10分前後の教材を2つから4つ徹底的に勉強して、英語運用能力の基盤をつくってしまいましょう。そうすると、多聴・多読などの他の勉強法もさらに効果的になります。K/Hシステムでどの程度の勉強をすればよいかについては英語力によっても異なるので、この点については「レベル別勉強法」(289ページ)を参照してください。一生このインテンシブな勉強法で勉強すべし、と言っているわけではないのでご安心ください。

本章では、まず、新しい英語教材を使ってK/Hシステムで継続して勉強する際のコツを簡単にアドバイスします。そのあとで、他の勉強法との組み合わせ方(279ページ)、教材の選び方(283ページ)などの説明をします。

❶ K/Hシステムによる継続的勉強のコツ

1．3年単位でものを見る大局観：即、英語が上手になろうとの考えは捨てる
　　すぐに上手になろうとすると、近道をして土台がおろそかになり早い段階で頭打ちになったり、無理をして大量にやろうとして続かないことになりがちです。また、英語を体得するには、体に覚えこませる時間も必要です。即席で身につけると忘れるのも早く、結局、身につかないことが多くなります。

2．2～4カ月にひとつの教材（10～15分程度）を仕上げる
　　英語力にもよるので、詳しくは「レベル別勉強法」を参照のこと。

3．週末に、「力試し」と「仕込み」の作業、週日は、細切れのあき時間で、「体得」のためのシャドーイングを中心に勉強
　　通勤、通学、散歩などの時間を使います。電車の中では、声を出さずに頭の中だけでシャドーイング。「意味と音の一体化」まで完成したら、たまにとり出しては定期的にシャドーイングして、身につけたものを根付かせます。

4. 毎日、簡単な記録をつける

K/Hシステム各ステップの進度、シャドーイングなどの回数や練習時間、週末にチェックした際のミスの個数などを表にして記録すれば、やる気をもって楽しんで取り組むことができます。折込付録のプログレスシートなどを参考に、自分なりのものをつくるとよいでしょう。

5. 自分のやっている勉強を信じる

「これでいいのだろうか」と自分のやっている勉強法に疑問をいだきながら勉強していると、得られるはずの効果すら得られません。勉強法を改善していこうとする視点ならよいのですが、勉強自体に本気で打ち込めずに中途半端な作業をすることになってしまっていれば問題です。そのような場合には、次のように考えることをお勧めします。「たかが英語の勉強。勉強法といっても、最も適切か、やや適切な方法か、その程度の差。迷って身動きがとれなくなるぐらいなら、どんな方法論でもよいから、それを信じて徹底的に勉強してしまってから考えた方が、最終的には英語力は高まる」

2 他の勉強法との組み合わせ

紙面もかぎられているので一般論になってしまいますが、参考になるポイントを述べてみましょう。

❶ K/Hシステムと多聴・多読の関係

英語教材をインテンシブに深く勉強して体得してしまうK/Hシステムのやり方と、広く浅く英語にふれる方法の両方をうまく組み合わせると、多大な相乗効果が期待できます。K/Hシステムで英語の正しい受け皿がつくってあるので、多聴・多読の英語が格段と身につきやすくなります。並行して両方のアプローチをとるのもよいでしょう。ただ、多聴・多読の方が比較的大ざっぱな勉強なので、それに影響されてK/Hシステムでの勉強の作業まで厳密性を欠いてしまうことのないよう、十分に注意しましょう。

第8章 これからの勉強のアドバイス

❷ 英会話クラス

「生の英語」が聞ける環境を生かすための、主体的な工夫を考えましょう。
1．配布されたテキストと音声教材を徹底的にK/Hシステムで勉強してしまう
2．クラスは、自主学習した自己の英語力の「力試し」の場と考える
3．クラスで見つけた自分の課題を必ず克服して、次回のクラスで応用する

クラスでの発言の機会がかぎられているときや講師が長く話すときには、英語を聞きながら次のような作業のどれかをするとよいでしょう。
1．すべて落とさず聞き取るつもりでシャドーイング
　　（当然、ごく小声かまたは無声で）
2．同時通訳風・意味の落とし込み練習
3．使われた表現を身につけてしまうつもりのシャドーイング
4．先生の使う英語表現をノートに書き取る
　　（ノートがたまると大きな財産になりますよ）

❸ 通訳クラス

ある程度の高い英語力を、一層高いレベルにするための手段として考えられます。聞き取りやスピーキングで一語たりとも聞き逃さない、間違って話さないという緊張感は、「だいたいできればいい」といった聞き取りやスピーキングの練習とは質的に異なり、これが英語力の大きなステップアップの推進力になります。通訳のクラスは発表の場と考え、事前配布されたペーパーなどはK/Hシステムの方法論を応用して勉強し、クラスの予習をしましょう。すでにクラスで終えたテキストと音声教材は、自分の課題も見えているでしょうから、必ずK/Hシステムの方法論で徹底的に仕上げることが大切です。通訳クラスは、政治、経済、ビジネス、IT関連、環境などの広い分野を網羅するはずですから、復習時にK/Hシステムの方法論で徹底して教材を仕上げれば、英語力が大きく飛躍します。

❹ 通信講座

何と言っても、最後まで続けることがポイントです。次に、勉強の質の面では自分のできる限界まで頑張ってみることです。その中で、CDやテープつきの通信講座なら、教材の一部をK/Hシステムで勉強してみるとよいでしょう。添削つきのものであれば、添削された部分こそ身につけるべき部分なのですから、やりっぱなしにしないように。

❺ ビジネス現場

現場で使われている表現を、「かたまり」で書き留めておきましょう。アメリカ人は一般に、またマネジャーレベルの人であれば特に、ビジネスの現場ではロジカルな話し方をします。同時に、相手に気を遣いながら「ていねいな表現」も使っているのがわかります。この2点は英語のビジネスの世界で上を目指すなら、ビジネスコミュニケーションの非常に大切な柱になります。こうした観点からネイティブの感覚を吸収してみましょう。そのために、次のような努力をしてみるとよいでしょう。

1. 外国人上司、部下、同僚が使う英語の表現を書き留めておく
2. 職場の英語表現ノートをつくったら、その表現を「やまと言葉落とし」しておく
3. もし可能であれば、英語でのミーティングを録音し、一度じっくりとK/Hシステムの方法論で勉強してみる

❻ 外国に行く

外国に行くとほぼ自動的に改善する部分

はじめの6カ月間は、英語の聞き取りやスピーキングで進歩が感じられます。ただ、その理由は、多少とも音に慣れてくることと、何よりも状況や背景がよくわかってくることで推測がきくようになったためであることが多いのです。そのまま自分で勉強せずにいると、聞こえた単語から意味を推測する聞き方や、文法は無視して通じればよいという聞き手に相当な負荷を与える話し方の、いわゆるサバイバル英語のまま終わることになってしまいます。

第8章 これからの勉強のアドバイス

個人の努力が必要とされる部分

きちんとした英語コミュニケーション力をつけようと思えば、日本で勉強するように、海外でも自分で英語の勉強をしなければだめだということです。K/Hシステムの「力試し」「仕込み」「体得」という視点で海外での英語学習の環境を分析してみると、海外に行く利点は、「力試し」と「体得」ステップが実践しやすいことでしょう。課題は、「仕込み」にあるようです。海外で仕事や学校へ行く生活をするだけなら、ふれられる英語はかぎられています。また、聞き取り力が不十分なために、聞いた英語だけでは正確に英語表現を自分の中に「仕込む」のが難しいという問題があります。この難点を十分理解して、これを補うためにK/Hシステムで勉強すると、海外生活の利点が最大限に生かされるでしょう。例えば、周りにいる英語のネイティブに正確な英語表現とその意味を教えてもらいながら、テレビ番組（トランスクリプトもあれば理想的）、その他の教材を使ってK/Hシステムで勉強するなどすれば、高い効果が期待できるでしょう。

❼ 資格取得

TOEICやTOEFLの問題集の聞き取り問題（短いものから、長文の聞き取りまですべて）を、K/Hシステムで勉強してみるとよいでしょう。正答以外の選択肢にも、とても実用的な英語表現が使われています。要は英語力をつけることにポイントがあるのですから、これらもすべて身につけてしまうつもりで勉強します。聞き取り力や表現力の強化になると同時に、テストのスコアも上がります。TOEICとTOEFL対策としてその効果が実証済みのアプローチです。

3　K/Hシステムでの勉強のための教材選び

❶ 教材の選び方のポイント

K/Hシステム英語勉強法で勉強を続けるための教材は、以下の視点で選ばれるとよいでしょう。

> K/Hシステムで勉強するための英語教材選択の視点
> 1．英語のトランスクリプトと音声の両方があるもの
> 2．自分の力と目的にあった音素材とスピード
> 3．自分のよく知っている分野の教材
> 4．語句解説がていねいで、和訳が「やまと言葉」的で、英語の語感のつかみやすい教材
> 5．3カ月程度継続して勉強しても飽きがこない教材

1．英語のトランスクリプトと音声の両方があるもの

通常の英語教材はトランスクリプトがついていますが、映画やTVドラマで英語を勉強するときにも、トランスクリプトを入手しての勉強をお勧めします。また、英語の音とリズムの感覚が身についている人の場合には、テキストだけでの勉強でも大変役立つと思います。

2．自分の力と目的にあった音素材とスピード
英語の音素材

英語力のレベルによって、生の英語で勉強する方が効果が高い場合と、アナウンサーやボイスアクターなどがスタジオできちんと読んだ音素材の方が適している場合があります。生の素材だと、言い直しや言い間違い、さらにはahやehやyou know等が入るものが多いので、聞き取り能力強化を目的としてK/Hシステムのアプローチを使う場合にはよいのですが、スピーキング能力強化の目的で選ぶ場合には注意する必要があります。一方、スタジオ録音された素材を使う場合には、できるかぎり自然なリズムとスピードで読んでいるものを選ぶようにします。

第8章 これからの勉強のアドバイス

音素材のスピード

あくまで自然なスピードがよいのですが、自分の力に比べてあまりにも速いものは避けた方がよいかもしれません。あまりに速いものを使うと、英語とはほど遠い発音とリズムで必死に追いつこうとするシャドーイングになってしまう危険性があるからです。これでは、本来の目的の「英語の音とリズムの受け皿をつくる」ことができないだけでなく、自分の悪いクセを助長してしまうことになりかねません。ただ、速いスピードの音素材でも、速度調整機能のあるプレーヤーなどを利用して、はじめはスローに、慣れてきたら徐々にノーマルスピードに近づけて練習する手はあります。

3．自分のよく知っている分野の教材

自分のよく精通している分野の英語教材を使って勉強することを、特にお勧めします。背景をよく理解しているので勘も働きやすく、英語の意味や語感などがつかみやすい利点があります。K/Hシステムで英語の感覚を育成する訓練にはもってこいです。学んだ英語を使ってみる機会が多い分野であれば、さらによい相乗効果が期待できます。

＊ちなみに、英語の実戦力を向上させる勉強のためには、英語自体がわからないのか、それとも内容自体に関する背景知識が乏しいので理解できないのかの区別がつきにくい教材は、お勧めできません。

4．語句解説がていねいで、和訳が「やまと言葉」的で、英語の語感のつかみやすい教材

できるだけ辞書をひく手間を省き、英語を「身につける」ことに時間を使うためにも、詳しく語句が説明されているものがよいでしょう。学習者のレベルによりますが、文法や構文などがていねいに説明されているものもお勧めです。上級者用には、単語や表現の語感、使われる文脈、例文、よく使われる関連表現なども載っているものがあれば理想的でしょう。

5．3カ月程度継続して勉強しても飽きがこない教材

まず、英語が難しいのではなく、継続が難しいという厳然たる事実を認識すること。こう考えると、継続できそうなものを選ぶことこそが最も重要なポイントになります。何十回、何百回（？）とシャドーイングするわけですから、自分が興味のある分野で、内容的にも知的で飽きのこないものがよいでしょう。

第8章 これからの勉強のアドバイス

❷ 具体的な教材

今まで勉強した教材

意味を調べただけで終わってしまっている教材が、本棚にたくさん眠っていませんか。こうした教材をもう一度出してきて、K/Hシステムのアプローチで仕上げてみましょう。すでに意味などを勉強したものであれば、シャドーイングや「意味と音の一体化」の作業なども、より早く効果をあげることができると思います。

市販の教材

今はたくさんよい教材が出版されています。ほんの一例ですが、ビジネスで英語を使わなければならない方（TOEIC500～800点レベル）で、どんな教材で勉強しようかと考えている方には、例えば、『まるごと使える仕事英会話ミニフレーズ』（アルク刊）などは便利な教材かと思います。大きな書店に行くと驚くほどたくさんのよい教材が出ているので、その中から自分のニーズと興味にあったものを選ぶのが最もよいでしょう。選ぶ際には、前ページで挙げた教材選びの5つの条件を忘れずに。

英語学習者のための月刊誌のCD／テープの中からひとつ選んで取り組む

『イングリッシュ・ジャーナル』、『CNN ENGLISH EXPRESS』などのたくさんの月刊誌が出ていますね。はじめのうちは、その中から自分が最も興味のあるひとつのインタビューやスピーチに絞って徹底的に勉強するのがよいでしょう。決して欲張ってたくさんやろうとしないこと。挫折感を味わうだけでマイナスです。通常、「生の英語」はスピードが速いので音をつかむためのシャドーイングだけで手一杯になってしまいがちですが、そこが落とし穴ですから注意しましょう。意味をきちんと理解して、意味を思い浮かべながらのシャドーイング練習をし、必ず「意味と音の一体化」まで仕上げないと効果はなかなか期待できません。英語自体の学習が目的なので最新の素材である必要はありません。すでにおもちのバックナンバーから興味のある題材などを見つけて取り組むのもよいでしょう。

『ビジネス英会話』などのNHKの英語教材

アメリカでのK/Hシステムセミナー受講者の中にも、これを使ったシャドーイングをし

第8章 これからの勉強のアドバイス

て見違えるほど英語を上達させた人たちが何人もいます。英語もアメリカのビジネス現場で使われているような自然な英語表現です。ダイアログのビニェットの部分だけを抜き出してシャドーイング用テープをつくって、車での通勤中に練習している人もいます。1カ月分をその月に仕上げようと無理をせず、3カ月ぐらいかけて仕上げるつもりで十分でしょう。

英語の映画やテレビ番組などを使った教材

英語の映画やテレビドラマなどは身近な存在で、エンターテインメント性もあり、いろいろな人生や社会を垣間見ることもできるので、興味の面からも、実質的な英語の運用能力育成の面からも聞き取りの教材としては大変よいと思います。聞き取りができるようになりたいタイプの映画（裁判物、ビジネス物、政治物、戦争物、宇宙物、刑事警察物、恋愛物、学園物などなど）を選んで、まず一度、K/Hシステムの方法論でひとつの映画やテレビドラマを勉強して仕上げてみるとよいと思います。映画の英語の聞き取りは、大変身近であると同時に、大変道のりの長いものです。この点を覚悟してじっくり聞き取りの勉強に励んでください。

勉強のポイント
英語のトランスクリプトのあるもので勉強する
聞き取れていると思っても、実は正確に聞き取れていないことが多々あります。映画やドラマをK/Hシステムで勉強する場合には、トランスクリプトがあるものを使いましょう。意味の理解についても同じことが言えるので、きちんと訳や語句解説がついている市販の映画台本を利用するとよいでしょう。勉強して仕上げたものを何度もくり返して見るのが、英語力を高めるコツです。

注意点
いろいろなタイプの英語が使われていることをよく認識して
映画やドラマは実社会と同じで、内容や登場人物のタイプや設定によって使われる英語にかぎりない幅があります。自分で使うには不適切な表現や、使える場面が非常にかぎられる表現なども多く出てきます。英語の「タイプや質」についても感性を働かせて学ぶ視点をもちましょう。表現のニュアンスやトーン、使う際のTPOについても言及したていねいな語句解説のあるもので勉強するのが理想です。

4 K/Hシステム英語勉強法「中・上級コース」の視点

「入門編」である本書では、一文単位の聞き取り（理解の仕方）を中心に新しい英語勉強法を紹介してきましたが、実は、K/Hシステムはこれで終わりではありません。実際のK/Hシステムは、本書で紹介した英語習得のための基本的方法論と視点を土台として、中・上級者向けのより高度な英語のコミュニケーションの視点や訓練方法を身につけてもらうための非常に総合的なシステムなのです。これから先、よりレベルの高い、本格的な英語力を目指して勉強されるうえでのヒントになると思いますので、そのいくつかをここで簡単に紹介しておきます。

■ パラグラフ単位の高度な聞き取りと、明晰なスピーキング力の養成

本書で基本的な一文単位の英文の「とらえ方、身につけ方」ができるようになったことを前提に、パラグラフ単位で論旨を正確に追いながらニュアンスまでしっかりととらえる高度な聞き取り能力の育成に焦点を当てます。そのために、いくつかの具体的な視点と訓練ツールを導入します（続刊では、このレベルの内容を中心的に扱う予定です）。

英語のロジックパターンを理解し、身につける

英語には話の組み立て方の典型的なパターンがあります（K/Hシステムでは「ロジックパターン」と呼んでいます）。日本語の話し方と異なる、この典型的な3つのパターンを理解することで、先を読みながらより余裕をもった聞き取りが可能になるとともに、スピーキングにおいても、英語圏の人にわかりやすい明晰な話し方が可能になります。

立体ノートテーキング

論旨の構造をできるだけ視覚的、立体的に書き取るノートテーキングの手法です。全体の話の論旨を追いながらニュアンスまで正確に聞き取る訓練手法であるとともに、こうして書き取ったノートを利用してのシャドーイングや「英語戻し」の練習をすることで、スピーキング力を非常に効率的に訓練することができます。

第8章 これからの勉強のアドバイス

■ 文化背景の理解に立った、高度なコミュニケーション能力の養成

英語の話のロジックパターンが日本語でのコミュニケーションの場合と大きく違っていることでもわかるように、言葉そのものだけに焦点を当てるだけではすまない種々のコミュニケーションのルールが存在します。英語で本格的にコミュニケーションをはかりたいと考える人は、こうしたルールを少しでも理解し、不必要な誤解や摩擦を招かない、「意味が明晰」でかつ「心の通じる」コミュニケーションを目指すことが不可欠です。K/Hシステムでは、セミナーや教材を通じてこうした視点での訓練も提供しています。具体的な視点には以下のようなものがあります。

英語のていねい表現
「英語には敬語はない」と安心している人が多いのですが、「敬語」はなくとも「ていねい表現や相手に配慮した表現」のシステムは厳然と存在し、日常的に使われます。こうした表現に対する認識や知識がないために、日本人の使う英語が往々にして「カドのある物言い」になり、特に海外の職場などで深刻な「言葉の摩擦」の原因になっています。

職場でのコミュニケーション
北米の職場では、文化的な違いから、上司と部下の関係、上司の役割、個人の仕事と責任などの前提が日本と異なり、そのためにコミュニケーションの内容、頻度、方法、表現にも日本との大きな違いが出てきます。

5 レベル別勉強法

K/Hシステム英語勉強法の最も効果的な活用法を、英語力別にアドバイスします。

TOEIC600点未満

現状

文法力、構文力、単語・表現のストックがまだ不十分なため、K/Hシステムの勉強法でひとつの教材を勉強していても、英語力が向上している実感をもちにくいグループです。そのため、ひとつのテキストを徹底的に仕上げることに疑問をもちます。これは、ストック自体が少なすぎるため、高いレベルの人が感じるような、すでにもっているストックが「使える形」に変わってくることで、突然、英語が使えたり、聞こえてきたりするようなブレイクスルーが起こり得ないためです。このレベルでは、焦らず着実にストックを増やすしかありません。

K/Hシステムの活用法

1. まず、中学と高校の英文法と構文の基本的な部分を、一度きちんと復習しましょう（文法と構文はルールのようなものなので、それほど時間をかけずにできるはずです。目標は、時間をかければ英文解釈的に構文と意味を正しく理解できるようになればよしとします）。
2. K/Hシステムの「合いの手」方式を利用して、「全体から詳細へ」と情報が加わっていく英語の文のつくりの特徴を意識しながら、意味の「かたまり」ごとに意味をとらえていく練習をしてみましょう。意外に早く英語の文の組み立て（構文）の感覚がつかめます。
3. これから身につける英語に関しては、「使える」形でストックを拡大することに焦点を当てます。このためにK/Hシステムの勉強法の考え方を利用してください。具体的には、次のような意識で英語の表現や単語を身につけます。

第8章 これからの勉強のアドバイス

> **英語のストックの入れ方**
>
> **1. より大きな「かたまり」で**
>   単語単位ではなく、より大きな「かたまり」で英語を身につけます。単語は原子のようなもので、現実の世界では、単語が集まった意味の「かたまり」(表現のパターン)、すなわち分子や化合物の単位で動いているのでしたね。この形で覚えておくと、スピーキングやリスニングのときの処理スピードが速くなります。
>
> **2. 自分の言葉やイメージとリンクさせて**
>   独りで勉強しながら新しい単語や表現の「やまと言葉落とし」ができるのだろうか、と不安を感じるかもしれませんね。大切なのは、まずこの意識をもってできる範囲でやってみることですが、それ以外の簡単なアドバイスもしましょう。
>   ① 語句解説やこなれた訳のついている教材を使って勉強します。
>   ② 辞書で、同じ単語の複数の訳語の「共通点」を探すことで、その言葉の語感をつかもうとします。自分の身近な言葉で理解しやすくなります。
>   ③ 辞書的な理解でも、シャドーイングをくり返しているうちに語感がわかってくることもよくあります。
>
> **3. 英語の正しいリズムと音で覚える**
>   本書の説明に従って、シャドーイングをきちんとしましょう。

TOEIC600〜750

現状

このレベルに達するまでには、かなりの時間を使って英語を勉強されたことでしょう。ただ、これまでの勉強方法は机上での「分析」と「暗記」という「左脳的」作業が主で、聞き取り練習も単に英語を聞くだけで終わっていたのでは？ また、このレベルでは、K/Hシステムの勉強法を一度試すとその効果を予感はするものの、実感するまでには至らない人が多いようです。正確なシャドーイングができず、少し練習しただけであきらめてしまいがちなのもこのクラスの特徴です。シャドーイングが正確にできるようにならなくても実戦的英語力はどうにかつくものと自己を慰め、今までと同じような机上の仕込み作業と単に英語を聞くだけの勉強を続ける人もいます。これでもTOEICスコアは上がるでしょうが、英語実戦力の大きな飛躍には効率が悪すぎます。

K/Hシステムの活用法

1. 前記のグループと同じ方法で、表現・語彙のストックの拡大を行います。
2. 正確なシャドーイングを徹底的に行いましょう。できないところは徹底的に部分練習して克服することで、聞き取りの音の受け皿をつくります。

    注意点：このクラスの英語学習者は、シャドーイングのチェックがかなり甘いようです。＜100％シャドーイング＞を目指した「問題発見と対策」の作業の重要性と、何百回と徹底的に練習することの重要性を認識できたら、このクラスからはすぐ抜け出せます。

3. 聞き取りフォームの改造を徹底し、英語の正しい理解の仕方を体得してしまいましょう。

    聞き取りフォームの変換
    1. 常に構文を意識しながら、
    2. 英語をより大きなかたまりで、
    3. やまと言葉（またはイメージ）にリンクさせて、
    4. できるだけ文頭から聞き取っていく。

TOEIC750〜900

現状

英語にかけては、だれよりも時間をかけてきたという自負をもつクラスです。ただ、内心は、他人が評価するほど自分の英語力があるとは思えず、悩んでいる段階でしょう。英語の知識はあるけれど、本当に実戦力のあるリスニングやスピーキング力をつけるやり方がわからず悩んできた人も多いでしょう。このクラスの方は、K/Hシステム英語勉強法を一度体験すると、自分の実戦的英語力が強化されたと実感できます。これまで培ってきた大きな英語のデータベースが、「使える形」にソートし直されるからです。

K/Hシステムの活用法

本書で説明してきた方法論に沿って、いくつかの教材を「意味と音の一体化」まで徹

第8章 これからの勉強のアドバイス

底的に仕上げてみましょう（6カ月程度）。これにより、きちんとした聞き取りと理解のフォームが身につき、英語を英語で理解する感覚がつかめます。次の段階では、英語の多聴や多読を行うとよいでしょう。すでに英語を取り入れる正しい受け皿ができており、多聴や多読がより効果的になります。ただ、そのうちに聞き取れる部分より、聞き取れない部分が気になりだし、多聴していても伸びを感じなくなってきたら（おそらく6カ月、1年）、再び、自分のニーズに合った教材を使い、K/Hシステムの考え方でていねいな勉強をします。自分の勉強態度が、最初の頃よりさらに綿密で高度な取り組み方になっているはずです。同時に、287ページの「K/Hシステム英語勉強法『中・上級コース』の視点」でも紹介したような「パラグラフ単位」での聞き取りとスピーキング、ロジックパターン、立体ノートテーキングなど、より高度な視点での勉強にも取り組むことをお勧めします。以上の勉強サイクルが終わる頃には必ずTOEIC900点の大台に達しているでしょう。

具体的な学習サイクル

1. 10分程度の教材を2つか3つ、K/Hシステムで徹底的に勉強。＜6カ月程度＞
2. 多聴、多読する。＜まずは、3～6カ月程度＞
3. 再度、K/Hシステムのインテンシブな勉強を行い、聞き取りフォームを調整し、さらに強化する。＜1カ月程度＞
4. 多聴、多読する。＜6カ月、1年程度＞

TOEIC900以上

現状

人生のかなりの時間を英語に使ってきましたね。多量の英語にふれてきただけでなく、工夫した勉強もしてきたグループで、K/Hシステムの勉強法で今回の教材を仕上げるのも、真剣にやれば合計で15～20時間程度で済んだ人たちでしょう。一般の英語学習者にとっては夢のようですが、当人たちは、「実戦的な英語力はまだまだ。本当に英語らしいコミュニケーションができるようになるには、どうしたらよいのだろう」と悩んでいます。

これからの勉強のアドバイス　　第8章

K/Hシステムの利用の仕方

はじめてのK/Hシステムでの勉強で、即、効果が出るレベルなので、自力であとひとつ、この方法論で勉強してみるとよいでしょう。ただしポイントは、「完璧に仕上げる」こと。このレベルでは「ほぼ」できるところまでは容易にいくのですが、それ故に「少々できないところがあっても気にするほどじゃない」、と甘くなりがちです。レベルの高い人こそ、厳しく弱点を特定し、克服する視点が次の飛躍のためには不可欠です。K/Hシステムでひとつの教材を厳しく正確に「完璧に仕上げる」過程で、次の飛躍へのヒントや視点を得ることができます。そのあとは、多くの英語にふれること（多聴や多読）をメインに、K/Hシステムのインテンシブな勉強を弱点補強と正確で効率的なストック拡充に使いましょう。また、このレベルの人は、287ページで紹介したようなK/Hシステム英語勉強法「中・上級コース」の高度な英語力強化の視点と訓練法に挑戦すると、一味違った本格的な英語力強化へのブレイクスルーが感じられると思います。

具体的な学習サイクル

1．K/Hシステム勉強手順の「力試し」の方法で、自分の弱点をまずていねいに洗い出し、次にそれを確実に克服する指針で勉強する。定期的に録音して、自分のパフォーマンスを厳しくチェックすること。
2．シャドーイングは、月に１、２教材（１教材10分程度のもの）を、あいた時間を使って徹底的に行う。このとき、音と意味の一体化をくり返すだけでなく、必ず、自分の弱点（例えば、冠詞、時制、複雑な構文、自然な言いまわしなど）を意識したシャドーイングをすること。また、使われている表現は、すべて自在に使えるまで覚えてしまうつもりでシャドーイングすること。
3．英語のロジックパターン、英語的な自然な言いまわし、英語のていねい表現、文化的価値観と英語表現の関係などの視点も視野に入れて勉強する。
4．多読や多聴をする際もただ聞きっぱなしにせずに、そこで出てきた使えそうな英語表現などは、多少はシャドーイングをするなどして身につけてしまうことを常に心がける。

第8章 これからの勉強のアドバイス

6　K/Hシステム英語勉強法入門編修了式

K/Hシステム英語勉強法の入門編を最後まで仕上げられた皆さん、本当にお疲れさまでした。スタートポイントの英語力によって印象はさまざまだと思いますが、何か、英語への取り組みの視点が変わり、自分の中での英語の聞こえ方が変わったと感じていただけたことを祈ります。スタートポイントの英語力が低かった人は、この教材を仕上げるには相当の努力と時間がかかったことと思います。今の時点ではっきりした効果を実感できなくとも、がっかりしないでください。絶対にここでかけた時間と努力は、今後に生きます。

この学習システムは、アメリカで日々、まさに「英語の現場」でのコミュニケーションに苦闘している方々の悩みや苦労に直にふれながら、工夫と改善を重ねてきた方法論です。対症療法的に「知っている」表現を増やすだけであれば、それに適した教材はたくさん出ていましたが、それだけでは本格的に英語でコミュニケーションできる能力の開発は難しい、というのが現場を見てたどりついた私達の結論でした。一見遠まわりに見えても、「現場で聞き取れる」形での英語の理解の仕方、「自分で使える」形での英語の身につけ方をまず体得することが、高い英語力への飛躍に不可欠なしっかりとした「基盤」をつくることになると、私たちは確信しています。K/Hシステムは、この考え方を基盤に構築してきました。

言葉を学ぶことのおもしろさ。文化の異なる人たちとコミュニケーションできることの興奮。そして、言葉を学ぶことを通じて「言葉の向こうにあるもの」を垣間見て、振り返って自分についても新たな光のもとで、それまで気づかなかった何かが見えてくることの感動。もちろん、必要性から英語を学ぶ人も、「何となく」という気軽な気持ちから英語を学ぶことになった人もいるでしょう。でも、外国語を学ぶことの、こうした素晴らしい感動をできるだけ多くの人たちが感じられるように、私たちも皆さんとともに、これからも工夫や改善を重ねていきたいと思います。

第8章 これからの勉強のアドバイス

受講者の方々からのフィードバックを糧につくりあげてきたシステムです。ぜひ、皆さんからも感想や悩みなどのフィードバックをいただければと思います。私たちのホームページには、ニュースレター、各種プログラムやその体験記、勉強法、質問コーナーなどもあります。自分だけでの勉強でエネルギー不足になったときなどにアクセスしてみてください。

http://www.KH-system.com

英語が好きな仲間として、皆さんのこれからの飛躍を心から祈っています。

国井信一／橋本敬子

K/Hシステム実力英語講座セミナー情報

「入門編」である本書だけが、K/Hシステムのすべてではありません。より高度な聞き取り訓練プログラム、英語のロジックを中心としたスピーキング訓練プログラム、相手に配慮した表現と話し方を中心にした異文化コミュニケーション・プログラムなど、各コンポーネントが有機的に組み立てられた総合的英語学習システムとしての姿こそ、K/Hシステムの真の姿です。

K/Hシステムの各コースは、日本とアメリカ各地で定期的に開催されています。本書の勉強だけでは物足りない方、独りではどうしても＜100％シャドーイング＞ができない方、「やまと言葉落とし」の感覚をさらに身につけたい方、本書を終了されて次のレベルに飛躍したい方など、直接K/Hシステムをセミナーで実体験してもらう機会もあります。詳しくは、私たちのウェブサイト KH-system.com をご覧ください。または、K/Hコミュニケーションズ（Tel: 03-3883-2262）までお問い合わせください。

K/Hシステム自主学習サポート体制

英語学習は継続こそが王道ですが、独りではどうしてもK/Hシステムによる勉強が続かないという方もいらっしゃると思います。そのような方々のために、K/Hシステムでは自主学習サポート体制を提供する予定です。継続を阻害する要因として、「継続のエネルギー」が続かないことや、K/Hシステムでの学習の各段階で課題や疑問点などが出てきて、そこで引っかかってしまうことなどがあります。そのような課題や疑問点を解消しながら、個々の学習者に即したアドバイスを行い、ひとつずつステップ・アップしてもらえるような自主学習と継続のためのサポートを行うことがこのプログラムの目的です。本書の学習者からの個々の質問に答えるEメール・ニュースレターや、K/Hシステム学習者間の情報交換なども考えています。これにより、K/Hシステム勉強法をより深く理解してもらうと同時に、たゆまざる英語学習の継続エネルギー源にしてもらおうというねらいもあります。詳しくは、上記のウェブサイトをご覧ください。

著者プロフィール

橋本敬子
ワシントンD.C. を中心に活躍する通訳／翻訳者。主に政府関係、ビジネス／労働分野の通訳を行う。アメリカで開催されるK/Hシステム英語研修プログラムの設計・開発と運営を手がけ、米国トヨタなどでの社内研修にも携わる。イギリス、ケント大学哲学科を卒業、英米滞在経験15年以上。

国井信一
東京ベースの会議通訳者、上智大学英語学科講師。CNN、NHK衛星放送をはじめ、国際会議、ビジネス交渉・政府間協議などさまざまな分野で同時／逐次通訳を行う。K/Hシステム実力英語講座を橋本氏と共同主催。異文化の職場コミュニケーション研修の開発と運営も手がける。

究極の英語学習法
K/Hシステム──入門編

国井信一
橋本敬子　共著

2001年6月25日初版発行
2008年5月7日第11刷発行

AD：園辺智代

発行人：平本照麿
発行所：株式会社アルク
　　　〒168-8611　東京都杉並区永福2-54-12
　　　電話　03-3327-1101（カスタマーサービス部）
　　　　　　03-3323-2444（英語出版編集部）

アルクの出版情報：http://www.alc.co.jp/publication/
編集部e-mail　　：shuppan@alc.co.jp

CD制作：中録サービス株式会社
DTP：朝日メディアインターナショナル株式会社
印刷・製本：図書印刷株式会社

© Kunii／Hashimoto 2001
落丁本、乱丁本、CD、CD-ROMに不具合が発生した場合は、弊社にてお取替えいたしております。弊社カスタマーサービス部（電話：03-3327-1101、受付時間：平日9時〜17時）までご相談ください。
定価はカバーに表示してあります。

PC：7001341

アルクのキャラクターです
WOWI（ウォーウィ）
WOWIは、WORLDWIDEから生まれたアルクのシンボルキャラクターです。温かなふれあいを求める人間の心を象徴する、言わば、地球人のシンボルです。

http://alcom.alc.co.jp/
学んで教える人材育成コミュニティ・サイト

アルク
www.alc.co.jp

通訳者が行っているトレーニング法が、あなたの英語力に革命を起こします！

自宅で通訳訓練ができる通信講座

通訳トレーニング入門

テキスト監修：柴田バネッサ（通訳者／神田外語大学講師）

- **受講開始レベル**　TOEICテスト550点、英検2級〜
- **学習時間の目安**　1日45分×週4日

テレビを見て、英語と日本語を巧みに使い分ける通訳者の姿に憧れたことはありませんか？ 通訳者が行っているトレーニングには英語力をアップさせる仕掛けがたくさん詰まっています。英語学習に行き詰まりを感じている人や実力が伸び悩んでいる人にも効果てきめん！「通訳トレーニング入門」で劇的なスキルアップを体験してみませんか。

Q1　「通訳トレーニング入門」を受講すると、どの程度の通訳ができるようになりますか？

A1　この講座では、ボランティア通訳レベルを目指します。

この講座は、英語力と通訳技術を高めてボランティア（アマチュア）通訳レベルを目指せるように作られています。たとえば万博やオリンピックなどのイベントで活躍したり、勤務先で「ちょっと通訳やって」と頼まれて通訳するレベルです。

Q3　通訳トレーニングに興味はあるけど、むずかしそう…。

A3　英検2級レベルからスタートするので、気軽に通訳トレーニングを楽しめます。

通訳の面白さを知っていただくために、難解な話題を避けて、ビジネスシーンや日常的な場面で使われる英語を素材にしています。取り扱うテーマも「上司との海外出張」「外国人に日本社会を伝える」など身近で体験しうるものばかり。実践に即した内容になっています。

Q2　通訳トレーニングをすると、どういうところが変わりますか？

A2　英語学習に対する姿勢ががらりと変わります。

通常のリスニングとは異なり「通訳する」ということは、聞いた英語を100％理解し、かつ正確に日本語に置き換えなければいけません。この講座では、通訳トレーニングを通じて「聞いて理解する」と「声に出して言う」をバランスよく訓練し、総合的な英語力を身につけていきます。

Q4　具体的にどんなトレーニングをするんですか？

A4　お馴染みのリスニングや、プロの通訳者も実践する専門的なものまでさまざまです。

当講座で取り入れているトレーニングは、通訳者たちが実践して「効果アリ」と証明されているものばかり。その数はじつに21種類に及びます。学習の進め方として、毎日さまざまな訓練法を組み合わせて行い、プロのスキルを磨いていきます。

4カ月の学習カリキュラム

	第1週	第2週	第3週	第4週
1カ月目	さまざまな通訳訓練法に親しむ	来日する外国人を迎える	外国人ゲストを迎えたパーティーで	上司と海外出張へ
2カ月目	取引先の会社見学	日本で快適に過ごしてもらうために	困っている人を助けたい！	社会を伝える・日本を伝える
3カ月目	取引先との会議や交渉	楽しく食事	外国人をアテンドする	公共の場での通訳に挑戦！
4カ月目	実践編（インタビューやスピーチ、学会の発表、案内など盛りだくさん！）			

トレーニングの一部を紹介

シャドーイング
文を聞きながら、聞こえた音を1～2語遅れて声に出して言います。この講座でのシャドーイングは「聞きながら話すための訓練」であることを意識して、リスニング力・スピーキング力のアップを図りましょう。

パラフレージング
原文の内容を変えずに、主語を変えるなどして聞き手が理解しやすいように言い換えます。話の内容を正確に理解し、自分の言葉で表現できるようにしましょう。

順送り訳
英文を頭から、なるべくセンテンス本来の形に沿って訳していきます。情報処理速度を上げ、英語の語順に従って話を進められるようにしましょう。

サイト・トランスレーション
英文を読み進めながら、スラッシュの位置で日本語に訳していきます。なるべく英語の語順を守りながら、聞いている人が理解しやすい訳を心がけましょう。

受講生のみなさんに聞きました。
「通トレ」を受講しようと思った最大の理由は何ですか？

- 英語力を伸ばしたい 55.7%
- 新しい学習方法を試したい 19.9%
- 通訳者を目指したい 14.8%
- その他 9.6%

「英語力を伸ばしたい」がトップ。受講生の意気込みが感じられます。「すでに通訳をしている」または「夢に再チャレンジ」という声もチラホラと見受けられました。
※受講生アンケートより

続々届いています！ 受講生の声

- 自分のこれまでの英語学習で弱点だったところが具体的に見えてきたことが大きな収穫
- 英語⇔日本語は表現の仕方が難しいが、良い訳が思いついたときは感動的
- 今までいかに「なんとなく」しか聞いていなかったかが実感できた
- とても楽しく、新たな方向の英語学習意欲がわいてきた
- ニュースを見たり聞いたりする姿勢が変わった
- 録音した自分の声を確認する訓練は、英語力を伸ばすのに役立っていると感じる

教材内容：
コースガイド1冊／テキスト4冊／サブテキスト『通訳はじめてブック』3冊／CD 8枚／DVD1枚／電話実技テスト1回／マンスリーテスト4回／特製CDケース1個／修了証（修了時に発行）

※学習を進める上で、自分の声を録音・再生できる機器（カセットテープレコーダー、MD、ボイスレコーダー、パソコンなど）が必要です。

標準学習期間： 4カ月　　**受講料：** 44,100円（税込）
お支払い方法： コンビニ・郵便局払込（一括払い、手数料無料）
　　　　　　　　　代金引換（一括払い、手数料630円）

※クレジットカード（一括払い・分割払い）をご希望の方は、下記フリーダイヤル（24時間受付）またはインターネット（SSL対応）にて承ります。

お申し込み受付後、3営業日以内に発送センターより教材を一括で出荷いたします。

お申し込みは今すぐ！ フリーダイヤルまたはオンラインショップで承ります。

フリーダイヤル 通話料無料（24時間受付）
0120-120-800
※携帯電話、PHSからでもご利用いただけます。

オンラインショップ
http://shop.alc.co.jp/
※講座の詳細もご覧になれます。

ご提供いただく個人情報は、商品の発送、お支払い確認等の連絡および小社からの商品情報を お送りするために利用し、その目的以外での使用はいたしません。

24時間いつでもOK！

アルクの書籍、通信講座の
ご注文はラクラク便利な…
アルクオンラインショップで！

アルクのオンラインショップなら24時間いつでもご注文できます。初めてなのでちょっと不安…という方も、以下を参考に早速アクセス！

❶ まずはアルクのオンラインショップへアクセス。

http://shop.alc.co.jp/

❷ 画面左上の商品検索に、ご希望の商品名を入れて検索をクリック。

❸ ご希望の商品を選んで…

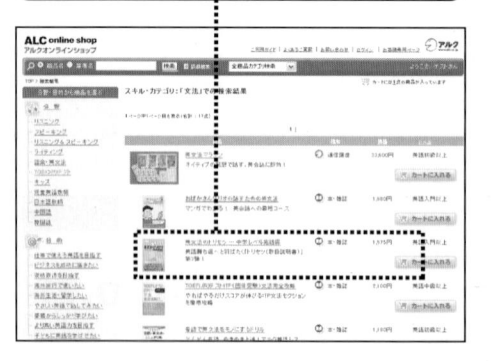

❹ あとはカートに入れて、レジへ進むだけ！

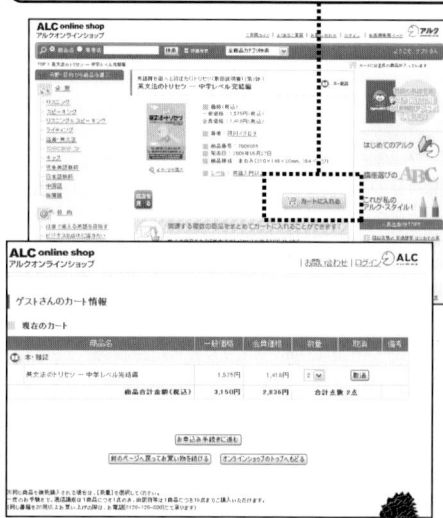

❺ 3営業日以内に発送いたします。

通話料無料のフリーダイヤルでも承ります。

📞 0120-120-800

（通話料無料／24時間受付）

※1回あたりのご購入金額が3,150円（税込）未満の場合には発送手数料150円が加算されます。ご了承ください。